JN121415

子規的病牀批評序説

渡部直己

月曜社

子規的病牀批評序説　目次

子規的病牀批評序說

『一年有半』と『病牀六尺』——まえがきに代えて

明治三十四年四月というから、前世紀最初の年（一九〇一年）の春のことになる。

旅先の大阪で、前年来の咽頭痛の激化を覚えた中江兆民は、「癌腫」覚悟のうえ、診察医に強いて「余命」のほどを聞きただす。温厚な医師は「沈思二三分にして」果然さも言いにくそうに、「一年半」善くもって「二年」と告げる。予期していたよりは長い時間である。ならば、「今にして一言も」後人に告げ残さずして「豈に読書の人たるに在らん哉」（秋水「引」）。兆民はそのまま大阪市内にあって筆をふるい、中途から堺市の友人宅に移り、前後二、三ヶ月のうちに四百字詰用紙なら百枚分ほどの原稿を書き上げる。当時の政局や政治家をはじめとする社会状況から、文学、芸能、風俗をふくんで現下の私生活まで、多岐にわたるアットランダムな断章からなるその「数帖の草稿」を、八月初旬、東京から呼び寄せた門人・幸徳秋水に披露し、校閲と死後出版を託す。死後ではなく即時の上木を求め一諾を得た愛弟子は、わずか一ヶ月で、校閲し、前書（「引」）を書き、各断章の頭に百六十余の小見出的囲み文字を添え、単行本未収録の兆民旧稿二十数編を選んで「附録」となして、『一年有半』を上梓する。副題の「生前の遺稿」も、あるいはこの秋水の発案によるか。

書物が大きな評判を得てたちまちにして版を重ねはじめるなか、東京にもどった兆民は、病気を案ずる周囲に豪語して、「病気の療治は、身体を割出しではなくて、著述を割出しである、書ねば此世に用はない、直ぐに死でも善いのだと答へて」（秋水「引」）一瀉千里、今度は、かねて抱懐する「哲学」の「大要」に筆を走らせ、やはり秋水の手を介して、同年十月には『続一年有半』を上梓する。

自由民権運動の一大温床たる『民約訳解』の著者にして、『三酔人経綸問答』『平民のめさまし』など、明治有数の啓蒙著作家として「東洋のルソー」と呼ばれた人物ならではの壮挙である。死を凌ぐ裂帛の気合いが明治人たちにいかに歓迎されたかは、想像に難くないが……このとき、その「生前の遺稿」にたいする絶賛の大合唱に、ただひとり、ぴしゃりと冷や水を浴びせかけた者が、死病を得て久しい正岡子規である。前年（日清戦従軍記者最末期）の大喀血が脊椎カリエスに移行した明治二十九年以来、年ごとに重る病のため上野根岸の「六尺」の「病牀」に縛りつけられている子規が、病軀を駆って日々に書きつづけ発表する断章類が、『墨汁一滴』の名で人々に知れ渡っていた当時の、「命のあまり」と題された一文である。

「死にかゝつて居る」点はまず互角として、病苦については、こちらはすでに五年越しの「先輩」であるから言わせてもらうがと切り出す子規がみるに、『一年有半』の内容は「平凡浅薄」の一語に尽きる。兆民でなくとも書けるような凡庸な代物がここまで評判を取ったのは、たんに「新聞」が大々的にほめそやしたからだ。つられて、「天職」に殉ずる老大家のすがたに大げさに感じ入る者たちが後を絶たぬが、どんなものか。自分も、同じ言葉で似たような「同情」を受けそのたびに「甚だ迷惑した」が、「天職」もなにもあったものじゃない、たんに、書いていないと病苦に耐えられぬから書いているにすぎぬ。「要するに病中の鬱さ晴らし」だと（おのれに照らして）断ずる子規は、「学問」があるゆえさすがに、「理屈の上から死に対してあきらめ」はつけたようだが、兆民居士はまだ、自分のように「「あきらめ」以上の域」には達していないと決めつけてみせる。

右一文は『墨汁一滴』と同じく、子規派の牙城たる日刊紙『日本』（一九〇一年一一月二〇、二三、三〇日）に掲載されたものだが、やや先だって、プライベートな日誌『仰臥漫録』においても、『一年有半』にたいする四度の言及が残されてある。新聞紙上の書評類から察するに、兆民はまだ「美といふ事」が少しも分からずそのぶん「吾等に劣り可申候」（一〇月一五日）と記したその現物を入手読了後の日誌には、「命のあまり」と似た文言が（「際物」といった語彙とともに）記されたうえに、つい最近『二六新報』紙上に「自殺」予告を出した投書家が、人々の「同情」を得て死なずに済んだばかりか、さる篤志家によって「烟草店」を出してもらった話が、『一年有半』と「好一対」をなす逸話として書き込まれている。そういえば、自分もまた瀕死をよいことに、虚子から「二十円」を借りっぱなしにしているが……「併シイヅレモ生命ヲ売物ニシタルハ卑シ」といった苛烈な言葉を自他に与えて、その文は結ばれている（一〇月二五日）。

苛烈さは、おそらく、激痛のあまり「逆上」、手元の「小刀」と「千枚通シノ錐」での自死を思いかけとどまるという数日前の記憶（『仰臥漫録』一〇月一三日）が助長しているかにみえるが、

「命のあまり」にたいしては案の定、掲載紙『日本』に、いまふうのおぞましい語彙を借りるなら兆民に深く寄り添った投書が寄せられる。子規自身の『墨汁一滴』には「同情の涙」をそそいだが、この記事には失望したという投書家が、子規はたぶん、兆民の成功を嫉妬しているのだろうと「邪推」すれば、そのおぞましさを衝くかのような子規寄りの反論があらわれる。内容は二の次、三の次、「死にかゝつて書いた」という一事に焦点をあてながら、君のような他愛のない人種に迎合するジャーナリズムにこそ、子規の舌鋒は向けられているのだというのが、子規の門人筋とおぼしき投書家の所見である。そもそも、「売れる本が必ず善い本ではない」。これへの再反論や別論がまた何通か寄せられるのだが（『子規全集』第十二巻「参考資料」六一六－六二三頁参照）……今日のネット上にもありがちな応酬騒ぎがひいた翌年の夏、子規はふと言葉を継いで、以前口にした「あきらめるより以上のこと」（傍点原文）とは「天命」を楽しむことだと記す。

居士をして二三年も病気の境涯にあらしめたならば今少しは楽しみの境涯にはひる事が出来たかも知れぬ。病気の境涯に処しては、病気を楽しむといふことにならなければ生きて居ても何の面白味もない。（七月二十六日）

（『病牀六尺』「七十五」）

このとき、兆民はすでに前年暮れに物故してあり、子規自身も、右日録から四十日ほどのちに世を去るのだが……本書『子規的病牀批評序説』は、明治期の二つの偉大な知性にまつわる上記の顛末が、とつぜん、他人事ではなくなった者によって書かれている。

＊

二〇二一年夏、コロナと五輪の狂奔からは幸いと逃れえた見返りに、病院のベットに括りつけられていた。以来、その後の化学治療との関係などで生活が一変し、これまでのように、じっくり物を考え書き記すための持続的な時間は許されなくなった。残念だが、今後も同様だろう。が、兆民の心意気や、子規の「「あきらめ」以上の域」には及ばぬにせよ、考え、書くことをそう簡単に辞めるわけにはゆかない。では、どうするか？――本書はその最初の答えであり、書名中、「序説」の一語はそこに由来する。

その前年、わたしは『日本小説批評の起源』を上梓することが出来たが、そのおり書き漏らしたポイントや、考えきれなかった問題、上梓後あらたに気づき、あるいは興味を覚えたことがらなどを、そのつど書きとめたメモやノートが手元にあった。虫が知らせたわけでもあるまいが、二日もすれば当人にすらもう判読しがたい乱筆乱文の常にも似ず、わたしにしてはどれも丹念に書かれてあるのを幸い、主にそこから選んだテーマについて、毎月の薬の副作用の薄い二週間以内に最低一本の割合で、何か書くことを――兆民流にいえば自前でも可能な「病気の療治」として――おのれに課した。同様にして、残すにたる二、三の旧稿を手直した。そのさい、一編ずつ形にすることを、「療治」に不可欠な「楽しみ」とした。書名に選んだ「子規」の名は、ひとつには、この悦楽にむけられているものだが、その七編が、本書の第Ⅰ章「季節外れの里帰り」を構成している。

　秋口から一ヶ月ほどの二度目の入院時に、『フローベール全集』の「書簡集」三巻と、その一部にあたる原書などを持ちこんで再読していた。とくに、『ボヴァリー夫人』執筆中にルイーズ・コレに宛てた書簡の数々を熟読した。そこから書き写し、それぞれに寸評をくわえた十五ほどの断章が、第Ⅱ章「フローベールの教え」をなしているが、こちらは、時期的にいえば、「逆上」気味のわたし一個において、悦楽というよりは端的に「写経」的な救いとなったものだが、もちろん、今日一般の読書人に益するように心がけている。

　第Ⅲ章「批評三論」には、わたしにとってもっとも重要な三人の批評家、正岡子規と柄谷行人と蓮實重彥にかんする旧稿（第一論文と第三論文とのあいだには四十年弱、すなわち、わたしの批評歴のほとんどすべての時間が流れている）を、こちらはほぼそのまま収録（再録）した。第一論文の青く力みかえった語句行文の数々や、第二論文との重複部分などについては、今回の「里帰り」のよすがに免じていただければ幸いだが、この場合、「里」とは子規のきわめて両義的な「写生」理論と「ロシア・フォルマリズム」、および、戦後フランスの「テクスト理論」であるといって過言ではない。もとより、そのような「里」自体がいまや古証文に類するという意見も、あって当然かとおもう。これらを「ネット社会」以前の批評的思考として顧りみぬ人々のほうが、むしろ大勢を占めてもいようが……そうした向きにたいしては、兆民の次のような啖呵で応じておくことにする。『一年有半』「附録」に収められた「考へざる可らず」に読まれる一節、お前の表看板る。「民権論」はもう古いという訳知り顔への（これはまさに兆民にしか書けぬ）鮮やかな切り返しである。

吾人が斯く云へば、世の通人的政治家は、必ず得々として言はん、其れは十五年以前の陳腐なる民権論なりと、欧米強国には、盛に帝国主義の行はれつゝある今日、猶ほ民権論を担ぎ出すとは、世界の風潮に通ぜざる、流行後れの理論なりと、然り是れ民権論なり、然り是れ理論としては陳腐なるも、実行としては新鮮なり（…）

同様にして、いかなる作品も叙述（書き方）と虚構（書かれたもの）の相関として講じられる自立的な組成であるという「理論」も、遺憾ながら、いまだに「実行としては新鮮」なのだ。作者の「内面」（→「表現」）や、外部世界との関係（→「再現」）といった要素もまた、作品に先立つ所与ではなく、その自立的組成とのかかわりを通して検分されねばならない。いわゆる「テクスト論」のこのイロハを、ほんの数年前、わたしは現に、年下の批評家の新著にたいして繰り返すはめになったのだ。黙って見過ごすこともできたが、『新しい小説のために』と題された分厚くややファンタジックなその書物には、同名の歴史的エッセーの書き手たるロブ＝グリエの名の傍らに、わたしの「移人称小説論」（『小説技術論』所収）まで大きく扱われている。やむなく一筆に及んだ書評で、本書第Ⅲ章「《現実》という名の回路」の中心的論点を、わたしはほぼそのまま反復することになったのだが（「「私」をめぐる「新しい」ファンタジー」・『新潮』二〇一八年一月号）、ことほどさように、四十年も前に指弾した「表現のドグマ」は、これまで同様に今後とも、まさしく抑圧されたものの回帰のごとく、いつでも何処にでも露頭するだろう。このとき、たとえば「ロシア・フォルマリズム」的な視界は「理論としては陳腐なるも、実行としては新鮮」なのだと、少なくとも本書の著者は、確かにそうおもっている。第I章の表題文で、「ロシア・フォルマリズム」関係の翻訳用語の混乱を整理しておいたのも、これゆえである。

付けてこのとき、兆民の際会した「帝国主義」は、近頃よく耳にする「世界文学」（としての現代日本小説⁉）にあたるかもしれない。語呂合わせではない。実際、まったき「自由民権」がすべての構成員にまで深く行き渡った国家では、他国民の個別的「民権」を蹂躙する「帝国主義」は成立しないか、即座に瓦解する。「帝国主義」は何よりも各国各人の個別性を破壊する。ほぼ同様にして、各種言語のエクリチュールおける個々に通約不能な特性を捨象せずにはうまく成立しないものが、「世界文学」なる観念であろう。そうした空疎な観念をもてはやすのは、ごく単純にいって、通約可能な「物語」と「イメージ」をなぞりながら、作品の「叙述」面は都合よく失念するための、批評的怠慢に近いものではないか？

いずれにせよ、自分の依って立つところがかりに「陳腐」であるとしても、実行においてはいまも「新鮮」であること。「批評」的にはこの一点にかけて、また、「病牀」的には子規の次のような明るい粘り強さを渇望して、本書は書かれている。

○余は今迄禅宗の所謂悟りといふ事を誤解して居た。悟りといふ事は如何なる場合にも平気

で死ぬる事かと思つて居たのは間違ひで、悟りといふ事は如何なる場合にも平気で生きて居る事であつた。（六月二日）

（『病牀六尺』「二十一」）

わたしはかつて、子規の「フォルマリズム」を発見しこれに学んで、批評家になった。同じく、いま、彼の「病牀」生活に学んで、さらに「平気で」批評家たりつづけたいと願っている。

（二〇二一・一二・二八擱筆）

＊本書中の引用にさいして、傍点は特に注記なき場合は（第Ⅱ章を除き）すべて引用者による。省略箇所は（…）で示し、外国書籍の書誌は原著刊行、発表年を記した（翻訳書誌は別記）。旧仮名は原文に従い、漢字は、右「病牀」のようないくつかの例外をのぞき、旧字を新字に変えた。◯◎などの圏点類と読みルビは適宜に取捨した。用字表記などの統一は不問とした。

Ⅰ　季節外れの里帰り

動くものと細かなもの——タトゥー選手と伊藤若冲

谷崎潤一郎の愛読者としては、少し情けない話だが……わたしは、「刺青」というものがひどく苦手である。いまふうに「タトゥー」と呼び換えておくが、これを目にするたびに胸の奥が鈍くささくれる。時として、ささくれは粘った熱をおび、場合によっては、軽微だが端的な「嘔吐感」や「怯え」に見舞われしまう。たぶんフロイト的な症状だとおもうが、その機縁や因果について云々するつもりはない。また、いわば反＝儒教的なこの「身体髪膚」を選ぶ人々を難ずる意志もなく、むろん、その権利もない。民族的風習や文化的嗜好にしたがって、みずから選ぶともなく、ごく自然にそれを受け入れる人々が数多くいることも、よく承知している以上、苦手なら、たんに、そっと目をそらせばすむことだ。現に、より多くの場合、わたしはそのようにしているのだが……ここにひとつ、なんとも厄介なケースが存在する。

タトゥーをいれたスポーツ選手たちの活躍がそれである。しかも、一流になればなるほど、タトゥー選手が目につくのだ。

プロサッカーや大リーグに限ったことではない。プロ・アマの別もなく、いつからか、この傾向が（日本をむしろ例外として）世界の各種スポーツ界全体に浸透してしまった。このことは、先ごろ閉幕した東京五輪が、改めて内外満目に印象づけたろうが、前世紀にはおよそ信じがたい光景として、いまや、押さえこまれた真っ白な柔道着の袖口や、平均台でバランスをとるユニフォームの襟元から、装飾的自傷の跡がのぞくのだ。アメリカの水泳スター選手にいたっては、左の肩口から左腕全体に彫りこんだ大鷲や星条旗を景気よく水面に走らせたりする。右腕には五輪マークまである。それとて、いつものように眼をそらせばよいわけだが、困ったことに、スポーツ観戦をことのほか好む者は、一方では、彼や彼女の動きには、つい深ぶかと見入ってしまうのだ。つまり、わたしはそこで、素晴らしい動きに瞳を奪われると同時に、その一部に目を背けるといった体験を強いられることになる。この違和感の処理がそのつど厄介なのだ。

だが、違和感は果たして、わたし一個の問題にとどまるのか？

繰り返すが、タトゥーを入れることは、あくまで、スポーツする側の勝手である。一事はしたがって、もっぱら観る側の問題に属するのだが、この問題は（私的な病理もしくは偏見をこえて）たぶん以下のごとく一般化できるかとおもう。

すなわち、視覚領野において、細かなものと動くものとは、原理的に調和しがたいこと。

伊藤若冲の「動植綵絵」（推定一七五八〜六六年）に就いてみよう。

あの奇蹟的な細密画法による連作三十幅のなかで、たとえば「諸魚図」や「群魚図」に描かれたさまざまな魚たちが、どれも泳いでいるようにはみえず、ゆえに、素人目にも連作中いくぶん見劣りするのは、なぜか？　鰓や鰭や鱗や吸盤を細描されたその鯛も烏賊も河豚も鮃も子連れの蛸も、みな、海中を泳いでいるのではなく、若冲の青物問屋のあった京都錦小路の棚だなに並べられているような（ユーモラスではあれ、かなり脱力をさそう）珍妙な姿をきわだてている。氷の張った水面に急降下する「蘆雁図」の一羽の雁も、下方の粟の穂むらを目指す「秋塘群雀図」の五十数羽の雀たちも、細かさと早さにまといつく同様の無理をはらんで、とうてい飛んでいるようにはみえない。「芍薬群蝶図」の画幅上方に舞う十数羽の蝶にも同じ気配がある。蝶たちもまた、中空ではなく標本箱にピンで留められたような印象をもたらす。これは、丹念に描きこまれた多彩な文様の微細さのせいだ。細部の微細さじたいが、その魚や鳥がまさに動きのさなかにあるという印象に、いたく逆らうかにみえてくるのだが、実際そこでは、コンスタン・ブランクーシのいう運動の「停止」が生じているかにおもわれる。

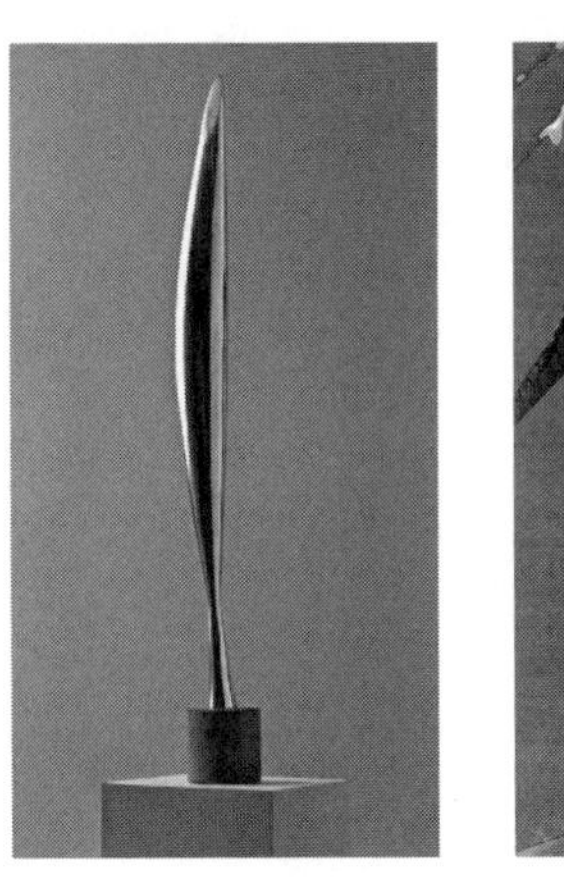

右　若冲「蘆雁図」
左　ブランクーシ「空間の鳥」

（…）人は魚を眺める時は、その鱗のことなど考えはしない。誰しも、水を通して眺められたその身体の活動する輝き、その運動の素速さに眼を奪われる。私が表現しようとしたものは、まさにそれにほかならない。もし私がその魚のひれや、鱗や、眼をそのまま再現したとしたら、私は魚の動きを停止せしめ、単に現物の見本を作ったに止まったろう。

（高階秀爾『十二人の芸術家』所引）

これゆえ、その魚や鳥の動きの本質じたいを追求する彫刻家が、一九二〇年代、プロペラ型の「鳥」や、原始時代の石包丁のような「魚」、卵形の「新生児」などのブロンズ像を作り出して現代彫刻の始祖と目されることは、良く知られていよう。ブランクーシはそこで、若冲の「見本」とは反対に具象の細部を捨て、つややかな流線をきわだてた抽象的なフォルムを選ぶことになるわけだ。

同じ観点はつとにまた、たとえば正岡子規のものである。「写生、写実」と題された未完稿（『ほとゞぎす』一八九八年一二月）で絵画論に筆をつけた子規は、応挙呉春一統の「理屈的写生」の弊を説いて、「例へば鯉を画くと三十六枚の鱗がチヤンと明瞭に一枚〳〵見えて」いて、かえって対象の「美感」を逸するのだと説いている。人の眼はそんなふうには鯉をみていないからだ、と。

ただし、右のような作品は、「動植綵絵」においては、むしろ例外的なものである。この点を逸してはなるまい。「雪中錦鶏図」「群鶏図」「南天雄鶏図」「紫陽花双鶏図」、あるいは、薔薇や牡丹や梅花、芍薬、紅葉のなかに点綴される「小禽」たち。……親友の画幅に驚嘆した相国寺の名僧・大典が「藤景和画記」(『小雲棲稿』巻八)に残した言葉を借りれば「縟縟爾。爛爛爾」、すなわち、多彩にして緻密(「縟」)、さらに絢爛(「爛」)たるその尾羽の文様をきわだてながら、若冲の鳥禽の多くは動きを止めている。さまざまな品種の鶏を筆頭に、人の視力の限界に挑むかのような鳥禽たちは、その周囲にやはり「縟縟」と描きこまれる花木や花卉と同じように、じっと静態を保ち、あるいは、歌舞伎役者のごとく積極的に「見得を切る」(佐藤康宏『伊藤若冲』)。歌舞伎のそのポーズも、むろん同じ理由に従っている。諸事に華美なメリハリを旨とする歌舞伎役者たちが――動作のいわば異化的な減速性に主導された舞台上で、動きにほどよく馴染む衣装と面を身につけた能役者とは違い――時あって不意にこれ見よがしなポーズをとるのは、文字どおり、その顔の隈取りや衣装の細部を観客の瞳に強く焼きつけるためであるが(卑近なところでは、TV時代劇の「遠山桜」!)、若冲の鳥たちはさらに、「芙蓉双鶏図」のごとく、どんな歌舞伎役者にも不可能なアクロバティックな動作を強引に停止した格好で、その尾羽の文様を支えてくるだろう。強引ながら、これとて一種の理にかない、いわば、縟縟と動くことにともなう無理からは、幸いと逃れているかにみえる。

その一方で、同じ若冲には、五輪のタトゥー選手に似た例外的な構図が認められるのだと再言できるのだけれど……もちろん、両者を同一次元で語ることは正確を欠く。当たり前の話、凍った水面にむけて急降下する雁、粟の穂むらめがけて飛来する群雀といったところで、その鳥たちは、オリンピック選手たちのように実際に動いているわけではないからだ。それは自明である。

自明ではあるものの、やはり、両者の類似が気にかかってしまう。「雪中錦鶏図」の、アルトーの画布さながら虫食いだらけの、粘りけのある雪をかぶったアスナロの枝葉や椿の花弁に溶けこむような二羽の小ぶりな雉の痙攣的な美しさ。同じく、「群鶏図」に所狭しと蝟集し、それぞれの尾羽を鮮やかに描き分けられつつも、互いの輪郭を溶かしあうかのような十三羽の鶏たちの、だまし絵めいた美しさ。他愛のない想像だが、『あ、春』の相米慎二は、この鶏たちに魅了されて、あの明透なラストの散骨シーン、主役夫婦（佐藤浩市・斎藤由貴）を乗せた河船につづく船のなかから、さんざん手を焼かせた山崎努の骨をまく三人の初老女性たちの、とりわけ富司純子の衣装を選んだような気がしてならないのだが……それはともかく、この「雪中錦鶏図」「群鶏図」などを筆頭とする画群にあって、くだんの「蘆雁図」や「秋塘群雀図」は、いまひとつしっくりこない。同じように、スポーツ選手たちのタトゥーもまた、どうにも、眼になじまない。双方ともに、何かしらひどく約束が違うといった印象を拭いきれないのだ。

もとより、素人の勝手な感想である。動きと細かさとの関係が、絵画界でどう取り沙汰されてきたか、ほとんど何も知らない。たとえば、千葉のホキ美術館あたりに居並ぶ「写実画」の作家たちに、動きのさなかにある対象を扱ったタブローがあるのかどうかも、遠く詳らかにしない。わずかに一例、さる画集で、廃墟を背景にした少女の目前と胸元に舞う五羽の蝶（小木曾誠「何度も」二〇一一年）を目にしたのみだが……「写実画」については、そのしみったれた「ミメーシス」の意義もふくめ、あいにくと、いまはまだ語る言葉をもっていない。また、たとえば映画のなかの「刺青」は、タトゥー選手の場合のようには厭ではなく、ときには魅了されるケースもあるのだが、これについての詮索も、さしあたりわたしの能力をこえている。

ならば、文学作品の領分では、どうなるのか？

こちらについては、多少とも良く承知しているつもりだが、動くものと細かなものとの関係は、ホメロスの対象描写において、すでに数種の興味深いアクセントを刻んでいる。

このアクセントについては、レッシングの『ラオコオン』（一七六六年）にきわめて啓発的な分析が示され、これが、戦前のロシア・フォルマリズムや戦後のフランス文芸批評を活気づけながら、小説理論の今日的水準を形成している。本邦では、たとえば、泉鏡花のトリヴィアリスムが格好のモデルとなる。作中にヒロインを導き入れるさいに、彼女たちのまとう衣装小物の細密描写を試みずにはいない鏡花は、その間、彼女らにきまって不動の姿勢を与えたりするのだが、これらの問題については、かつて何度も筆にしてきたので、やはり多言は控え、ここにはただ、別種の「刺青」の生彩を書きとめておきたい。

すなわち、中上健次『千年の愉楽』の「六道の辻」。……中本の一統に連なる三好は、昼日中からヒロポンを射ち、盗みを働き、十九の歳で「背中一面に龍が牡丹の花の茂みから空に翔けのぼろうとしている」墨を入れ、人の女房を寝取り、はずみでその亭主を殺し、血の中でつがった女房を連れてオリュウノオバの家に逃げ込み、オバ、「人、殺しても何も変らんねえ」と言い残して、いったん山の飯場に逃れるもじきに路地に戻り、二十歳の夏、みずから首を吊る。

（…）オリュウノオバは溜息をついて、三好の背に彫られてあった龍がいま手足を動かしてゆっくりと這い上がって三好の背から頭をつき出して抜け出るのを思い描いた。これが背中の中に収まっていた龍かというほど大きくふくれ上がり梢にぶらさがった三好の身体を二重に胴で巻きつけて、人が近寄ってくる気配がないかとうかがうような眼をむけてからそろりそろりと時間をかけいぶした銀の固まりのようなうろこが付いた太い蛇腹を見せて抜け出しつづけ、すっかり現われた時は三好の体は頭から足の先まで十重にも巻きついた龍の蛇腹におおわれてかくれていた。龍が抜け出た背中の痛みをなめてなだめるように舌を出して腹のとぐろの中に頭を入れる度に宙に浮いた形のまま龍の腹はズルズルと廻り、風で物音が立つと飛び立とうとして顔を上げた。龍が急に顔を空に上げ、空にむかって次々と巻いた縄をほどくようにとぐろを解きながら上り一瞬に天空に舞い上って地と天を裂くように一直線に飛ぶと、稲妻が起り、雲の上に来て一回ぐるりと周囲を廻ってみて吠えると、音は雲にはね返って雷になる。

三好が死んだその日から雨が降りつづけた。

水泳スター選手の「大鷲」は、その身体の動きを殺す。対して、この「龍」は、みずから動きだして、作品全体に無類の生動を与えている点を銘記すればよい。けだし、小説の功徳である。

（二〇二一・八・一五　擱筆）

季節外れの里帰り――ロシア・フォルマリズムをめぐる二、三の事柄（および註）

専門の研究者ではないのだから、まあ、許されることだとはおもうが……シクロフスキーやヤコブソンをこれまでさんざん使い回してきたわりに、わたしは、ロシア・フォルマリズムの文学理論全般に通じているわけではない。革命期のソビエト・ロシア、一九一〇年代後半から二〇年代にかけ、「詩的言語研究会（オポヤーズ）」「モスクワ言語サークル」などを拠点に活躍した他の面々、エイヘンバウム、トゥイニャーノフ、トマシェフスキーといった理論家たちの仕事については、最近まで、ほんの摘まみ喰い程度の知見しかもちあわせてこなかった。シクロフスキーやヤコンブソンにかんしても、自分なりに深く立ち入ったものは、彼らの全著作のごく一部、それぞれの代表的な論文にすぎないのだが、これには一応の言い訳はあり、それは、たとえば『物語の詩学』（一九八三年／邦訳水声社八五年・泉諒一＋神郡悦子）の「序」で、G・ジュネットの掲げる二つのポイントとなかば一致する。

すなわち、①ロシア・フォルマリストたちの散文理論の軸となる二項対立〈ファーブラ／シュジェート（fable／sujet)〉における「術語の選択」がきわめてまずいこと、②この対立は「物語論の前史」に属し、「もはやわれわれにとっては何の役にも立たない」こと。

ジュネットの書物は、十年前の『物語のディスクール』（七二年／邦訳水声社八五年・花輪光＋泉諒一）に寄せられた数々の反論にたいする応答を兼ねた自著解説本だが、そこにいう①については、まったく同感である。

もちろん、シクロフスキーの論文「プロット構成の諸方法と文体（スタイル）の一般的方法との関連」（『詩学（ポエチカ）』一九年）に発するとされる二分法じたいは、同時代「未来派」の韻文擁護に資して練り上げられた「詩学」を、散文フィクションの領野へ適用するさいの画期的な武器となった。テクストの形式をその内容にたいする従属物とみなすことを否定するこの二分法とともに、小説理論の水準が一気に刷新される。それは確かなことなのだが、問題は、テクストの形式にあたる項の名称にある。シクロフスキーらに共有された「シュジェート」の概念は、ジュネット当人の三分法〈物語内容 histoire／物語言説 récit／語り narration〉にいう「物語言説」にあたり、J・リカルドゥー（『言葉と小説』六七年）の二分法〈虚構 fiction ＝語られ（書かれ）たもの／叙述 narration ＝語り（書き）方〉においては、「叙述」にぴたりと重なる。にもかかわらず、その項の用語としてなぜ、フランス語で「sujet」（英語では「subject」）と訳される「シュジェート」の一語が選ばれ、爾来ロシア・フォルマリストたちのあいだにこの用語が定着してしまったのか？　おかげで、「少なくともそのフランスへの訳語をみる限り」ひどいことになるというのがジュネットの論難なのだが、残念ながら、これは日本語訳でも同様なのだ。同様以上だったといってよい。七〇年代初頭に集中的に本邦に紹介されたロシア・フォルマリズム文献(1)において、この二分法、ことに

「シュジェート」にあたる訳語が思いきりバラバラであるからだ。

たとえば、（1）シクロフスキー『散文の理論』（二五年／邦訳七一年六月せりか書房・水野忠夫訳）では、「シュジェート」は「主題」または「主題展開」、「ファーブラ」は「筋」または「内容」と訳出されている。以下、（2）トマシェフスキー「テーマ論」（一九二五年／邦訳七一年九月『ロシア・フォルマリズム論集』現代思潮社）では、「筋（ファブラ）と題材（シュジェート）」と小題された箇所に「筋と題材とは違う」（訳文・新谷敬三郎）といったシクロフスキーのテーゼが反復され……（3）エイヘンバウム「「形式主義的方法（フォルマーリヌイ・メトード）」の理論」（原文二九年／邦訳七一年九月『ロシア・フォルマリズム論集1』せりか書房）では、「ファブラ」は「筋」、「シュジェート」は「プロット」または「プロット構成」（訳文・小平武）……（4）同じエイヘンバウムの「プーシキンの創作方法（ポエチカ）の諸問題」（原文二一年／邦訳七二年『プーシキン　ツルゲーネフ』筑摩世界文学大系30所収）では、「ファーブラ」は「題材」、「シュジェート」は「筋立」と訳されたうえで、その訳注に「通常前者は筋、後者は主題・題材と訳される言葉であるが」（川端香男里）といった慎重な言葉が副えられている。

ご覧のように、「ファブラ→筋」はほぼ安定しているのに反し、「シュジェート」のほうは混乱をきわめている。手元の数本に就いてすでにこんな具合だから、広く渉猟すればありようはさらに顕著かもしれず、実際、右（2）が収められた一本の「あとがき」では、四人の訳者たちを代表して、訳業に当たり「もっとも困難を感じたことは、フォルマリストの文学用語に見合うであろう日本語を見つけだすことだった」と述懐する新谷敬三郎が、次のように続けている。

> 例えば、Сюжет（シュジェート）を《主題》とするか、《題材》とするか、《プロット》とするか、また、この語に対照されるФабула（ファブラ）を《筋》とするか、《プロット》とするか、といった問題である。（…）さらに私たち訳者のあいだにも、用語の概念についての意見の相違というよりはむしろ、訳語に対する好みがあって、ひとつの用語にひとつの訳語をあてはめることはさしひかえた。むしろひとつの用語にさまざまな訳語を与えることによって、その用語が内包する意味の幅もでて、かえって読者の理解をたすけるであろうことを期待した。

しかし、新谷のこの「期待」は、まったく裏目に出たといわざるをえない。ものには限度というものがあるからだ。内実からすれば明らかに「書き方（語り方）」にあたる同じひとつのロシア語が、あるときは「主題」あるときは「題材」または「プロット」と訳されて、何かをより良く「理解」する読者などいるわけもない。あまつさえ、逆に同じ訳語「プロット」にあたる原語が、ある場所では「シュジェート」、別所では「ファーブラ」（または「ファブラ」）であったりすれば、肝心の二分法（「対照」）そのものの意義が、あられもなく瓦解してしまだろう。少なくとも、七〇年後半にロシア・フォルマリズムに触れはじめた（ロシア語を知らぬ）者にとって、事態はそのように進行した。議論がここにくるとたちまち躓き、そこから先がうまく辿れないといった読書体験が繰り返されてしまうのだ。他方、同じ流派の別種主要概念たる〈異化／自動化〉や「ドミナント」などがすっきりと腑に落ちたのは、これらにまつわる訳語にかほどの混乱がなかったためで、爾来、ロシア・フォルマリズム全般にかんする当方の知見に小さからぬ偏りが生じて、久しきに及んだ。

これがまあ、ジュネットによる難詰①に和して不勉強の言い訳となすゆえんなのだけれど……わたしはべつに、いたずらな後知恵をふるって、当時のロシア文学者たちの胡乱さをあげつらっているわけではない。七〇年代当時、小説理論におけるこの二分法の重要さは、訳者たちにすら十分には理解されていなかった。銘記すべきは、「訳語に対する好み」にあっさり席を譲るほどのこの無理解が、一種の旧弊として（いちいち名はあげぬが）本邦今日の文芸批評や研究界全般になお残存することであり、結果、そうした書物や文学教師によって運悪く閉ざされた視界のなかで、右のような論文をはじめて繙く若者たちが、半世紀前の仏文大学院生と同じ困惑をいだきかねない。もっとも、現下ネット上の「用語例」ではさすがに原語のまま、「ボリス・トマシェフスキーは、「要するに、ファーブラというのは実際に起こったことであり、シュジェートとは読者がその内容を知った仕方である」と説明している」などとあるから、これはほとんど杞憂かもしれない。是非にも杞憂であってほしいし、また、管見の届かぬ現在のロシア文学研究界・翻訳界ではこんなことはとっくに解消済みであることを願いたいといった「老爺心」が、ジュネット論難①にさらに絡んでもくるわけだが……彼の論難②にかんしては、いささか注記を要する。

*

そもそも、『物語のディスクール』におけるジュネットの三分法〈物語内容 histoire ／物語言説 récit／語り narration〉は、プルースト『失われた時を求めて』を読むために仕立て上げられた一種の特殊理論である。

ソシュールにおける〈シニフィエ／シニフィアン〉に相当する〈物語内容／物語言説〉両者間の関係分析にとどまらず、ジュネットがさらに第三項「語り」（＝「物語行為」）を立て、前二項それぞれと「語り」との関係様態（「態 voix」）を問題にするのは、プルーストの一人称話者があまりにも異様であるからだ。『失われた時を求めて』を通読してみればよい。実際、その異様な「話者」の周囲では、たとえば、限定された視界と全知の視界とを往還する「移人称」（小著『小説技術論』参照）が放恣に繰り返され、話者でもある主人公と読者とに分属する二種の「記憶」の齟齬ないし共振が幾度もあらわれ、バルザックとヌーヴォー・ロマンとの中間に位置しながら「小説的語りの「伝統的形式」はもとより、その言説の論理そのものをも動揺せしめ」ている。そうした「話者」を相手どる以上、分析視界には第三項の措定が不可欠となるというジュネットであるがゆえ、ロシア・フォルマリストの二項対立は「物語論の前史」に属し、「もはやわれわれにとっては何の役にも立たない」と断ずるわけだが、この「われわれ」を安易に普遍化するのは、じつは得策ではないのだ。この三分法は、ジュネットとともに『失われた時を求めて』を読もうとする者たちにとって不可欠なものでこそあれ、一般理論として、他の作家や小説作品にたいしてむやみと適用しうるものではない。無理に使おうとすれば（当の『物語のディスクール』においてさえその兆候をみるごとく）、おそらく、みずからの分類用語に振り回されたあげくのいたずらな些末主義、分析のための分析といった結果を余儀なくされるだろう。これにかんしては——

「未来派」の創作と連動した「詩的言語」論を小説理論へと横滑りさせたロシア・フォルマリストにあっては、とかく欠落しがちな「話者」[2]にかんして、そのつど注意深くありさえすれば——くだんの二分法で十分だとおもう。現に、先のリカルドゥーはそれで存分の成果をあげているし、先述のごとき本邦の旧弊のなかで、彼に倣ったわたしも三、四十年来それでかくべつ困った経験はない。たとえば、前掲(2)のトマシェフスキーには「芸術作品においては筋の時間と物語叙述の時間とを区別しなければならない」という重要な一行が書き込まれている。おそらくはこれを踏まえた〈虚構/叙述〉の二種の時間の相互関係から、『言葉と小説』の著者はテクストに生じて随意に交替する三種の速度(加速・減速・等速)という鮮やかな定式を示し、わたしもこれを繰り返し強調してきたわけだが、同じ関係に着目して『失われた時を求めて』の時間構造を分析するジュネットにしても、さすがに、そのリカルドゥーを引用せぬわけにはゆかなかったのだから(『物語のディスクール』96P)、先の論難②には、やや忘恩の気味も否めないのだ。その彼は彼で、『物語のディスクール』の後、みずからの分析理論をあっさり失念したかのような『ミモロジック』(七六年)や『パランプセプト』(八二年)などを作ってしまうのだが……分析理論や術語のそのアドホックな用い方、理論の(ロラン・バルトやジル・ドゥルーズにも共有される)いわば生産的な使い捨てもまた、そのじつ、ロシア・フォルマリストの特性と無縁ではなのだ。

たとえば右(3)エイヘンバウム「「形式主義的方法(フォルマリヌイ・メトード)」の理論」。この論文は自派十年にわたる理論展開の軌跡を手際よくスケッチしたものだが、その冒頭、エイヘンバウムはこう明言している。

（…）既成の体系や教理をわれわれは持ち合わせたことはないし、今も持ち合わせていない。研究活動においてわれわれは理論を作業仮説としてのみ評価する。（…）われわれは具体的な諸原則を設定し、素材においてそれが確証される限り、それに従う。素材が複雑化や変更を要求するなら、われわれはそれらの原則を複雑にしたり、変更したりする。

同じようにして、『物語のディスクール』の著者もまた、特殊きわまりない素材にあわせて理論を「複雑化」し、次の大著『ミモロジック』では一転、大時代な「クラチュロス主義者」として、物にたいする言葉の擬態的な形姿を細々と探りかつ淫し、クローデール『西洋の表意文字』（二六年）の一節（少年にとっては「locomotive（蒸気機関車）」の「l」は煙、「o」は車輪とボイラー、「m」はピストン…）などを嬉々として引用しながら、その分析視界をおおきく「変更」しているのだ。それでよいのだ、と、エイヘンバウムが生きて戦後フランスの俊英の仕事に接すればたぶんそういったろうが……それはともあれ、かくて自分たちは「自分自身の理論からも自由」なのだという理論家は、さらに言葉を継ぐ。

われわれを特徴づけるものがあるとすれば、それは美学理論としての「フォルマリズム」でもなければ、完成した学問体系としての「方法論」でもなく、文学素材の固有な特質に基く、自立した文芸学を創始せんとする志向のみである。

要するに、理論の全体化だけはごめんだというのが、ロシア・フォルマリストの基本姿勢だというわけだ。だからこそ、彼らはやがて、スターリン（「社会主義リアリズム」！）に敵視されたのだろう。その歴史的な意義もふくめ、ロシア・フォルマリズムの散文理論に孕まれた反＝全体化、反＝体系化への志向は、わたし一個の批評においていまに貴重なものである。スターリンは、「フォルマリズム」を生んだ「ロシア・アヴァンギャルド」に敵対したのではなく、新しい「世界」へのそのプログラムをよりラディカルに横領＝継承したのだというボリス・グロイスの、かなりトリッキーな「修正」要求（『全体主義様式スターリン』一九八八年／邦訳二〇〇〇年）も知らぬではない。が、そのうえで依然、わたしは右のように考えるし、少なくとも、そのアクチャリティーをジュネットのごとく軽々に「前史」と呼び捨てるわけにはゆかないといった話になるのだが……ここにはいまひとつ、はるかに単純な事由もある。ここへ来てようやく、右の理由からこれまでいい加減に読み飛ばしてきた文章のうちに、新鮮で貴重な示唆がいくつもあったことに気づいたのだ。

＊

以下、少しくノスタルジックな話柄に流れることを許していただくが……わたしは子供時分、野口雨情作詞、本居長世作曲の「赤い靴」（一九二二年）という童謡がこわかった。怯えはむろん、初めて耳にした短調メロディーの抜きがたい魅力とない交ぜになったものだったとおもうが、ともかく、「赤い靴　はいてた　女の子　異人さんに　つれられて　行っちゃった」という唄がこわく、以来ずっと「横浜」が苦手だった。東横線沿線の高校に通い、横浜出身・在住の友人も何人かいるのに、また、物を書きはじめようとした時分、目と鼻の先の弘明寺に一年ほど下宿していたこともあるのに、「赤い靴はいてた女の子」が「行っちゃった」というその港町に、自分からは進んで足を運ぶことができなかったが、それをかくべつ気にかけなかった。なぜ怖かったのか。そこに拉致のイメージがつきまとっていたことは確かだが、その手のイメージは、長ずれば消えるのが常である。ところが、これがずっと消えないまま、消えぬ理由をさらに深く考える必要も感じず……そういえば、森の中でいきなり狼に喰われた異国の「女の子」も「赤頭巾」をかぶっていたっけといった程度で長く済ませてきたのだが……『日本小説技術史』（二〇一二年）の雑誌連載時、芥川龍之介の『歯車』を分析するさいに、このことがにわかに気になった。そこにも「レエン・コートの男」が繰り返し書き込まれ、発狂寸前の「私」を脅かしている。つまり、「赤い靴」や「赤頭巾」と同様、この「レエン・コート」という「換喩」性[3]においても、身につけた（身におびた）一部で全体を指呼される対象は、それじたいとして、不吉な影を帯びるのではないかと思案したのだ。

「春雨やものがたりゆく蓑と傘」――蕪村のこの有名な句において、「蓑」と「傘」という「換喩」は、それぞれの人物の「蓑」や「傘」以外の部分となめらかに連続しながら、全体（二人の人物）を代表・代替している。それが「換喩」の一般的な機能である。ところが、これがいわば字義どおり、生ぬるく春雨にけぶる道を「蓑」と「傘」だけが宙に浮き連れだって（人語を発しつつ）動いていたら⁉　つまり、それ以外の部分を消去すること。「換喩」そのものの不吉さというのはこのことであり、この不穏（リテラル）な定命の薄さといったものが、「赤頭巾」にはわずかに、「赤い靴」には色濃く、そして、芥川の「レエン・コートの男」の、端的な禍々しさとしてつきまとっている。あの「私」を脅かす「レエン・コートを着た幽霊の男」には、「レエン・コート」以外の部分は、まさに「幽霊」のごとくに消えているのだ。『歯車』にあってはしかも（自死寸前だというのに、最後まで芥川らしく哀切なほど律儀にも！）、その「幽霊」に似ているという義兄の、鉄道自殺して「肉塊」と変じた顔全体には「唯（ただ）口髭だけ残つてゐた」という挿話(4)まで書き込まれているのだ。これを「換喩それじたいの亡霊化」と名づけてみてはどうか？

　最初の書物（『幻影の杼機――泉鏡花論』八三年）以来、リカルドゥーの「構造的隠喩」論に倣い、わたしは久しく、散文フィクションにおける喩法の特殊な作用のひとつを「隠喩の憑依」と呼んで、ことあるごとに強調してきた。同じ『歯車』にちなんでいえば、みずからの生涯を「まるで蛆虫のようだ」と自嘲する者の、目前に並んだ洋食皿の上に「蛆虫」が現に這い回っているといった運びがこれにあたる。たんなる「表現」効果ではなく、作品の流れに作用する喩法機能。鏡花をはじめ、内外多数の小説作品に就いて（大げさにいえば二千年以上もかけて、アリストテレス『詩学』の喩法論を本質的に乗り越えるかたちでやっと見出された(5)）この「隠喩」の特殊な作用を繰り返し指摘してきたのだが、ここにおいて、その「隠喩の憑依」と対になる位置に、自前の観点として、「換喩の亡霊化」なる定式を得たことになる。

「ひとつ覚え」とて、三、四十年もかければそれなりの進展はある！　珍しく有頂天になり、いずれ小説理論史上に刻まれるにたるはずのこの「新発見」を、わたしは夜郎自大に吹聴していたのだが、ある席で、当時の同僚教授のひとりに穏やかに水をさされてしまった。「それに近いこと、たしか、トゥイニャーノフがどこかで書いてましたよ」と、生ビールのジョッキにそえた手を止めあっさりそう口にしたロシア文学者から、数日後、当該文章（「ドストエフスキーとゴーゴリ」二一年／右掲せりか書房版『ロシア・フォルマリズム論集2』所収）を教示された者は、さらに、同じトゥイニャーノフが脚本参加したコージンツェフ／トラウベルクのサイレント映画『外套』（二六年）のＤＶＤまで借覧することができた。「外套」をゴーゴリ的「仮面」と見做し、アカーキー・アカーキエヴィチは、生きながら「容易に、そして自然に亡霊と置き換えられ」るのだと記す論文もさることながら、映画のほうには、文字どおり仰天し脱帽してしまった。そこにはまさに、立派な外套だけが部屋なかをコマ落としで歩き回る幻視シーンや、降り積もった雪の街路を（衣類にすっぽり身をつつんで顔もみえぬ小柄な主人公の）大ぶりの帽子と異様なキングサイズの外套だけが歩いているとしかみえぬ遠景ショットが挿入されているのだ。

ゴーゴリの『外套』（一八四二年）において、帝政ロシアの九等官と、極端な倹約生活のすえやっと新調した「外套」との関係が、すでに、「隠喩」的ではなく「換喩」的なものである点を銘記すればよい。「外套」は、この独身の老書記に似ているわけではなく、彼のすぐそばに見え隠れしながら、彼の全生涯を代表・代替するものである。ゆえに、外套を奪われたショックで狂死したアカーキーが、「幽霊」と変じ首府の街路に夜な夜な出没するという物語は、その「換喩」性のやはり字義どおりの進行過程なのだとみなすことができる。「外套」がすべてという人間にあっては、それ以外のものは何もないからだ。現に、ウラジミール・ナボコフは、没後に編纂された『ロシア文学講義』（一九八一年）に、アカーキーが熱中する「外套着用の過程」はそのじつ「彼が身にまとったものを脱ぐ過程、自分の幽霊という全裸の状態への次第次第の回帰なのである」（傍点訳文・小笠原豊樹）という卓見を残しているのだが、これ以前に、トゥイニャーノらの映画『外套』は（自分たちの新国家が放逐した亡命貴族の戦後北米でのその大学講義をも先取りするかのように）、哀れな九等官を生きながら「幽霊」化してみせているのだった。(6)

これらの詳細については、前掲小著の第六章および巻末註の参照を請うておくが……ともかく、正確にいえばこのサイレント映画に接した一瞬から、わたしは襟を糺し、それまでなおざりにしていたロシア・フォルマリストたちの文章や、そこで言及された小説作品を読み、あるいは、努めて読み直すようになった。

すると、たとえば、近代ロシア文学の祖と目されるプーシキンの小説において、ひとつの話線を中断して別線に移り、その間、読者のうちに一種の渇望感を醸成したうえで、いったん中断した話線にもどるといった叙述操作が、いかに大きな動力を構成していたかを再認識する。

プーシキンはこの手法をローレンス・スターンから学び取っていた。その継承関係をなぞるかのように、「パロディの長編小説」（二一年・右掲（1）所収）のシクロフスキーは、「形式の破壊による形式の自覚が小説の内容をも作りだしている」とみなすスターン『トリストラム・シャンディ』（一七六〇年〜六七年）の特徴を念入りに検討したうえで、プーシキンの韻文小説『オネーギン』(一八二三年〜三二年)の眼目もまた、首府の社交生活に倦んだ青年貴族と地方地主の娘とのたんなるロマンスではなく、その本筋を遮って挿入される「脱線」の効果であると書く。右掲(4)のエイヘンバウムが踵を接してこれにつづき、プーシキン最初の散文小説集『ベールキンの物語』(三〇年)の数編(『一発』『吹雪』etc.)に就き、同じ作用を「減速遅滞作用(トルモジエーニエ)」と呼んでいるのだが、わたしは久しく、このポイントを逸したまま我流の内外「小説技術史」を想定してきた。のみならず、その間、決闘のすえ三十四歳死んだロシア近代文学の始祖が、本邦の曲亭馬琴晩年の若き同時代人であった(『八犬伝』の「稗史七則」は三五年)ことに、気づこうともしなかったのだ。日本長編小説のやはり祖型を担ったといってよいその「読本」において、「話頭両分」(「話はここで分かれて…」)などの紋切型を合図に、馬琴もまた好んでこの手法を用いていたし……さらには、その馬琴が近ぢかと変奏した『水滸伝』の、その驚異的な注釈者・金聖嘆による読解マニュアル十五則(「読第五才子書法」一六四一年)の一則には、「横雲断山法」なる命名とともに、同じ骨法がつとに明記されている(小著『日本小説批評の起源』参照)……といった具合に、後世の読者ならではの悦びとともに、視野が大きく開けてきた。

かとおもえば、トルストイのいくつかの作品を再読・新読し、たんに「異化」といって済ますにはあまりにも野蛮で豊穣な描写力の数々に感じ入りながら、これをほとんど論じないできた怠慢を、みずから強く恥じるにいたる。「異化」的描写の典型として、スタンダール『パルムの僧院』(一八三九年)のファブリスの体験する「ワーテルロー」と、『戦争と平和』(六八–六九年)のピエールが目にする「ボロジノ」とが示す名高い共鳴性は、さすがに承知していたが、飛来した敵の砲弾が足下ちかくで破裂するまでのたった「二秒間」に、三頁も費やす一人称戦地小説『セヴァストーポリ』（五六年）の、「移人称」までともなった描写の異様さを知らずにいたことは、『小説技術論』の著者としては、少なからぬ面伏せでなければならない。同じく、『復活』（九九年）の「カチューシャ」がたんに「かわいい」だけではなく、シベリア流刑の「わかれ」も、そうそうロマンティックに「つらい」わけでないことは知りながらも、わたしはごく最近まで、たとえば、ヒロインの裁判場面で――そこでは、主人公の放蕩貴族に捨てられ、娼婦に身を落とした娘が毒殺犯として、しかも偶然「陪審員」席に居合わせる主人公の目の前で裁かれるのだが――延々と（なかばベケットふうに！）書き込まれた「死体所見」の解剖学的記述の重大さを見落としてきた。同様また、監獄の協会での「礼拝儀式」や、シベリア送りの囚人隊にまつわるのアブジェクトな光景の意義についても長く等閑に伏してきたのだが……こんなふうに続けだすと、およそ切りがない。

それにしても、傍目にはたぶん季節外れの里帰りのごとく、何故こんなふうに、ロシア・フォルマリズムにこだわってしまうのか？　その「里」の産物がいまも有益だという確信のほかに、これにかんしては、「宿題」がひとつ残されてもいるからだ。

*

たとえば、初期の傑作「小説における時間と時空間の諸問題」（一九三七－八年／邦訳・伊藤一郎他訳『ミハイル・バフチン全著作』第五巻二〇〇一年所収）と題された文章の「結び」で、バフチンは、『ラオコオン』（一七六六年）のレッシングを褒め、かつ批判している。すなわち、文学作品にあっては「静的・空間的なものも、静的には描写されない」と鮮やかに喝破したレッシングの文章は、本質的で「生産的」なものだが、それはしかし、小説が孕む「時空間（クロノトポス）」の問題を「形式・技術のレベルで提起している」にすぎず、そこには肝心かなめの「歴史」の問題がない、と。

　同時代のロシア・フォルマリストと同様、スターリン圧制下の不遇を余儀なくされたバフチンが、シクロフスキーやヤコブソンの大前提たる〈詩的言語／日常言語〉の優劣二元論を認めず、彼らの理論活動とはたえず一線を画していたことは、良く知られていよう。「ポリフォニー」と「カーニバル」の文芸理論家にとって、「文学」とは、むしろ逆に多様に社会的なアクセント（階級、職業、地域、民族、等）をおびた複数の「日常言語」の場であり、その場にこそ現実の歴史や政治が貫入するといった観点を堅持する理論家は、とうぜん、レッシングにたいする右の批判を、ほぼそのまま同時代のフォルマリストたちに差しむけることになるだろう。

　ところで、わたしは、フォルマリズムと同様、レッシングの――「舞姫」論争の森鷗外と石橋忍月をはじめ、明治文学の第一世代間では必読書級でありながら、その後なぜか、長く日本批評史の後景に退いてしまったかにみえる――この『ラオコオン』もまた、さかんに使い回してきた者である。これゆえ、右のような批判は、当方にもむけられてしかるべきであり、現に、前掲小著『日本小説技術史』のさい、絓秀実から、一定の評価とともに手厳しい批判を受けた。「文学における技術」を探るという掬すべき「野心」にもかかわらず、「技術」そのものの「歴史性と政治性が問われていない」点にこの本の大きな瑕瑾があるというのが、彼の丁寧な書評の大意である（「フォルマリズムは政治を回避できるか」／『天皇制の隠語（ジャーゴン）』航思社二〇一四年所収）。「原発」もまた政治的な「技術」ではないか。少なくとも、十数年前までは「差別」や「天皇」を積極的に主題化していた批評家の新著としては、「政治的な色彩が希薄である」、と。……おそらく、その通りだ。

「技術史」に着手した当初から、わたしはこの点にかんする自著の限界を意識していた。くだんの術語も呼び寄せていえば、たんなる「虚構」（＝「ファーブラ」）次元でなら、作品のはらむしかるべき外部性を指摘することは、いかにもたやすい。批評家たちは、従来みなそうしてきたし（江藤淳『成熟と喪失』！）、「カルスタ」にせよ「ポスコロ」にせよ、多くはいまも平然とそうしている。だが、本質的に「叙述」（＝「シュジェート」）次元に属し、虚構との相関様態として創出される個々の小説「技術」を、しかじかの「歴史」や「政治」と具体的に論じあわせることは、文芸批評にとって、たぶん難事の最たるものなのだ。下手に扱えば、たんなるこじつけに陥る。そもそも、「技術」の「政治性」や「歴史性」なるものを（「ジャンル論」「ジェンダー論」などの安易な誘惑に屈することなく）何処にどう見出せばよいのか？

いまは一例に限っておくが……数年前、対物描写の減衰の代補のようなかたちで現代日本小説が共有する叙述技法を「移人称」と名づけ、その様相を分析したが（前掲『小説技術論』）、特異な焦点移動にまつわる同じ技法は、遠くたとえば『和泉式部日記』の劈頭、死んだ恋人の弟にあたる皇子とのやりとりにあらわれている。先述のごとく、トルストイの戦地小説にも顕在する。バルザックにも、プルーストにもあり、もっとも有名な事例の一つとして、フローベール『ボヴァリー夫人』にあって、その起句（「僕らは自習室にいた」）をはじめ、作中に二、三度そう名乗り出ては、いつのまにか全知の話者に席を譲っている一人称話者が存在する。右のバフチンによる引用部分（157P）から推すに、それは、二世紀後半の「ギリシア小説」の一編にも認められるようだし、渉猟すれば、古今東西の小説中、さらに幾例もみつかるだろう。すると、この「移人称」には、それじたいの資格では、特定の外部性を措定しがたくなるわけだ。同時代小説論の軸として、わたしがこのポイントを、「近代文学の終わり」（柄谷行人）の兆候としての対物描写の減衰との相補的な位置に据えたのは（それで、うまく行ったどうかはともかく）これゆえである

もちろん、ロラン・バルトの『零度のエクリチュール』やドゥルーズ／ガタリ『カフカ』などを思い出すまでもなく、見事な成果は（J・J・グーの『言語の金使い』あたりまで拡げればさらに）いくつもある。「漱石的存在」と、近代代議制下の代理＝代行関係との共振性を見出した蓮實重彦や、「昭和十年代」をめぐる当の絓秀実の著作もふくめ、本邦にもありはするが……少なくとも、わたし一個においては、作品内部へのテクスト分析の精密さと、作品に貫入する外部性との接点を見出すことは、そのつど、容易ならざる課題なのだ。右書評にもまた、「3・11以降の歴史性の中で「技術」をどう問うか、自分にも「解答」があるわけではないといった公平な結語がそえられている。いまに残された「宿題」というのは、このことである。理論の新しさが革命の鮮度とぴたりと一致した本場の論客たちとは異なった時空にあって、かつ、なかなか「自分自身の理論からも自由」にもなれずにきた者にとって、これは、今後とも不可避な難問でありつづ

け、当人としては、満足のゆく「解答」を出せる日を願うよりほかにないのだが……しかし、小説という不実きわまりのない代物に魅入られてしまった者に、そもそも「解答」などという都合の良いものが訪れてくれるものかどうか？

註

（1）むろん、受容史的にいえば、ロシア・フォルマリズムの理論は、ほぼ同時期の日本に紹介されてはいた。昭和初期、いわゆる「形式主義文学論争」（一九二八年－三〇年）の時期がこれにあたるが、皮肉なことにはこのとき、横光利一を旗頭とする「ブルジョワ文学」陣営の論客たちが新来のシクロフスキーを援用し、蔵原惟人に率いられた「プロレタリア文学」陣営の理論家たちが、フォルマリズムを抑圧しはじめたスターリン流「社会主義リアリズム」を採用するといった、いかにも日本的な捻転があらわれている。「論争」じたいもまた、さしたる実りを得ぬまま空転するうちに、官憲によるプロレタリア運動大弾圧を迎えてしまったことは、周知のとおりである。

（2）詩論から「話者」の位相が欠落しがちなのは、なにもロシア・フォルマリズムに限ったことではない。詩における「話者」の問題化は、たとえば日本でも、「詩は表現ではない」というスキャンダラスな一行をもつ入沢康夫『詩の構造についての覚え書』（一九六八年）まで待たねばならない（入沢はそこで「発話者」なる用語のもとにこの位相を導入している）。ちなみに、入沢の詩論は、ほどなく俳句論に飛び火している（藤田湘子「私詩からの脱出」七〇年――『現代俳句集成』別巻二所収）。

（3）ヤコブソンの画期的な論文（「言語の二つの面と失語症の二つのタイプ」一九五六年・邦訳『一般言語論』

所収）における〈隠喩（メタファー）／換喩（メトニミー）〉（＝〈類似／隣接〉→〈選択／結合〉）の対立関係を重視して、ここでは、修辞学では包含関係に基づく「提喩（シネクドキー）」にあたるものも――包含関係と隣接関係とを、ともに、「隠喩」を基礎づける類似関係との対立項として――あえて、「換喩」と呼んでおく。ちなみに、この手の注記は、ヤコブソンの二分法を文芸理論に援用しようとする者にとって、正確を期す度合いに応じて、不可欠のものとなる。たとえば、蓮實重彦『魅せられて』（二〇〇五年）では、漱石『道草』の分析箇所で、同様の注記とともに、作中に頻出する「換喩」の意義が説かれている。フランスでは、くだんのジュネットが、やはり、「沖に帆がみえる」の「帆」（＝「船」）→包含関係）も、「赤頭巾」（＝「少女」）→隣接関係）と同じ「換喩」とみなしながら、その部分A（「帆」「赤頭巾」）は全体（「船」「少女」）からそれを除いた残りの部分Bと、やはり隣接関係にあるといったいくぶんこじつけめいた説明（「限定された修辞学」・邦訳『フィギュールⅢ』）のもと、包含関係じたいを隣接関係のもとに包摂し、後の隣国ベルギーの研究集団グループμによる「提喩至上主義」に前もって対抗するかにもみえる。

もって、ヤコブソンの二分法の影響力が知られようが、この点、英米系の理論家たちの多くは、あっさり「提喩」を用いる傾向があるようにみえ、ポール・ド・マン『読むことのアレゴリー』（七九年）などは、〈隠喩→類似／提喩→包含－被包含／換喩→隣接〉の三分法に従っている。ちなみに、ヘイドン・ホワイト『メタヒストリー』（七三年）における四分類〈ニーチェ→「隠喩」／ヘーゲル→「換喩」／マルクス→「提喩」／クローチェ→「アイロニー」〉では、〈換喩／提喩〉の区別が、反対方向二種類の包含関係（〈部分が全体をあらわす〉／〈全体が部分をあらわす〉）に送付されて、隣接関係は考慮外におかれている。

（4）伝記類によればこの挿話は「事実」であるようだ。その「事実」が、最後の力を振り絞って創出した言葉の、高度にテクスチャルな生動と連動すること。それが、一流の作家の証しというものだろう。

（5）ただし、「隠喩」のこうした型破りな力能を指摘・強調した読み手は、リカルドゥーをもって嚆矢とするわけではない。

たとえば、前掲『ロシア文学講義』のナボコフは、すでに一九四〇－五〇年代の講義において、『死せる魂』（一八四二年）におけるゴーゴリの「驚くべき現象」として、「従属文のなかのさまざまな隠喩や、比較や、抒情的爆発などによって産み出される」「副次的人物」や「別の生き物」を嬉々として数え上げている。作品第一章、知事邸の夜会に寄り集まった「燕尾服」姿の男たちが、主人公チーチコフの目の前で「蠅」に喩えられるや、「蠅」のイメージがそのままひとしきり虚構上に（一個の虚構単位として）棲みつき、やがて「完結した円」を描いてチーチコフに戻りながら夜会から消えてゆくという、生き生きとユーモラスな一節が、そのひとつである（青山太郎訳『ニコライ・ゴーゴリ』一九四四年所収「われらがミスター・チチコフ」参照→死後刊行の『ロシア文学講義』の一章に踏襲される）。念のため、中村融訳『死せる魂』（河出カラー版『世界文学全集』一九七〇年第一二巻）から、該当箇所を引いておく。

ホールに足を踏み入れたとたん、チーチコフはちょっとの間、目をしかめないではいられなかった。それほど蠟燭や、ランプや、婦人たちの衣装のきらめきがすさまじかったのである。なにもかもが、光に満ちあふれていた。黒の燕尾服は、離れたり固まったりしては、チラつきながら動いていたが、それはちょうど夏も七月の暑いさかりに、年とった女中頭が開け放した窓ぎわで、チカチカ光る粉末に打ち砕いている真っ白に輝く砂糖の山に蠅がたかっているようだった。子どもたちはみんなその周りに輪をつくって、槌を振り上げる彼女のいかつい手つきを物珍しげにながめているが、軽い風に乗って舞い上がった蠅の空軍はわが物顔にしゃあしゃあと飛び込んで来ては、老婆の視力の弱さとその目を眩ます陽の光を利用して、このおいしいごちそうを、バラバラの粉やころころの塊りにして方々へまき散らしている。ところで豊穣な夏季を満喫してそれでなくてさえ一足ごとに珍味にありついている彼らがこうして飛び回っているのは、決してこれを食べるのが目的(めあて)ではなくて、ただただ自分を見せびらかすため、つまり、砂糖の堆(やま)の上を飛び回ったり、前脚なり後脚なりの片方を他の一方にすりつけたり、それで翅(はね)の下を掻いてみたり、両の前脚を延ばして頭の上ですり合わせたり、くるりと宙返りをして飛び去ったり、かと思うとまた新しくうるさい中隊を編成して飛来するためにほかならないのだ。さて、チーチコフはまだろくすっぽあたりを見回すひまもないうちに、もう知事に腕を取られて、いち早くその場で知事夫人に紹介された。

（『死せる魂』）

この「蠅」や「女中頭」が、リカルドゥーのいう「構造的隠喩」にあたるわけだが、ナボコフ自身の小説作品中にも、同種の「隠喩」が数多くあらわれていることは、たとえば、若島正『ロリータ、ロリータ、ロリータ』（二〇〇七年）の強調するところなる。若島はそこで、ひとつの「比喩表現」が「文字どおりの実体となって出現」するようなこの「レベルの移行」を、「ナボコフお得意の魔法」と呼んでいる。――「魔法」はしかし、とうの昔に、ナボコフ当人によってゴーゴリのもとに見出されていたわけだ。

（6）相米慎二の『東京上空いらっしゃいませ』（一九九〇年）は、同じ「換喩」的なものをめぐり、本文にいう「不吉な影」とは真逆の、明澄きわまりない通気にみちた名作だとおもう。この逆転はむろん、牧瀬里穂演ずる十七歳のキャンペンガールが、アカーキーとは異なり、初めから死んでいるというファンタジックな設定のなせるところだろうが……衣服しか写っていないポラロイド写真の哀切な一瞬につづく、広告会社員・中井貴一とのベランダ「影踏み」シーンの――村田陽一のトロンボーンが「アッチェレランド」で、初めはそっと次第に速く誘いたてる――素晴らしい生気といい、ラスト、「東京上空」の夜空を遠く離れてゆく「赤いアンブレラ」と「トロンボーン」の道行きの、本来の「亡霊」に立ち戻ってかえって嬉々とした娘と、人のいい「死神」との会話といい、この相米作品は、「ファンタジー」というジャンルにひどく懐疑的な者の、日頃の頑なさを心地よくほどいてくれた。

同じく、わたしはたとえば、井上陽水の節回しの（もし声に顔があるなら）あのしたり顔のヴィブラートを苦手とする者であり（卑近には「ブラタモリ」）、笑福亭鶴瓶のなれなれしさも好きになれないが（「家族に乾杯」および、各種トーク番組）、陽水本人に加え加藤登紀子、木村秀勝（憂歌団）らに歌い継がれる「帰れない二人」には、完全に降参しているし、鶴瓶の「死神」も許せる、というか（『あ、春』『お引っ越し』の場合と同様に）いっそ好ましい。……ことほどさように、相米慎二を観ることは、わたしにはたえず例外的な悦びにみちた体験としてあり、本文のゆかりに付言すれば、『ションベン・ライダー』（八三年）の中学生トリオが藤竜也のヤクザと出会うあの街も、「横浜」なのだった。

（二〇二一・八・三一擱筆）

「遠ざかりの現前」——宮川淳と中上健次

すでに半世紀も昔、四十四歳の若さで他界した宮川淳に、『鏡・空間・イマージュ』（一九六七年）と題された見事な書物がある。現代美術批評の最高傑作のひとつである。のみならず、私見には日本批評の白眉の一作と映ずるこの書物を、わたしは、数年前に上梓したアンソロジー『日本批評大全』に抄録した。上田秋成・本居宣長の十八世紀後半から蓮實重彥・柄谷行人の二十世紀後半まで、最終的には七十編にとどめたものの、優に百をこえた準備リストの段階から、宮川の文章は、まっさきに数え上げるべきものとしてあった。作中のジャコメッティ論（「鏡について」）の末段近くに読まれる、「死骸とはすぐれてイマージュの体験である」という鮮やかな一行と、これへ絡む「遠ざかりの現前」なるキーワードに、久しく魅了されてきたからだ。

そこにはたとえば、サルトル『想像力の問題』（四〇年）における有名な「イマージュ」論（「想像力」＝不在対象を志向する意識）に鋭く対峙した一節が記されている。

イマージュは対象を虚無として措定する、とサルトルはいう。しかし、それは（逆にいえば）

イマージュが生まれるためには対象が遠ざかり、いわばイマージュのために席をゆずってやらなければならないということではなく、イマージュとはこの対象の遠ざかりそのもの、遠ざかりの現前なのであり、この遠ざかりは単に対象が同一の対象であることはやめずに場所だけを移動する（ここにいない、よそにある等々）ということではなく、つねに対象のさなかで起こり、対象を内部から蝕んでいるのだ。

死んだその人は、「死骸」として、まさにそこにいて、そこにこそいない。「イマージュ」とはつまり、〈現前‐不在〉をめぐる無慈悲なまでに不実なこの動きの別名ではないかと、ブランショにならって宮川はそう語る。その「死骸」のように、あるいは、「鏡」に写った自分の顔のように（類似を介して逆に）何かがその表面から遠のいてゆく動きそのものの顕現。これを「遠ざかりの現前」と呼ぶ宮川は、かかる〈現前‐不在〉を描くことはできるのかという「奇怪な問い」のもとに、ジャコメッティの彫塑、あのかつかつに痩せ細った顔や身体を論ずることになる。後年、『平面論』（九四年）の松浦寿輝もまた、「密着的な不在」なる用語とともにこの主題を展開し、宮川のいう「死骸」を死者の「遺影」のもとに引き延ばしているが……「遺影」のみならず、「写真」そのものがやはり「死骸」的であることは、E・アジェの撮ったパリの街角、その人気のない壁や街路に「犯行現場」の気配を感じとったW・ベンヤミン（「写真小史」三一年）の、つとに証するところでもあるだろう。

実際、その誕生・流布時代に、「写真」の、それじたいが事物の「死骸」めいた不吉さにおびえた人々は、基本的に正しかったのだ。

ゆえに、ごく卑近な例を引くなら、女性の裸体をときおり死体のように撮りたがり、現に、愛妻の死顔まで作品集に収めてしまう荒木経惟は、「写真」にたいし原理的に陰気（ナイーブ）な撮り手なのだというべきか。反して、同じ裸体をたえず妙に生き生きと撮ってしまう篠山紀信の伸びやかな辣腕は、したたかな喰わせものなのかもしれぬが……この手の比較はむろん、門外漢の他愛のない感想にすぎない。口にすべきは、文学における同様の事態である。

*

すなわち、宮川淳の卓見はここで、イマージュ論をこえて、言語論・フィクション論へと通ずること。

たとえば、大江健三郎の存分にサルトル的な（したがって、ともすると無防備なまでにジョン・レノン的な）「想像力」世界が、読む者のうちにときおり、その豊かさに比例するかのような気疎さを感じさせがちなのも、ここにかかわる。名作『万延元年のフットボール』（六七年）の「朱色の塗料で頭と顔をぬりつぶし、素裸で肛門に胡瓜を」さしこんで縊死した友人の、「サルダヒコのような」死体を思いだそう。「僕」はそこで、友人の肉体の内部で「どろどろ」に溶けはじめる「甘酸っぱい薔薇色の細胞」の「危険な実在感」に深くとらわれるのだが、繰り返せばしかし、生きてある者にとって、手に負えぬまでに過酷で「危険」なのは、むしろその死体のむきだしの

「表面」性、そこにありながらそこにこそいないといった不実きわまりない逆説ではないか。その「表面」は、かたえの人の視線を深々と招き、かつ、無慈悲に拒むのだが……このとき、こうした不実な逆説とは、そのまま、「言葉」の特性に通ずるのではないかといった行文が、たとえば、古井由吉の初期短編集『水』（七三年）に寄せられた蓮實重彦のエッセーの起句となる。

いったい言葉は、水と、いかなる遭遇を演じてみせることができるのか。水と言葉は、誰もが知っているあの変幻自在な相貌を視線にさらし、ともども人を親しく招き寄せるかにみえながら、いざ近づいていってみると、招く仕草そのものが、いつしか拒絶のそれに変容しつくしている。

（「翳る鏡の背信」七三年／『小説論＝批評論』八二年所収）

「言葉」は確かに、「現実」を言語化する。「現実」の何ものかを、書くことの〈いま・ここ〉に、しかと招き寄せ、誘い出す。だが、同時に、「言葉」はまさに当の誘致作用（＝意味作用）そのものによって、「現実」のその花を、その香りを、その場所を、その人を、書かれつつある「表面」の彼方へと遠ざけて（マラルメ流にいえば「殺して」）しまうだろう。だから、そんな「言葉」によって綴られた作品を相手取るかぎり、読む側にもそれなりの覚悟がいるのだ。ときにそれは、満ちあふれる大気になかで窒息するような過酷な体験と化すかもしれず、少なくとも、「美しい花がある。花の美しさといふ様なものはない」（小林秀雄）などと見得を切っている場合じゃあないのだ、と、宮川の書物の三年後、ジャン・ピエール＝リシャールをめぐって、蓮實重彦はそう語りはじめ（「批評、あるいは仮死の祭典」七〇年）、やがて、同邦作家から古井由吉を選んで、右の卓言を書き記す。大江健三郎の名作のすぐそばに刻まれていたこの鮮やかなリレーは、日本批評史上に銘記されてよいものだが……翻って『万延元年のフットボール』の「想像」世界が、こうした「表面」性とは無縁であることは、なかなか否みがたいといった話になる。

実際、「サルダヒコのような」遺骸が真っ先に捉え損ねるのは、「鏡」にも「写真」にも「水」にも似た、そして、みずから駆使する「言葉」そのものがはらむ不実な、ゆえに、たえずいっそう誘惑的な逆説にほかならない。その誘惑とは無縁であろうとする大江的「想像力」。

これゆえ、顔中にわざわざ派手な化粧まで施し、肛門に胡瓜をさしこんで縊死している人物のその「実在感」は、豊かであればあるほど、どこか白々しいのだ。確かにそうみえてならぬのだが（小著『かくも繊細なる横暴』第二章参照）、爾来、今世紀の「古義人」シリーズにいたるまで、間違いなく本邦最高級の現役作家たりつづけている大江健三郎の作品風土に、同じ傾斜がすっかり影をひそめたとは、さらに、いいがたいのだ。

ただし、この「表面」性は、たとえば（写真に撮られたものと同じく）言葉で描かれた裸体もまた、そこにないものとして――如上また、そこから抹消されるものとして――読むことの〈いま・ここ〉に現前するといった平仄のみにとどまらない。「記憶」の性質がさらに絡んでくるからだ。「記憶」においても、何事かはやはり、そこにはないものとして脳裏にあらわれる。というより、そもそもあらゆる場景を、〈現前－不在〉の理不尽な、ゆえに、いっそう生々しい逆説（うごき）に晒すことこそが、「フィクション」の真の定義ではないか。なればこそ、前世紀以来、「記憶」がかくも親しい小説的主題と化すのだと、そんなことを考えながら宮川淳や蓮實重彥を繙き、あるいは、ミシェル・フーコーの初期の名文「距たり・アスペクト・起源」（六三年）などに感じ入ってきた者は……率爾ながら、たとえば詩人や作家たちによる「自作朗読」を耳にすることを、ひどく苦手とする。高校・大学の時分まで、演劇部の練習光景に校舎や校庭で出くわすや即座に踵を返したのとはひとつ違った意味で、わたしは、「自作朗読」を聞くことが苦手なのだ。

＊

朗読の巧拙にかかわらず、詩人や作家による「自作朗読」は、きまって何かこそばゆく、でなければ、うら悲しく、どちらにしても、その場に居たたまれない。それを書いた当人たちの「肉声」が、右にいうフィクショナルな逆説（うごき）を無残にも奪い去ってしまうからだ。言葉という厚みのない「表面」に演じられるべき〈現前－不在〉の、時あっていかようにもしなやかな感触が、あるいは、ロラン・バルトが「作者の死」と呼んだ織細（テクスチャル）な事態が、先の蓮實重彥なら「血なまぐさい」と呼ぶ抹殺劇が、他でもない、まさにそれを作り出した当人によって台無しになる。みながみな、ゲラシム・ルカの天分に恵まれているわけでもあるまいに、ぬけぬけとそこにいて……と、過去に何度かそんな嗟嘆を押し殺して「朗読会」に接した者としては、谷崎潤一郎の自作朗読テープなどを有り難がるような人々の気持ちが、とうてい理解できないのだが、こうした言挙げを訝しむ向きは、たとえば、新宮市の佐藤春夫記念館に立ち寄られてみるといい。

記念館は熊野速玉大社の境内にある。文京区にあった邸宅を移築したという二階建洋館の、たしか入ってすぐ右手の棚上に、自作詩を朗読する詩人の肉声カセットテープが備えられてあり、同市「中上健次資料収集委員会」（二〇二一年度から「中上健次顕彰委員会」）の一員として、もう三十年近く、毎年のように（勝浦の小磯での海水浴もかねて）新宮を訪れてきた者は、過去に一度それを耳にしてみたのだが、もちろん、一度きりで辞めてしまった。こわごわとカセットのスイッチを押してみると、案の定、なんとも滑舌の鈍いだみ声が「あはれ　秋風よ　情（こころ）あらば伝へてよ……」と読み上げてくる。その違和感は、「さんま、さんま」のルフランに及んで覆いがたくなるのだが、この「肉声」を喜ぶ人たちは、筋金入りの佐藤ファンか、ひょっとして逆に、「秋刀魚の歌」がじつはあまり好きではない人かもしれぬ、などといった感想を禁じなかった。ネット情報によれば、文学史的な作家・詩人によるこの手の「自作朗読」テープやCDは、一般にも広く出回っているようだが、そうしたものが存在することじたい（プロによる朗読はとうぜん別として）、なにか許しがたい気になってしまう、それくらいダメなのだ。

ここにもたぶん、個人的な偏見や狭量が作用しているのかもしれない。それは否定しないが、ことはしかし（前文に記した「タトゥー選手」の場合と同様）、明らかに一般的な性格をおびている……といった印象を抱きつづけてきたのだが、この積年の印象に、わたしは最近、ようやく一定の形を与えることができたかとおもっている。

『日本小説批評の起源』がそれにあたる。

一口に「語り」といっても、実際に声に出して誰かが何かを「語る」ことと、書物のなかで、作者なり話者なり、あるいは、人物なり土地の精霊なりが「語る」こととは、まったく違う。後者はあくまで、そこに書かれてある文字の効果もしくは錯覚にすぎない。ことほどさように、口頭的なものと書字的なもの、話芸と書法とはその本性を別にする。「口と筆との二つの文芸」（柳田国男）のこの峻別を基軸に据えた小著は、南宋市場の講談芸から（元代の舞台芸を経て）明代の書物へと進化し成立した口語（白話）小説『水滸伝』の分析を介し、江戸期後半の小説と批評の様態を——日本近代文学の新種の「起源」として——探ったものであるが、この試みにいたる底流には、右にいう違和感が大きく作用していたとおわれるのだ……と、ここまでは一応筋が通っているはずだが、では、作家や詩人たちの「肉声」そのものまで拒否するのかといえば、そこはなかなか微妙なことになる。そんなものがあったとして、谷崎潤一郎の講演テープはやはり敬遠したいし、太宰治のインタビューなどさらに御免だが、斎藤緑雨や南方熊楠の「肉声」ならちょっと聞いてみたいといった類いの揺れが生じ、この点については、別の話になってしまうのだけれど……わたしは一度、これもとうの昔に四十六歳（正確には、四十五年と十日）の若さで死んだ中上健次の「肉声」に不意撃ちされたことがある。

＊

二〇一六年八月六日、恒例の「熊野大学」のプログラムとして、やなぎみわ演出『日輪の翼』の新宮野外公演を観たおりのことだ。

野外劇の舞台は、中上のテクストで「路地」の青年が七人のオバらを乗せて日本中の霊地を廻る、まさに、その大型トレーラーである。現代美術家でもあるやなぎみわは、台湾ではポピュラーなものだという舞台車を買い取り、これを冷凍トレーラー仕様に改造し、デザインを施す。テクストでは「子宮」や「うつほ」に喩えらている荷台の外装には羽と鱗、油圧式壁面のその三方が開かれると、内装一面に「夏芙蓉」の花が派手に描きこまれているといった代物である。その舞台がいま、半楕円の仮設席に縁取られた新宮港造成緑地に据えられ、そこで、内容的には『日輪の翼』の翼というよりは、前年に書かれた『紀伊物語』第二部の「聖餐」に近い厚塗りのドラマが、各種の音楽と舞踊をふんだんに巻き込んで繰り広げられるのだが、この公演の二年前、「横浜トリエンナーレ」に出品された改造トレーラーを目にしたおり、そのオブジェに良い意味で目を奪われた一方、やがて完成・披露されると聞く舞台については、わたしはそのじつ、少し危ぶんでいた。中上作品の演劇化というものに、かねて疑問を覚えていたためである。

八三年か四年、中上健次の知遇を得た時分に本牧で観た野外劇、作家自身が外波山文明のために戯曲を書き下ろした『かなかぬち』にも、没後の二〇〇五年、岸田今日子が主演した三軒茶屋の舞台「オリュウノオバ物語」（演出・大橋也寸）にも、あまり感心できなかった。前者では少し、後者では多分に、どちらも白けたというほうが、より正確かもしれない。当人はあれほどジャン・ジュネを好んでいたくせに、中上健次と演劇とはおそらく本質的に水が合わぬのではないか。そんな印象を、妙な確信とともにわたしはずっと引きずっており、「横浜トリエンナーレ」のトレーラー舞台を目にしたときも、正直いくぶんか首をかしげてしまったのだ。

愛読者には断るまでもないことだが、『日輪の翼』（八四年）は、中上健次の四半世紀ほどの作歴にあって、重要な転機をしるす作品である。一編は、『千年の愉楽』（八二年）において見事に完成したばかりの豊穣にして神話的な「路地」世界からの——「オリュウノオバ」のまなざしが偏在し、「夏芙蓉」の甘い香りと「金色の鳥」の囀りに彩られた小山の一画で、「中本の一統」らが若さの盛りで次々と死んでいった場所からの——鮮やかな訣別譚としてあるからだ。冷凍トレーラーの荷台が移動する「路地」と化したこの作品を機に、作家は、特有のトポスじたいをみずからの生地から切り離し、これを日本の各地に、さらには琉球・台湾・朝鮮へと拡大するかたちで消尽させてゆく（『異族』等）。これにつれ、当初のトポスに漲っていた禍々しくも濃密な奥行き、ルポルタージュ『紀州　紀の国・根の国物語』（七八年）の語彙に従うなら「聖と穢の環流する日本的自然」の振幅が急速に（一方ではアクチュアルに、一方では戯画的に）平板化してゆくとも良く知られていようが、注目すべきは、わずか二年前に完成したばかりの「路地」の豊穣さを、みずから切り捨ててみせるこの『日輪の翼』の潔さである。老婆らがもちこむ「路地」の記憶にときおり気を惹かれながらも、都会の風俗嬢らにうつつをぬかしては、またトレーラーの運転台に乗り込み——いにしえの熊野天狗道を天翔る者らのように——高速道路を猛スピードで「次」をめざすツヨシらの、解放性にみちた無類の疾走感。

原作にみなぎるあの切断と速さの感触を、しかし、やなぎみわの移動舞台の満艦飾の厚みと、演劇なるジャンルに避けがたい重苦しさとが、悪く押しとどめはしないか？……「横浜トリエンナーレ」で抱いたのは大略そうした危惧であり、現にその後、浅田彰肝煎りの旧・京都造形芸術大学のシンポジウムで、舞台公演を翌年に控えたご本人を前に、わたしは厚かましくも、そんな素人口を叩いてしまったこともある（『舞台芸術』一九号・二〇一五年参照）。「そもそも、演劇とそりがあわないこと自体が、小説家・中上健次の偉大な才能の証しではないか」、とまで。この大口は同席した四方田犬彦に即座にたしなめられてしまったのだが……ともかく、実際の舞台を目にするまでは、そんなふうに懐疑的だったのだ。

もちろん、原作に忠実でなければならぬ理由など、どこにもない。舞台でも映画でも、それとして見事であれば文句はないわけだが、悦ばしいことに、当日の舞台の出来映えは、素人目にもまさにそうしたものだった。

その舞台の「揮発性の美」については、斎藤環の丁寧なレビューにゆずり（ウェブマガジン「REAL KYOTO」）、わたしは進んで、みずからの不明を恥じておけばたりる。実際、先述のように、『千年の愉楽』系の最後の煮凝りというべき『紀伊物語』の色調に委ねられながらも、海辺の野外劇ならでは通気に開かれた舞台には、鼻白むものが少しもない。それだけでも得がたいのに、その場から不意の恩寵のごとく、聞き覚えのある「歌声」が響き寄せてきたのだ。

その瞬間の記憶が強すぎて、前後が定かでないのだが、実際の「路地」の盆踊りから録音された「兄弟心中」の後、たしか数拍おいて、突如として歌が夕闇のなかに響きわたる。歌声は、『軽蔑』の真智子よろしく中空でポーズをとるポールダンサーの肢体を支えてわずかに揺れる、そのワイヤー装置の最上部あたりから届いてくるようだったが、右のレビューも「完全にしてやられた」と舌を巻いているその一瞬、都はるみの「あんこ椿」を、少しせくような、どこか甘えたようなハイテンポで歌う声に虚を衝かれ、わたしはその場にうずくまってしまった。そばにいた学生によれば、演劇一般への日頃の悪口も置き忘れたように舞台を堪能する様子の引率教師は、そのとき急に、「あっ、中上だ」と呟いて床にへたりこんだらしい。

その驚きに、幕引きの斬新さが、さらにまた強いアクセントを添える。この舞台は、大胆にも、「カーテンコール」をみずから拒否してみせたのだ。

これも意固地な習癖のなせるところだろうが、わたしは、音楽会の「拍手(アンコール)」と同様、演劇の「カーテンコール」というものに、少なからぬ違和感を抱く者である。そこに、当の演奏や演劇の出来不出来とは無縁に惰性化した、一種の馴れ合いを感じてしまうからだ。これに比べたら、観客たちをてんでに去らしめる映画館は断然すがすがしい、といった感慨をぴたりと見計らったかのように、あるいは、一年前のシンポジウムで大口をたたいた文芸批評家の素人ぶりを指さして「どうだ!」といわんばかりに、にわか作りの客席の通路奥にオバたちが消えて芝居が終わるや、あたりに散らばった舞台装置をひとつのこらず呑み込んだトレーラー舞台そのものが、あっけなくその場を離れてゆくだ。「俺らこれから、旅じゃ」。原作の末尾さながらそう口にして、ツヨシは運転台に乗り込み、トレーラーは緑地べりを蛇行してゆき、すっかり日の落ちた前方山裾の国道に乗り入れて左手、三輪崎にむかって、量販店のネオンサインをあびながら、岬のかげに未練げもなく消えてゆく。まぎれもなく『日輪の翼』の感触を一場に残し、そんなふうに、遠ざかっていったのだ。

……だから何だと問われても、当面さしたる返答の仕様もない。ないのだけれど、この連続的な不意撃ちは、是非ともここに書き記しておきたいとおもう。さきの『日本批評大全』に、その中上による『紀州』の「朝来」のくだりを、『鏡・空間・イマージュ』の少し後のページに並べておいたように……。

（『WB』三三号二〇一七年「快楽の館」／改稿擱筆二〇二一・九・三）

「秋幸」という名

五年ほど前、批評家志望の比較的若い人々を対象としたリレー講義の一コマを受け持ったことがある。その連続講義では、各回の講師がそれぞれ受講生に課題を与え、課題に添った批評文を提出して貰ったうえで、三、四の優秀作について公開の場でコメントするといったものだったが、わたしは、この課題を〈「細部」に宿る「神」を探せ〉とした。「一つの作品、あるいは、一作家を対象とし、あえて重箱の隅を突いて下さい。突いたうえで、重箱そのものを壊し、かつ、その残骸を元に、誰もみたことのない新たな箱を作ること」などといった補足説明も添えておいた。もちろん、「神は細部に宿り給う」という警句をふまえたものである。出典不明のこの名言、一般には、美術史家ヴァールブルクや建築家ファン・デル・ローエなどの名とともに知られていようが、わたしとしては、文献学と比較文学の大物アウエルバッハの『ミメーシス』（一九四六年／邦訳六七年）を念頭に置いたものである。

「ヨーロッパ文学における現実描写」と副題された一書は、ホメロスからヴァージニア・ウルフにいたる三千年を射程とする全二十章。西欧文学を代表する二十編を各章の主軸となす書物の最初の章は、「オデュッセウスの傷痕」と題されている。後半に飛んで、たとえば『ハムレット』の章は「疲れた王子」、『ドン・キホーテ』の章は「魅せられたドゥルシネーア」、アベ・プレヴォ『マノン・レスコー』とヴォルテール『哲学書簡』にあてられた章は「中断された晩餐」、スタンダール、バルザック、フローベールを扱う章は「ラ・モール邸」などとつづき、ウルフ『灯台へ』をあつかった最終章が「茶色の靴下」と題されている。こうしたタイトルが証するとおり、毎回、一作品中の特定の「細部」や「挿話」や「脇役」に焦点を当て、その引用からはじまって、時期時期の「現実描写」の特質を主に文体論的、様式論的な観点から摘出するという体裁が、ドイツ比較文学研究の精髄とされる労作を支えている。

すなわち、ナポレオン戦術の名にし負う「一点突破、全面展開」。

その「突破」行動が、文学は現実を「反映」できるという「ミメーシス」概念に「全面」的に、つまり無反省に依拠しているところに時代的な、もしくは、比較文学研究一般にいまも避けがたくみえる限界はある。卓越した学力を駆使しさまざまな文献を渉猟比較するためには、かえって単純単一な基準にしたがうにしくはない。そんな原則を奉ずるかのように、ナチの迫害を逃れてイスタンブールで筆を執るユダヤ系の碩学にとっては、「ミメーシス」こそ、文学世界を司って揺るがしがたい「神」となるわけだ。ありようはちょうど、本居宣長『古事記伝』（一八二二年）の目の眩むような文献渉猟と、その注釈大事業のマニュフェスト「直毘霊」の一読唖然たる素朴さとの（アン）バランスをおもわせぬではないが（小著『日本小説批評の起源』参照）、それはしばらく措くとして、「細部」を突いて「全面」にいたるという書物の批評スタイルじたいは、じつに魅力的である。突いてみたら、「全面」の表情が一変してしまうようなことになれば、さらに素晴らしい！……そこで、アウエルバッハのむしろ与り知らぬ「邪神」として「細部」にひそむ力を探してみて下さいというのが、当方の出題意図であったわけだが……その後、ある雑誌から、ならば一度、出題者自身が模範を示してみよという注文を受けて、正直かなり困惑した。やれないからではない。やり過ぎてきたからだ。

　たとえば、夏目漱石の『坊っちゃん』の「うらなり」先生は、なぜ無口なのか？　同じ作家の『それから』の主人公・代助は、物語の中頃、友人の妻・三千代への「同情」がつのるある晩、部屋の四隅や枕もとに薔薇の匂いの「香水」をたらして寝に就くが、なぜそんなことをするのか？　谷崎潤一郎の長編小説『細雪』はどうして、こともあろうに、あの清らかなヒロイン・雪子の下痢で終わるのか？　あるいは、中上健次の作品風土において、同じ樹木が、秋幸を主役とする『枯木灘』『地の果て 至上の時』では「夏ふよう」、『鳳仙花』、『千年の愉楽』をはじめとする「路地」の娘や若衆たちの世界では「夏芙蓉」と記されているが、この〈夏ふよう／夏芙蓉〉の峻別は、いかなる意味を持つか？……諸「細部」へのこうした問いがどういった解答を導いたかについては、それぞれ『本気で作家になりたければ漱石に学べ！』『谷崎潤一郎　擬態の誘惑』『中上健次論　愛しさについて』といった小著のしかるべき箇所の参覧にゆだねたいが、これらを筆頭に、わたしはこれまで、「細部」を突いて新たな「全面」を見出すという批評法を〈奏功にはとうぜん個々の差こそあれ〉幾度も繰り返してきた。必要に応じてこれからもそうするはずだが、この場では、屋上さらに小さな屋を架けるより、むしろ、そうした批評法を反復する者が甘受すべきとうぜんの酬いとでもいったものついて、多少の言葉を連ねてみたいとおもう。その罰のごとき事態として、逆にしばしば、同じ流儀で強く着目しながら、かえって手なずけがたくなる「細部」というものが生ずることになるのだ。

右にあげた中上健次を例にひくなら、彼の創出したもっとも魅力的な主人公の名「秋幸」が、そのひとつとなる。

*

「秋幸」の名は『岬』（一九七五年）に初出する。次いで『枯木灘』（七七年）、『地の果て 至上の時』（八三年）と連なっていわゆる「秋幸三部作」が形成される。これと併行して、「秋幸」の母・フサの半生を描いた『鳳仙花』（八〇年）と、オリュウノオバの『千年の愉楽』（八二年）とが、濃密な色調とともに「路地」の世界を仮構し、こちらにも、中本の一統に連なる子供として「秋幸」の名が読まれる。この過程に、先にふれた〈「夏ふよう」／「夏芙蓉」〉の（欧米語には翻訳不能な）峻別があらわれるわけだが、「三部作」の季節は、いずれも「秋」ではなく、その象徴的な樹木の名にふさわしい「夏」である。むろん、それだけなら異とするにはたらない。ところが、いくつもの次元で自身の血肉を分け与えた主人公を書き重ねるうちに、昭和二十一年八月二日生まれの作者は、この「秋幸」に、自分とほぼ同じ誕生日まで与えてしまうのだ。すなわち、夏の盛りに生まれた「秋幸」？

まず、この成りゆきを確認しておきたいが……『岬』では、「秋幸」を孕んで「六月の腹」のとき、ほかに二人の女にも孕ませていることを知った母親は、監獄にいる「あの男」に対面し絶縁の意志をじかに伝えたとのみ記されてある。この挿話を反復する『枯木灘』にも生まれ月はみえぬが、そこでは興味深いことに、「秋幸」の命名者が投獄前の浜村龍造であったことが、あらたに付加されている。左は、三年の刑を終えて土地に戻った龍造が、「路地」の井戸端で（姉の美恵と一緒にいる）三歳の息子に声をかける場面である。

（…）男は子供の前に立った。「坊」と呼んだ。男は名前を知らなかった。美恵は眼を細めていまにも泣きそうな顔だった。男は一つの名前を思い出した。フサが自分の種を孕んだと知った時、男ならこれ、女ならこれと言ったことがあった。ヒロユキともアキユキとも言った記憶がある。
「アキユキ」と男は呼んでみた。
子供は顔をあげた。
（『枯木灘』）

そして、この同じ名付けのくだりが『鳳仙花』でさらに細やかに繰り返されるとき、「秋幸」の生まれ月が明示されることになる。

（…）龍造は腹の子が男であったなら浩二という名がいいと最初は言っていた事も、フサは

「兄やんの次に二番目に生れるんやから」と龍造の説明どおり信じた。「秋幸という名もええ」と言い出したのは、フサが龍造は他所に男の子を一人生ませていると噂を耳にしたと言って訊ねてからだった。

四月の早い日、フサは六月の腹を抱えて井戸で洗濯しようとたらいを土間から持ち出していて、路地の方からフサと同じように腹の大きなまだほんのひ若い女が歩いてくるのを見た。

（『鳳仙花』）

この作品では、同じ龍造の子を孕んだこの「ひ若い女」の口から彼の投獄を知ったフサが、田辺の監獄へ絶縁に出向いて相手を面罵した後、「昭和二十一年」の「八月の早い日」、オリュウノオバの手で子を取り上げてもらう。そのようにして、この「秋幸」は作者・中上健次と同じ年の同じ月の、同じ「早い日」に生まれたことになるわけだが……しかし、夏の盛りに生まれると知れた腹の子に、一季節もずれた名をつける親があるものだろうか。あるいは、そのような親を作り出す書き手というものが……？

もっとも、『枯木灘』の作品舞台とタイトルも微妙にずれている。新宮の町は、枯木灘海岸（白浜－串本）とは、自動車で優に一時間以上も隔たった場所にあり、作中に「枯木灘」の名がみえるのはわずか二度、それも、ごくあっさりと書き込まれるにすぎない。にもかかわらず、たとえば作家の急死を受けた弔辞のたぐいに、一再ならず、「これからは枯木灘の波音を聴きながら安らかに……」といった言葉があったのは、それこそ、作品の力というものだろう。『地の果て至上の時』を書き上げた当時の作家当人の口からも、なぜおれは「こんなふうに、いつもいつもずらさずにはいられないのだろう」といった印象的な科白が発せられていた(『杼』三号・八四年参照)。「瀬戸ぎわ」にくると、きまって何かがずれ、そして、気がつくと「いつもそれとの差異」とともに、何かが更新され(ようと)しているのだ、と。疑いようもなく、そうした「差異」こそが、中上健次の本質をなすものである以上、この「秋幸」もまた(あらゆるすぐれた本質がそうであるごとく)、ごく自然に更新されるのだと受け取って、不粋な詮索はやめたほうが良いにきまっているのだが、幸か不幸か、文芸批評とは本質的に不粋なものである。

ゆえに、このまま話を進めれば……次のように考えることが、ここでひとまず可能となる。『岬』を書くにあたり、作家は、『一番はじめの出来事』(六九年)以来、同じ生地や東京を舞台に――当初は一人称、やがて三人称「彼」で、大なり小なり作家自身の血肉を賦活しながら――描きつけてきた数々の若者たち(「康二」「あきら」「明」「比呂志」「福善」「康二」)とは、まったく別種の名を必要とした。その主人公は、熊野の風光と無邪気に戯れる少年でも、東京でジャズや薬に溺れる青年でもなく、生真面目な働き者として、それまでの人物像を一新するかたちで、中上健次の作品風土に、しかも、彼の作歴中はじめて、「兄」が自殺した歳と同じ「二十四」の若者として、登場せねばならなかった。そこではじめて、季節にちなんだ「秋幸」という名が、熟慮の結果というよりは、おそらくは直感的に選ばれる。ただし、この名は、『岬』では、人物たちの口頭語にのみあらわれ、地の文の主語は従前どおりの「彼」である。この名が次作『枯木灘』では、地の文の主語の位置に納まり、その主語とともに前作に孕まれていた豊かな可能性が一気に具現化する。するにつれ、いくつもの次元にわたり、「秋幸」は中上健次その人に接近する。「何度も、何度も、秋幸のまわりでそれは起こったのだった」——主人公と作家とのその反復（＝可変）的紐帯の詳細にかんしては、小著『中上健次論』の参覧にゆだねたいが、ともかく、書くほどに自分に似てくるこの人物の、ほかならぬ「誕生」前後を主題化する『鳳仙花』にいたり、作家はついに、浜村龍造に託し、自分と「秋幸」とのもっとも明白な紐帯のひとつとして、無理を承知で、先のくだりを書き込んだという線が、まず考慮されてよい。

さらに、そのいわば「私小説」的な無理は、おそらく、ある種「歴史的」な道理と連結するためのものであったと、推測を重ねることができる。

というのも、中上健次の作品風土に「大逆事件」がはじめて導入されるのが、同じこの『鳳仙花』であるからだ。

> 何もかも佐倉がやった。新しい世の中を作ると言って、浄泉寺で檀家の路地の者らにえらい人らを呼んで来て説教をきかせ、毒取るという医者や浄泉寺の和尚が天子様を殺害しようとしたかどで逮捕されてから、その毒取ると評判の医者の血筋にあたる佐倉が、路地から木馬引きや山仕事の男衆を何人も傭い、字の読み書き出来ぬそれらに前借りさせて盲判をおさせ、その結果、路地の山も土地も紙切れの上ではことごとく佐倉のものになった。佐倉はすでにそうやって手に入れていた新地を焼き払って新地の者を追い出し、今、路地をそうしようとしている。噂はそう言った。
>
> （『鳳仙花』）

史実に照らせば、右の「浄泉寺」はいまも新宮市に実在する真宗大谷派の寺で、その住職・高木顕明は、「毒取ると評判の医者」すなわち「ドクトル」大石誠之助とともに事件に連座し、処刑された大石よりは一等減免された無期懲役中に獄中自殺した人物である。となれば、フサの住む「路地」の者たちにかつて演説をしたこの「えらい人ら」の中心には、「幸徳秋水」がいたことになる。このなかで、土地の黒幕めいた「佐倉」なる男だけが中上の創出した人物だが、古座から新宮へ働きに出た十五歳のフサの奉公先がこの「佐倉」であり、どこからともなく路地に流れついた浜村龍造もまた、この男と浅からぬ縁をもつことになる。こうした設定に重きをおくや、この男女のあいだに生まれた「秋幸」は、「幸徳秋水」のアナグラムと化すことになるだろう。

ちなみに、この「秋幸」＝「幸徳秋水」は、ある夏、恒例のセミナー「熊野大学」の聴講者の発見として伝わって以来、わたしの強く同ずるものである。

「秋幸」の名の由来が気になり始めたのは、九十六年に出版した前掲小著の二、三年後だが、当初は「上田秋成」のゆかりかと考えていた。差別と物語との関係に迫る「物語の系譜」（七九年）の中上が、そこでしきりと、私生児として遊郭で生い育った『雨月物語』の作者と、自分の出自とを深々と重ねあわせたがっていた事実に注目していたからだが、「秋幸」＝「幸徳秋水」に接してからは、翻然こちらに就いた。就いたはよいが、迂闊にも、わたしは久しく、この紐帯を『岬』当時から作者のもとにあったものと考えてきた。が、それは間違っていたとおもう。おそらく、最初は直感的に選んだ名の思いがけぬゆかりに、中上自身もまた後から気づいたのではないか。

　気づいた刹那、その主人公を歴史的なものと結びつける。と同時に、いっそう端的に、私的な領分に結びつけること。

　それがたぶん、『鳳仙花』で起こったことなのだ。すると、この作品の末尾ではまだ五、六歳にすぎぬ人物は、やがて、私的であると同時に歴史的なその両義的な振幅（中上健次＝「秋幸」＝「幸徳秋水」）を抱えながら、あらたに成長しなおさねばならない。それが、次なる『地の果て至上の時』で起こったことであり、そこでは実際、「秋幸」は、『枯木灘』とは打って変わった切迫感とともに、社会と資本の問題を生きることになるのだ。そのようにして、偶然を必然化する。あるいは、事後的なものの強度を生きる。それはまた、いかにも中上健次の作品風土にふさわしい成りゆきではないか。たとえば、『枯木灘』の結末近くで、主人公に「路地」の存在に目覚めさせた後から、ルポルタージュ『紀州　根の国・紀の国物語』（七八年）において当の「路地」の特性を探りだす作家その人のように、あるいは、『岬』の段階では半信半疑だった情交の意義を、その後『枯木灘』において明白に「近親相姦」として「秋幸」が引き受けてしまうように、「秋幸」なる命名にまつわる事態もまたここで、中上的な生成の機微を体現しているのだ……と、そう結んで済ませば、前言に反して、わたしはここで、主人公の名という「細部」を手なずけたようにみえるかもしれない。

　だが、そう甘くはゆかないのだ。というのも、右のごとき「解」がかりに説得的であればあるほど、同じその命名の周囲からまた、いっそう解きがたい「謎」が生じてしまうからだ。一件にまつわる母親フサの反応が、それである。そもそも彼女はなぜ、これ以上ないほど不実な男による命名を受け入れてしまったのか？

繰り返すなら、傷害事件で獄に下った男は、ほかにも同時に二人の女を孕ませている。これを知った女は、「六月の腹」を抱えて面会に出向いて絶縁を告げる。その設定は『岬』以来一貫しており、『枯木灘』『鳳仙花』と連なるにつれ、その折りの女の表情は険しさの度を深めている。


「腹の大っきい女、来とったよ」

フサがそう言うと龍造は「そうか」とうなずいた。龍造の顔にかすかに笑みが浮かぶのを見て怒りに火をつけられたようにフサは「だまして」とどなった。「別れるさか。わし、嘘をつかれてまでよう一緒にはなれん。一人で産むさか。さっきまで腹の子と一緒に死んでしまおと思てたんやさか、今日以降、親でも子でもない」

フサはどなった。金網の向こうの縄紐で手をくくりつけられ頬のこけた龍造は昏い眼でそのフサをみつめた。

（『鳳仙花』）


ならば、そんな男の口にした命名を採ることもない。それを拒む方が、かえって自然ではないか？　この「怒り」はやがて鎮まり、それから四ヶ月後に子が生まれるまで、あるいは生まれた後もしばらく、フサがなお龍造に未練を残していたためか？　しかし、そうなると「秋幸」の子供時代のいくつかの挿話をいまいちど検討しなおす必要が生ずる。逆に、物語としてはごく自然な方向として、龍造の命名を拒んだとすれば、これまで述べてきたことの大半は空しくなる。ことによると、ここにはまた、この母親が満足に文字を読めぬという（作家当人の証言によれば、これもまた「私小説」的な）設定もかかわっているのかもしれない。

あるいはもっと積極的に、生まれてくる子にたいする母親の無意識の呪いといった要素を、フサのこの選択のうちに求めることができるか？　それこそ、『サッド ヴァケイション』（二〇〇七年）の青山真治が、浅野忠信演ずる「健次」の母親役・石田えりのあの不思議な笑顔のもとへと、中上の世界からユニークに転写してみせたような「母の力」？……といった具合に、「秋幸」の名を突けば突くほど、その傍らから、一種の盲点としてのフサの存在に再考を強いられることになる。

大略このようにして、「秋幸」にとって、自殺した「兄」が、「いくら解いても解いても新たに仕掛けられる謎」（『枯木灘』）であったごとく、わたしにおいては、その「秋幸」なる名前自体が、解けば解くほど「謎」めいてくるのだが……しかし、そんなこと、じかに作家本人に聞いておけば済んだ話ではないかと訝しむ向きも、とうぜんあるだろう。わたしもまた、ときおりそうおもう。その気になれば、現にそうした機会はいくらでもあったからだ。が、彼の生前、中上健次と共にあることだけで、わたしには十分だった。柄谷行人もどこかで同じことを口にしていたと記憶するが、わたしが全力を傾けて真剣に中上作品に向きあったのは、彼の死後である。この点については、忸怩たるおもいを確かに禁じえぬのだが、聞いていたところで、作家自身、果たして明確な「解」を示しえたかどうか？　そのつど違った「解」が口にされた可能性もある。むしろ、作家自身にとってのその豊かな不明こそが、「秋幸」なる命名を、ここまで生産的な「細部」たらしめているのだろう。

ともあれ、かつて、「秋幸」≒「幸徳秋水」をもたらしてくれた「熊野大学」の聴講者のように、この小文に接した読者から、あるいは、わたしのまったくあずかり知らぬ場所から、やがて思いがけぬ「解」が与えられるかもしれない。まさに、「何度も、何度も、秋幸のまわりでそれは起こ」るべきことなのだ。

（『小説トリッパー』二〇一六年夏号／改稿擱筆二〇二一・九・二二）

批評的アキレス腱——坂口安吾について

ずっと昔、批評同人誌『杼』（一九八三年〜八七年）が、それなりの反響を得て終刊を迎えるころ、編集長兼発行人の江中直紀と、次は、同じメンバーで文学版『紋切型辞典』をつくろうかなどと話したことがあった。

言い出したのは江中のほうだったと記憶する。なにしろ、『杼』二号の「柄谷行人」特集で、「実詞」主導的な柄谷文体の特徴を諷して、その「形式化の諸問題」の一節を、レーモン・クノーの言語遊戯「S＋7」方式で書き換え、それだけではなお飽きたらぬかのように、「同音翻訳法」でいったんフランス語に移した同じ文章を、あらためて（とうぜん、シュールな）日本語に翻訳してみせるといった離れ業を披露した書き手である（『ヌーヴォー・ロマンと日本文学』せりか書房二〇一二年所収）。この時期、批評的邪気の権化のようなこの新進気鋭の仏文学者を近しい先輩に持ち、また、同じ雑誌の一員として絓秀実と共にあったことが、わたし一個においては掛け替えのない幸運であったのだが、それはともあれ、何よりも「愚民」を嫌い、狷介孤高の（傍目には、少し甘えた）選良意識の持ち主が、「いったんこれを読んだ後は、ここにある文句をうっかり言いはしないかと恐くなって、もう口もきけなくなるようにしなくてはなりません」というフローベールの強烈な批評性（本書第II章参照）に、かねて飛びつかずにいるわけもない。

そのおり、ふたりが口にしあった「紋切型」リストの筆頭は、「批評」部門では「周知のように……」「……と考えるのは、筆者だけではあるまい」、「小説」部門では「いったいどれくらい時間が経ったのだろう」、「外では雨が降っていた」、「……ということを、秋子はまだ知るよしもない」といったものだった。「小説」のほうは上手くやれば相当おもしろいけれど、「批評」部門は、自分で自分の首を絞めるようなもんですねえなどと注しながら、継いでわたしが口にした「随筆」部門の筆頭を、いまはあえて使わせてもらうが……最近、さし迫った「必要があって」書斎を整理していたら、かつて坂口安吾研究会の求めに応じて寄稿した文章が出てきた。引き受けたはよいが、よほどネタにつまったとみえ、当時のわたしにしてはまったく異例のノスタルジックな「随筆」で、そのせいか、文章の存在自体をずっと忘れていたものなのだが……このまま捨てるには少し忍びない。いつのまにか立ち消えになった文学版『紋切型辞典』の、むしろサンプルに採られそうな語彙がいくつも紛れ込んでいるが、あえてここに転記させていただく。次のようなものだ。

＊

あれは、舟形フレームから、はじめて細めの丸縁メガネに掛け替えた当初だから、いまから十五年ほど昔のことになる。ある日の夕食時、二世帯住宅に同居していた父親が、ふと一言「お前、安吾に似てきたな」と呟いたことがあった。虚を衝かれつつ、それはたんにメガネのせいだと応えながらも、たぶん満更でもない照れ顔を作っていたのだろう、いや、似てきたと、父親は得意げに断定し、そろそろ四十代にむかう息子はいよいよくすぐったい思いを抱くことになったのだが……もちろん、照れる程度には当時もいまも自己相対化は働いていたし、いるはずで、いくぶんか悲しげに公平を期すなら、わたしと赤の他人との間の類似にかんしては、「オロナミンC」の「嬉しいとメガネが落ちる」大村崑にとどめを刺すだろう。

少なくとも、わたしはたとえば、ある時期から絓秀実がベンヤミン風味の顔つきになったようには——あるいは、弁舌ひとたび興に至るやしきりと前髪横髪をひね回す柄谷行人の仕草が、小林秀雄そっくりだと多くの人が認めるようには——安吾に似てはいない。蓮實重彥のいくつかの表情は小津安二郎を彷彿させる。大学院で定年まぎわの一年間だけ教えを受けた師・新庄嘉章は、彼の親炙したアンドレ・ジッドに（顎の長さをのぞくと）ほとんど生き写しだったし、当時の先輩のひとりは、その修士論文の対象たるロラン・バルトに酷似していた。

いうまでもなく、こうした類似は、骨相学的な問題ではない。それぞれの仕事を知って見る側の思いこみによる。小津なりジッドなり、彼らにあれほど深く親しんでいるからには、蓮實さんも新庄先生も顔まで似てきたところでべつに不思議はない。そんな思いこみの強さが、骨相学的な事実を心地よく凌駕するという具合に知覚もしくは錯覚が働くのだろうが、わたしの場合、その種の可能性も皆無に近い。安吾について多少ともまとまった見解を公にしたのは、過去にわずか二度しかないからだ。
最初は二十年ほど前、『群像』誌上で井口時男との往復書簡中に、安吾は小説よりエッセーが面白いというありきたりな意見を記したもので、二度目は、二年前の安吾研究会の席上、「安吾と天皇（制）」と題した発表。当日参加して下さった方々には内心とても申し訳なく思っているのだが、これも、『不敬文学論序説』の線上に安吾を引き寄せただけの平凡な言挙げになってしまった。したがって右のごとき思いこみを人目に許すべくもなく、冒頭のエピソードなぞ、むしろ「親バカ」「子バカ」の域を出ないのだが……そんな他愛ない私事ではあれ、そこにはちょっとした訳がある。

一九二七年福島県相馬生まれの亡父・渡部敬太郎は、戦中に、仙台幼年学校から東京の陸軍士官学校（六十期）に進み、その卒業時に敗戦を迎える。幼年学校も士官学校も首席で通した当人の言に依れば、その間、「天皇帰一」といった標語を（年を追っていよいよ強く）信じつづけた十八歳の青年にとって、敗戦の巡り合わせがいかに不運なものだったかは想像に難くない。戦局をどの程度まで客観的に把握していたかはともかく、主観的には「末は陸軍大将」という（当時の多くの貧しく優秀な少年たちに共通する）「大望」への、それなりに確かな第一歩を印そうとしていた矢先の敗戦であったからだ。彼はその後、四七年に早稲田の政経学部に入学、三年後の警察予備隊発足をみて即決、大学を中退して入隊して以来、自衛官の身をまっとうして陸上幕僚長、統幕議長へと――職業軍人の社会的地位における戦前／戦後の甚大な落差を捨象すれば、ともかく少年時代の「大望」どおりに――到ることになるのだが、敗戦後数年は、ひどくグレていたという。ただ、その間、旧軍人にありがちな自棄な事件を起こすわけでもなく、十分明るくグレることが出来たのはひとえに『堕落論』のお陰だった、あれでどれだけ救われたか……と、昔風にいえば陸軍少佐になりたての頃、自分と同じ大学の文学部への進学希望を口にした高校二年生の息子に、まあ仕方あるまいといった許諾の言葉とともに、彼はそう語ることになる。途中で馬鹿馬鹿しくはなったものの、一時は士官学校の裏庭で同級生らと切腹のまねごとまでしかけた自分が、安吾でスッキリして、株やら、麻雀やらで過ごすなかで母さんと会って出来たお前がそんなこと言い出すのも、何かの巡り合わせだろう。それにしても「目から鱗」とはまさにあのことだったなあ、という予想外の付言じたいは、『堕落論』の絶大な影響力からすれば、むろんごく一般的なものにすぎまい。

ただ、ここに多少とも異数な平仄が公私ふたつあって、ひとつは、世上を騒然とさせた一事件にかかわる。

息子の（やはり息子なりに青臭い）「大望」表明にまつわる右場面から、遡ること七、八年、戦後初のクーデター未遂計画として知られる「三無事件」（六十年十二月）がそれである。五・一五事件の三上卓らの戦前右翼に、陸士五十九・六十期出身の民間人、さらには現役自衛官も加わった（らしい）反共グループのその計画は、破防法適用第一号事件として、戦後昭和史の一齣を刻むものだが、当時、陸上幕僚監部の広報の任にあった父親は、陸士時代の見知りを巻き込んだ一件につき、マスコミへの応対におわれることになる。その過程で、彼はみずから筆を執り、戦後自衛官の立場や、その一員としての自己の抱懐を発表(『文藝春秋』六二年二月号)。かつての先輩同級生らの愚を指して一文に含まれる「思考停止病」なる台詞は、ちょっとした話題を呼んだようだが、興味深いのは、拙いかたちではあれ、文章全体のトーンに『堕落論』その他、安吾のエッセーの調子が如実であることで、実際そこには、「フンイキ」やら「カットウ」やらの安吾的カタカナにまじって、軍人とはいえ生身の人間、「私達は、弾がこわく、冬は寒いのである」といった一行がみえたりするのだ。もっとも、この印象は、九七年に没した彼の一周忌に、私家版の文集を編んださいの後知恵に類している。日頃、文学とは縁もゆかりもない父親の口から、「安吾」の名とともに文学部進学への許諾を得たおりのわたしにおいて、何より異数であったのは、ほんの半年前まで野球に明け暮れていたおのが心身を一変させた張本人のひとりが、ほかならぬその『堕落論』の作者であったことだ。

許諾の実を得たことのみに満足したせいか、この平仄については、わたしはしばらく黙していた。黙したまま、ほどなく駐在武官としてモスクワに赴任した両親が弟と共に預け置いた叔父の家の離れで、学園紛争で高三の二学期がまるごと消えた時期、受験勉強の合間合間に、冬樹社から出はじめていた全集を耽読するという日々を経て、わたしは、早稲田の文学部へ入ることになるのだが、そこでフランス文学を選んだのも、もちろん安吾のせいである。小林秀雄の影響も否めない、と書けば、一九七〇年の大学新入生としてはオクテもオクテなのだが、本当なのだから仕方ない。爾来二、三年、今度は大学紛争のまっただ中で、同じ校舎の一隅で人が殺されたり、高校時代の同級生がやはり「内ゲバ」に巻き込まれて死んだりといった世界も余所目に、〈安吾

－小林〉圏とも呼ぶべき領分に浸りきっていた者にとり、たとえば、『教祖の文学』をどう扱うかといったことが、大きな懸念事であったりした。要するにアナクロで典型的な「ノンポリ学生」だったわけだが、この間にわたしはまた、今度はこちらから「安吾」の名などを記した長文の手紙をしたためて、モスクワの両親から（親の身になってみればかなり勇気の要る）ひとつの許諾を得ることになる。

現在も生活を共にする女性との「学生結婚」をめぐる請願内容の子細なぞ、ここに披瀝すべくもないが……あれはしかし、文章をしたためて実利をせしめた最初の体験ではあって、虚実こもごも、幼くも切々としたその手紙を（むろん、高校時代の先の平仄もぬかりなく入れて）書きながら、「安吾」の名を出せばきっと何とかなると、どこかでそう確信していた記憶は、いまになお鮮明である。のみならず、その許諾が、実際に批評文を書きはじめるまでの時期を大いに利してもくれたのだから、『堕落論』の作者はこれで端的に二度、わたしに「恩」を与えてくれたことになる。父親のそれとあわせれば、親子二代で三度の「恩」となるか。

むろん、敗戦時に父親の受けた「恩」と、占領解除の一ヶ月ほど前に生を享けて以来、戦後日本のたぶんもっとも活力ある時代に長じた文学青年の受けたそれとを軽々に比べるわけにはゆくまいが……ともあれ、およそ以上のような訳ありを経たうえで、望みどおり文筆家になったはよいが「スポーツ評以外はヤヤコシクて分からん」文章ばかり書く息子の顔に、ある晩、どこかで見たような丸縁メガネを認めた父親から、冒頭の言葉が漏れ、息子は、照れ混じりの笑顔で応えるといった座興が成立することになるのだった。

ただし、その座興も、そういえば、と、わずかに調子を改めた父親の継ぎ句を浴びて、少なからぬ屈託を抱えてしまったのだけれど……。

そういえばお前、安吾については何か書いたことあるのか？

この屈託は、当時もいまも上手く言葉に出来ないのだが、たとえば小林秀雄についてなら、事態は明瞭である。こちらはあくまでも文学的次元の話ではあるが、若年期に被った彼の影響をもあえて「恩」と呼ぶのなら、いわば、その恩を仇で返しつづけることこそ、わたしの批評の根幹をなしている。似たようなことは、同じ時期に熱中していた日本近代詩についてもいえると思う。フッサール、メルロ＝ポンティ、サルトル、カミュなどにかんしても、ほぼ同様なのだが、安吾だけはいまだに別格なのだ。ときおり全集を繙きはするものの、批評の対象に据えたいと思ったことはない。読み親しんできた作家のうち、ひとりくらいそんな存在があったところで、罰は当たるまい。それが当人の表だった理屈だが、理屈はたぶん、深いところで一種の逃げなのかもしれない。……しかし、何からの？

本当に好きなものは語りにくい、というのは俗見にすぎない。好きなものこそぬけぬけと俎上にあげるべきだし、現にそのようにして、わたしは谷崎論と中上論を上梓し、後藤明生や金井美恵子などを論じてきた。安吾はいまや語るにたらぬと思っているわけでも毛頭ない。文字どおり「文学のふるさと」のごときものとして触れずにいたいのか、と問われれば、そうともいえぬ。要するに、わたしの力量ではいまだに安吾は手に負えないのだという、何とも平凡な結語に添えて、余所目にはおよそ採るにもたらぬ私事に貴重な誌面を費やしてしまったことを、お詫びしておきたいと思う。

＊

……といった文章を公表して以降、今日まで、さらに三度ほど坂口安吾にふれる機会をもった。順不同で数えれば、『文學界』誌の「必読書」アンケート企画に応じて、右のエピソードの一部も交えながら『堕落論』を推薦した短文が、そのひとつ（『反知性主義に陥らないための必読書70冊』文藝春秋二〇一五年所収）。当時、大学主催の坪内逍遙文学賞の選者同士として一夕の歓をともにした「論敵」加藤典洋に、珍しく褒められた一文である（「君、これまで、ああいうの書いたことなかったろ？」）。

残り二本は、本式の批評畑のもので、ひとつは『日本小説技術史』（二〇一二年）の最終章で横光利一の「純粋小説論」を扱ったさい、そこにいう「四人称」に肯定的に反応した当時の新鋭作家のひとりとして、安吾の存在を意識せざるをえなくなった。

たとえば、彼には横光の論文に即応した「文章の一形式」（一九三五年）があり、そこには、新たな「真実らしさ」の創出法として、「彼はこう考えた」と書くより、「彼はこう考えたようであった」と書くほうがよいといった主張が記されている。その隙間（「ようであった」）に忍び入って作品全体に浸透する「無形の説話者」として、「四人称は甚だうまい方法だ」というのが、その骨子である。「読者と協力して」といった横光そのままの行文もみえ、作品全体の構成にかんしては——横光とは異なり、こちらはさすがに、本家アンドレ・ジッドの『贋金つくり』の要諦に忠実に——首尾一貫した「脈絡」を捨て、個々の出来事の（絵画でいえば「立体派」的な）多焦点化が求められるべきだとも書かれている。『吹雪物語』（一九三八年）は、この所見の実践版としてあるわけだが、十人ほどの男女を差配して、それぞれの行動の動機については「説明」しない一方、彼らがいだく観念的なものについては（「地の文」や個々の「内言」を通して）くどいほど「説明」するといった不均衡を露呈する長編小説は、『日本小説技術史』の立場からすれば、「真実らしさ」の希求自体に巣くう陥穽の一サンプルとして、横光自身の『紋章』などの傍らに添えて分析するにたる、好個の素材ではあった。現に、応分のノートも取っていたのだが、最後まで困惑を重ねた結果、「文章の一形式」の存在をひとこと指呼するにとどめてしまった。……かわいそうに、「四人称」なんて真に受けるからこんなことになるんだという印象を、あまり掘り下げる気になれなかったというのが、実情に近いのかもしれない。

反して、悦ばしい困惑を体験したのは、『日本批評大全』（二〇一七年）を編んだおりだった。日本の近現代批評を代表する七十本中の一作として、安吾からは何を選ぶか？　さんざん迷ったすえに、くだんの『堕落論』ではなく、戦前の『日本文化私観』でもなく、「文学のふるさと」を選んだのだが、これとて、安吾へのコメント部分は、ほんの短文である。

その選択も、コメントも、またぞろ振り出しに戻って、安吾は「小説より批評の方が面白い」という通り一遍を繰り返しているにすぎない。

安吾にかんしては、つまり、どうかしてその紋切型に陥らずに語りたいとおもいつづけ、いまに叶わないでいるわけだ。右のごとき私事にからめて、この存在にたいする感謝の念を書き記すことが、関の山であるようだ。これをまさに「アキレス腱」という。それは認めるが、同時に、そう呼ばれている筋肉組織ほんらいの役割どおり、十七歳のおり、高校教科書で読んだ「ラムネ氏のこと」以来、この「腱」が、わたしの両脚を半世紀以上も支えてくれていることも事実である。……おかげでわたしは、速度も歩幅も急激に減じたものの、いまもこうして歩けている。

＊「親子二代、安吾の「恩」」（坂口安吾研究会編『坂口安吾論集3　新世紀への安吾』ゆまに書房二〇〇七年所収／改稿擱筆二〇二一・一〇・一六）

「勧善懲悪」と「物のあはれ」――西田耕三の新著に寄せて

近畿大学時代、わたしは同じ文芸学部の同僚教授・西田耕三に、江戸期の和本漢籍についての手ほどきを受けた。

一九九九年、学部長・後藤明生が（傍目には何の前触れもなく）逝去する。すると、良くも悪しくも「開発独裁」的な辣腕を振るっていた前学部長たいする反動が――おりから、〈教養部解体→一部教員の文芸学部転入〉問題と相乗し――学部内に深刻な混乱を導く。それまで補佐的な役割を果たしていた江戸文学の泰斗・高田衛も同年に定年退職。その後任として、翌二〇〇〇年、熊本大学から移籍してきた西田耕三は、東大の哲学科でニーチェを読んだ後、横浜市役所に奉職するも、一念発起、都立大の大学院でいっけんほとんど真逆の研鑽を積みなおすという経歴の持ち主で、とうぜん、西洋思想への造詣もふかい。現代の批評にも関心がある。ことに吉本隆明と柄谷行人の愛読者だという気さくな新任教授と、わたしは初手からひどく息があい、実質からすればそう呼ぶのが正しいのだが、この人にかぎっては心地よき誤用めくこの「碩学」と親しんできた。

無類の酒好きで、おまけに、明るく酒乱気味の「支払い好き」を良いことに、わたしはいつも奢らせ、十歳離れた年長者にはらうべき礼節もついに顧みぬ。どころか、互いに興に入るや、彼の酔態をとある海洋生物になぞらえた愛称を、わたしは面と向かって口にし、彼は彼で、叱り飛ばすようにこちらの姓を何度も呼び捨てにし、するはよいが、じつは誰に喋っているのか判然としない同じ台詞を延々と繰り返しながら、ときおり、しらふの時にもましてするどい警句を発したり……要するにさんざんじゃれあって、後藤明生を失ったとたん一気に噴出したアカデミズム特有のあれやこれやに嫌気がさしていた先任教授は、当座の鬱を晴らしていたりした。

そうした親交に甘え、くずし文字を読むコツや漢籍の白文読法、各種文献情報といった即物的な次元から、未知未読の近世思想家や文芸書にまつわるツボやエッセンス、あるいは、既知既読のつもりでいながら専門的な観点に照らせば欠けているはずのポイントなどにつき、ある時期から、わたしは手当たり次第に教えを請うた。二〇〇八年に東京の大学に移ってからも、ずっと同じようにさせてもらった。そうしなければ、とうてい満足なものが書けそうにない対象を連続的に選んだからだ。それが『日本小説技術史』における曲亭馬琴であり、『日本小説批評の起源』における『水滸伝』と金聖嘆である。深夜に思いついてメールを打つや、翌日のパソコン画面には簡潔なアドヴァイスや書名が伝えられ、数日後にはしかるべきコピーが自宅の郵便受けに収まっている。そんな恬として惜しげもない「学恩」にかんしては、それぞれの書物の「あとがき」にも明記したが、両著のあいだに上梓した『小説技術論』にいう「移人称」なる概念も、井原西鶴の独自きわまりない人称構造をめぐる彼の書物（『主人公の誕生』ぺりかん社二〇〇七年）から、ひとつのヒントを得たものである。

わたしはつまり、運良く「押しかけ弟子」の利得を存分にせしめたわけだが……そうした「師匠」から、つい最近、久しぶりに新著が送られてきた。

題して『馬琴をみちびく糸』(ぺりかん社二〇二一年)。「馬琴と近世の思考」なる副題が添えられた書物は、「天機」「造化」「戯言」「故旧」「名詮自性」といった語彙の馬琴的意義や使用法をめぐる各種評言アンソロジーの体裁を特徴とする。豊富な引例は西田耕三の著作の(当人の言葉を借りれば「江戸学者本」一般の約束ないし拘束に従った)基底をなすものだが、今回は、常にも増す。そのせいか、前書部分には、「本書は、立論の必要上どうしても引用が多くなる。煩瑣な記述になるだろう」と、読者の「寛恕」を請いながらそう記されている。悪くいえば確かに「煩瑣な」、良くいえば「縦横無尽な」博引旁証は、巻末に十五頁もつづく索引を一瞥するや、瞭然。通読後、そこに細字横組で列挙された九割以上は未知未読の論文、書物、人名を眺めながら、わたしは改めて、一度だけ泊めてもらった「碩学」の仕事部屋を想起することになる。

賃貸ではなく買い上げたというその部屋のある古びたモルタル団地は、自転車で大学に二〇分、東大阪の府立中央図書館にもさして遠くない場所にある。ある晩、泥酔のまま自転車で帰すのも危ぶまれるので(彼は一度ならずそれで大怪我をしていた)、送りがてら同行しそのまま客間に泊めてもらった翌朝、呼ばれて居間に入るなり、度肝を抜かれた。和室一面、和本とコピーの山である。坂口安吾の有名な書斎写真がある。そこには、新聞の切り抜きや雑誌や、正体不明な紙類のなかからこちらに上目を剝く『堕落論』の著者のすがたが、活き活きと写し撮られていたが、しかし、あんなものじゃない。安吾写真には、まだ、原稿用紙や煙草灰皿分のスペースがあり（書斎だからとうぜんだが）、座敷机の脚もみえるが、西田部屋の紙類は大きな座卓をすっぽり埋めて盛り上がり、そのまま雪崩落ちてあたりの床まで覆い尽くしている。別部屋にあるという書斎はみなかったが、そちらの犇めきも推して知らしむる書類を捌き、作ったわずかなスペースに、「碩学」は手作りの朝食を並べてくれたのだが、醤油や食べかすを紙の上に飛び散らかさぬように箸を動かしながら、わたしはふと、世にいう「ゴミ屋敷」の居間もかくあるかといった、失礼千万な思いを抱く。

むろん、この紙類は「ゴミ」ではない。書誌を記入し忘れた手控えによれば、エリック・ホッファーに「空っぽの頭は、実際は空ではない。ゴミで一杯になっているのだ。空っぽの頭に何かをつめこむのがむずかしいのは、このためである」という卓言があるが、ここにあるのは「ゴミ」どころか、見る者が見ればいずれ貴重なコピー資料や、現物であるに相違ない。紙類は、だからこうして、近畿大学の（いまは知らず当時は）縦に仄暗く積み重ねられて迷宮めく図書館や、府立図書館の所蔵庫から写され借り出されて、この部屋にどんどんつめこまれてゆくわけだが、西田耕三の新著を手にする者の脳裏には何度となく、その部屋の様子が油然と蘇るのだ。

あれから二十年近く、彼は定年退職後も、夫人の暮らす東京の実家と往復しながら、そこに棲みついている。あの資料があっては東京に戻りたくても戻れない、と聞いた。その部屋の、とうぜん旧に数層倍する紙の山から、この本を埋め尽くす引用の数々が引き出されている。そうおもうだに、東西を隔てて久しい「碩学」のすがたが近ぢかと忍ばれるのだが、この引用数からして、これまでも問いあわせた資料をすぐに届けてくれたように、傍目には散布乱雑の限りを尽くしながら、きっと散布者にしかわからぬ一種の秩序にしたがって案外能率的に、それぞれの論旨に資する文献を探り出しているのかもしれない……などと長閑に言葉を継がせているのは、しかし、たんなる懐旧の情ではない。無償の「学恩」にたいするせめてもの謝意ばかりでもない。使いようでは門外漢にも有益な専門知にあふれた西田耕三の書物の、並の研究書にはない特徴として、博引旁証の山のなかからときおり、並の文芸批評家の顔色を寒からしめる警句断案が、ほとんど無造作に飛び出してくる、その(アン)バランスの魅力を強調するためである。

先にふれた『主人公の誕生』には、たとえば西鶴作品の読みにくさにつき、「根本的な性格は、西鶴の文章がつねに主語を追い求めているところにある」といった凄いフレーズが書き込まれている。『人は万物の霊』(森話社二〇〇七年)では、やがて散文フィクションの「転合書」へと発展する西鶴の「俳諧表現の形式」(傍点原文)自体の産出性をさして、「並置された原因や結果を、ものごとはすばやく移動する」という一行が突出する。たまたま並べられた言葉の断片間にはしる「振動」が「事件」を作り出すのだ、と。そして、同様以上の生気をおびて、今回の新著においては、馬琴の悪名高き「勧善懲悪」にまつわる章から、思いもよらぬ一節が飛び込んでくるのだ。「物のあはれ」は、「勧善懲悪」の反義語ではなく、むしろ同義語ではないか、と。

繊細な感受性の強制は、繊細な感受性自体からは出てこない。むしろそれと対立し、破壊するものである。そういう意味で、「物のあはれ」や「風雅」の強制は、一種の勧善懲悪のはたらきである。宣長の場合、物語の理解に、明確に仏教や儒学の勧善懲悪を排したにもかかわらず、「物のあはれ」を強制することで、新たな勧善懲悪を提唱してしまった。「かならず感ずべき事にふれても、心うごかず、感ずることなきを、物のあはれしらずといひ、心なき人とはいふ也」は、仏教や儒教が言うところとは別種だが、間違いなく勧善懲悪である。なぜなら、ここで言われる「物のあはれ」は、自然ではなく価値であるからだ。

（『馬琴をみちびく糸』）

だから、正しく「勧善懲悪」の反義語を求めるなら、それは「毀善勧悪」、もしくは「欺善作悪」でなければならない。そうとどめを刺すこの一節には、同じ馬琴や宣長をめぐる書物の著者として、したたか虚を衝かれてしまった。この感銘の強さにくらべれば、二種の反義語の前者にはサドの、後者にはワイルドや初期谷崎の名を添えればさらに効果的だといった小賢しい感想も、宮川淳のような「繊細な」批評家はなるほど、引用だらけの本に到ったという事実も、付けて蛇足に類する。確かに、「物のあはれ」は「勧善懲悪」の同義語であらねばならない。

小著『日本小説批評の起源』において、わたしもまた、本居宣長を批判した。「物のあはれ」の主情主義が、ほとんど無傷のまま、坪内逍遙『小説神髄』の「人情」に回帰し、小林秀雄の「宿命」によってさらに変奏され、いわば不可視のものの特権化として今日に及ぶ点を、日本文学の抱え込んだ重大な瑕瑾として指摘はしたが、その主情主義における「価値」の強制、ニーチェ的に換言すればすなわち「力への意志」にかんしては、深く問わなかった。「造化にしたがひて造化にかへれ」、でなければ人は「夷狄」「鳥獣」に等しいという芭蕉の「風雅」論（『笈の小文』）が、同種の「価値」判断を、その宣長のもとへ送り込んであることについては、さらに思いよらなかったのだ。

さすがに若き日のニーチェアンである。……そう感服する一方で、このくだりに継いで、「勧善懲悪（勧懲）」の一語をふくむ朱熹の『詩経集註』が引用され、さらに、上野尚志という維新期儒者の『勧懲一歩』なる教育マニュアルと服部撫松『第二夢想兵衛胡蝶物語』がつづき、以下、『荀子』解蔽篇、馬琴『平妖伝』、徂徠『弁道』、橋本左内「獄制論」と矢継ぎ早に引用され、念押しに逍遙と二葉亭が召喚される例の博引旁証に接する者は、しかし著者はなぜに、右の鮮やかな一節にもっと深く立ち止まらなかったのかと、強く惜しむことになるのだった。ここにたとえば、『玉勝間』において当の宣長も感嘆した富永仲基の「加上」論をもってくれば、ほとんど完璧ではないか!?

＊

富永仲基（一七一五年〜一七四六年）。懐徳堂開学にかかわった大阪の町人儒者の家に生まれ、志学の年にはすでに儒学批判『説蔽』（失逸書）を書き、あまたの仏典を読破した二十歳の時分から抱懐した所見の結実たるその主著『出定後語』漢文二巻（一七四五年）が死の前年に、序文によれば二十代半ばで稿をなしたという『翁の文』和文一巻が、死の直前、主著の三ヶ月後に出版されている。こちらは、ある「翁」からの聞き書きにコメントを加えたという一人二役の体裁をもつ。その和文における「三教」（仏教・儒教・神道）批判は比較的分かりやすいが、漢文主著は、仏教思想発展史や仏教用語について一定以上の知見をもたぬ（わたしのような）門外漢には、ひどく手強い書物である。というより、まさにその発展史自体を――発展に応じた所伝や用語の性格そのものとともに――史上はじめて実証的に明るみに出そうとする力動的な書物なのだ。原文の訓読文や註にたよっても、その凝縮されたダイナミズムは容易には辿りがたいのだが、幸い、はやく明治中葉からこの人物を顕揚していた内藤湖南の晩年に、簡にして要を得た講演文（「大阪の町人学者富永仲基」一九二五年・『先哲の学問』一九四六年所収）がある。

さしあたり、「論理的な基礎の上に学問を組み立てる」能力においては伊藤仁斎・荻生徂徠をも凌ぐ「天才」とまで絶賛したこの湖南をもとに（『翁の文』と、戦後の他論*も参照し）摘録すれば、富永仲基の「非常にえらい」点は、①に「加上」原則の発見、②「異部名字難必和会」原則（異部の名字は必ずしも和会し難し）の発見、③言語における「三物五類」の発見、④学問・宗教における「国民性」（『出定後語』では「俗」、『翁の文』では「くせ」）の発見となる。

②は、仏教各宗派の増大発展にしたがって、元は同一の事柄であっても、口伝特有の幅を介して多様に伝えられるゆえ、無理にも択一的に「元」を求め辻褄をあわせようとすると、真を逸すること（いわば、口頭伝承要素における決定不能性）。③の「三物」の「物」は仏教言語を規制する条件をさし、これが「言有人」（言語は人・宗派によって異なる――この点は②と重なる）、「言有世」（時

代によって異なる）、「言有類」（言語の転義、拡張、反意などにみる五つの適用類型「張」「泛」「磯」「反」「転」）、④はむろん、今日の文化人類学の類型概念に通じ、インド・中国・日本の思考傾向の根底を漢字一字で、それぞれ「幻」「文」「絞」と名指し、仏教における空想幻術ごのみ、儒教におけるレトリック偏重、日本思想における簡略志向と秘匿ぐせを指摘している。しばしば、③④をあわせた名言として、「言有物、国有俗」（言に物あり、国に俗あり）と顕揚されもするが、②以下については、しばらく措く。

富永忠基のハイライトは、なんといっても①の「加上」説である。

同じ釈迦牟尼の教えをめぐり、そもそもなぜ、これほど多くの宗派があり、各宗派の重んずる経典群が、すべて釈迦の「金口」（直話）を伝えたと称しながら、互いに大きく異なった内容と語句をふくんで何百何千の数に及ぶのか？　悟りから入滅までの間に、時期により、また、聴く人々の違いなどに応じて、釈迦が説き方を変えたからだというのが、従来の解釈だった（すべての経典を釈迦のもとに回収せんとするその最有力説が、天台宗の開祖・智顗による「五時八教」）。これに対し、仲基は、後発の説が有力な前説を圧倒凌駕する（「加え上る」）ために、そのつどさまざまな上書きを施し「加上」を繰り返した結果、かくも多種と多様を極めたのだと喝破し、かつ、その成立順をみずから推定する。「阿含」→「般若」→「法華」→「華厳」→「大集・涅槃」→「噸部楞伽」（禅宗）→「秘密曼荼羅」（密教）の順がそれで、釈迦の直話をとどめるのは「阿含」のみ、「般若」以降のいわゆる「大乗仏教」の経典は、みな後世の編纂（＝創作）にかかわるとする。仲基はさらに、推定した順に従って並べなおした各経典間における所伝や用語の異同・推移を検討し、「加上」の結果様相として先の②「異部名字難必和会」原則を発見する。これが、富永仲基の「加上」説と、それに発する史上初の「大乗非仏説」論で、この論点は、経典成立順ともども、今日の仏教史研究においてもほぼ定説化しているというが、このとき、いかにもユニークなのは、より新しい学説は、より古い根拠をもちだし、より複雑な語彙操作をなし、排他性をより強めるといった文献批判のポイントである。

思想史上のこの相克発展性を、仲基はまず儒教研究から摑んでいる。春秋時代の五人の覇者による「覇道」を重んずる同時代思想にたいし、孔子は春秋に先立つ周時代の文王・武王の「王道」を理想化して前説を凌ぐ。つづいて、墨子は、同じ「王道」ながら周以前の夏王朝の禹を名指して孔子を「加上」し、次の孟子は、さらに古く伝説上の堯・瞬によって墨子を超えんとし、次の楊朱は黄帝を、次の許行が神農を……といった観点である。当人の言を信ずれば、すでに『説蔽』において（つまり、たった十五、六歳で！）見出したこの観点が、『出定後語』で広く仏典に応用されたわけだが、この相克発展史観が、徂徠古文辞学にいう「勝上」をヒントにしていることは確かである。だが、儒・仏・神の「三教」にわたり、特定の思想に加担することのない仲基は、同じ原則にしたがって、伊藤仁斎の孟子礼賛と同じく、経書の唐代口語による原音読解を提唱して「先王の道」を説いた徂徠自身の「加上」性をも相対化してみせるだろう。

（…）近頃の仁斎は、孟子のみ孔子の血脈を得たるものにて、余他の説は、皆邪説也といひ、又徂徠は、孔子の道はすぐに先王の道にて、子思・孟子などはこれに戻（もと）れりなどいひしは、皆大なる見ぞこなひの間違ひたる事どもなり。此始末を知らんと思はゞ、説蔽といふ文をみるべし。

（『翁の文』第一一節・『日本古典文学大系』九七巻所収）

神道についても、「みな、中古の人共が神代の昔にかこつけて、日本の道と名付、儒仏の上を出たるものなり」とあり（第十二節）、さらに、先の④にからんで、仏教・儒教の「幻術や文辞」はまだしも見映えも聞き応えもあって面白いが、これらに比べ、「神秘・秘伝・伝授」といってはひたすら「物をかくす」神道の「くせ」は、「偽盗（いつはりぬすみ）のその本」を彷彿させて「甚だ劣れり」と、辛辣にべもない（第十六節）。『玉勝間』で「見るに目さむるこゝちする事共おほし」と称賛した本居宣長も、後年、この宣長文に接して欣然、版絶えて久しい『出定後語』を探し出し、儒仏批判の格好の具として吹聴した平田篤胤も、つまりは、同じ刃を自派にむけるこの『翁の文』のほうは未読だったわけだが……半可通の紹介は、しかし、このあたりでやめておくほうが無難だろう。

要は、この「加上」説の（弁証法をもたぬがゆえの）汎用性の高さにある。

現にわたしは、より新しいものはより古い根拠を（偽装的に）持ち出すという視点を『日本小説批評の起源』に援用した。すなわち、『古事記伝』の宣長における、穢れた漢文字（「古書」）に先立つ清らかな「声」（「古言＝古事」）の措定、および、『水滸伝』七十回本編纂で金聖嘆が「百回本」「百二十回」に先んずる根拠として捏造した「古本」。これらに着目し、前者は、儒教で日本神話を解釈した山崎闇斎流の「王道神道」や、荷田春満・賀茂真淵の「古道学」にたいする、後者は『水滸伝』注釈の先行者・李卓吾にたいする、等しく「加上」的な創作とみて、和漢両用の「注釈」のうちに、小著は思いがけぬ類似点を指摘することが出来たつもりだが……ならば、同じ宣長の「物のあはれ」の強制力について、『八犬伝をみちびく糸』の著者は惜しくもなぜ、さらに右のごとき富永仲基を絡めなかったのかと書いて、小文はここで、先に記した疑問に立ち戻ることになるわけだ。

実際、『紫文要領』（一七六三年）に発する「物のあはれ」論は、『源氏物語』解釈をめぐるポレミックな覇権争いの産物である。それは、安藤為章「紫家七論」（一七〇三年）が源氏と藤壺との関係を指して説く道学的解釈、すなわち、「物のまぎれ」（皇胤の乱れ）への警告的諷論だとする所説を相手に、用語的にもきわめて巧みな「加上」をなして創出されものであり、である以上、その「価値」判断が、西田耕三のいう「強制」力とじかに結びつくのは、一種とうぜんなのだ。思想・宗教における「真」なるものの内奥には、たえず「力への意志」が秘められている。このニーチェ的な含意を、富永仲基の名とともに導入すれば、西田耕三の一節は、より説得的に輝いたはずである。

あるいは、次のような展開も可能だったかもしれない。

「私小説」における特異な現象として、「事実」にたいする異常な執着というものがある。日本文学特有のそのジャンルにあっては、志賀直哉に典型的かつ強烈に認められるごとく、「事実」はしかも、それ自体として美的価値、さらには倫理的価値をはらんでくる。「事実」はそこで、世界に類をもたぬかたちで、法廷のものではなく文学のものとなるわけだが、たとえば、イメルラ・日地谷＝キルシュネライトの『私小説　自己暴露の様式』（一九八一年／邦訳一九九九年）は、この志賀直哉に代表される「私小説」のうちに、一種の「文化的無意識」の発露として、古典文学における「無常観」と「もののあはれ」の回帰を見出している。同じく、嘱目を旨となす俳句文学との親和性も指摘されている。ドイツ文芸学の伝統を引き継ぐ「内在研究」の俊英の目にはつまり、「私小説」を生む日本文学においては、「物」（＝「事実」）が、それ自体として「あはれ」になると映ずるわけだ。

こうした視界に西田説を接続すれば、接続はまさに、志賀文学の、たとえば読者にたいする執拗な支配欲の根も、効果的に洗い出すはずだ。実際、父子確執の原因の曖昧さを小説『和解』の構成上の欠陥とみなす（ごく妥当な）批評にたいし、重要なのは長い不和のすえにやっと和解できたという実生活上の「事実」であり、これを「動因」として「何の作為もせず、事実を只その儘に書いて行つて、それで芸術品になつてゐる所がいいのである」と書く志賀は、それが分からぬような「馬鹿は単に馬鹿だけではなく悪だ」とまで激昂してみせるのだ（「唇が寒い」一九二二年）。同じ調子で、芭蕉は「風雅」を知らぬ者を「鳥獣」に擬し、宣長も別にまた、「物のあはれをしらず、なさけなくて、よの人のこゝろにかなはざるをわろしとはせり」と弾劾していたわけだが（『源氏物語玉の小櫛』「大むね」）……こう書きながら、わたしはしかし、『八犬伝をみちびく糸』の著者にたいして、いたずらに望蜀の嘆を弄んでいるわけではない。というのも、きわめて即物的な指導法とともに、富永仲基の存在を教えてくれたのもまた、西田耕三その人であったからだ。

＊

『金聖嘆全集』四巻と平岡龍城『標註訓訳水滸伝』十五冊を抱えて、＊＊一秋、京都の東山に蟄居したおりのことだ。

例によって、分からぬ箇所の教えを（久しぶりの face to face で）請うために、宇治の萬福寺まで「師」にご足労願った。少しでも大阪寄りの場所でといった理由もあったが、黄檗宗本山であるこの萬福寺をことのほか好んでいたからだ。はじめは『吹雪物語』時代の坂口安吾の足跡に惹かれ、やがて、在家の黄檗僧として近くの深草石峰寺門前に晩年を送った伊藤若冲のゆかりに（石峰寺裏山には、彼が下絵を書いて彫らせた素晴らしく珍妙な石仏群がある）、さらには、明朝様式寺院のくっきりとシンメトリックな美しさゆえに、わたしは、この禅寺にしげく足を運んでいた。漢文づけのそのおりは、江戸時代、長崎と並んで日常的に中国語の飛び交ったという場所柄に、ひとしお感じ入っていたせいかとおもう。「山門を出れば日本ぞ茶摘みうた」（菊舎）。その山門付近、紅葉ごしに傾きかけた夕日さす石造りの腰掛けで、わたしはしかし、珍しくもう一時間以上も待たされている（先方は携帯電話を所持せず）。

やがて、上田秋成は『雨月物語』「菊花の約（ちぎり）」の、あの赤穴宋右衛門さながら、待ち人は影うすく蹌踉とすがたをあらわす。まさに「おぼろなる黒影の中に人ありて、風の随来（まにまにく）るをあやしと見れば」西田耕三なりといった図で……聞けば、前日、近大の旧同僚連と久しぶりに痛飲した帰途、自転車でまたぞろ転び、ちょっと頭蓋骨が陥没したという。昨日は、応急処置で事なきを得た。今日も様子をみせにいった病院でおもいのほか時間を喰ったとわびる相手を督促して、「小弟」は、さっそく近くの店で教えを請いたがるのだが、怪我は負ったが亡霊化はまぬかれた「伯氏（あに）」は、その前に、せっかくだから隣の塔頭宝蔵院で一切経の版木を見ておこうといいだすのだ。

しぶしぶ同行し、十七世紀後半、黄檗禅師・鉄眼が十七年かけて約七千巻の経典をすべて上木、あたり一面の棚だなに黒光りしていまにおよぶという約六万枚の版木を漫然と見渡す相手に、西田耕三の問うていわく。ここには、当事国内に行われていた小乗・大乗「一切」の経典があるけれど、それぞれに成立年紀などが記されているわけではない。じゃあ、その順序はどうやって見定められたか、分かる？　と、そう語り始めた口から、二十歳そこそこでその方法を見つけ三十歳で死んだ「凄い奴」として、わたしは、はじめて富永仲基の名を知ることになった。この版木の校合作業にも仲基が関係したという（時期的にはありえない）伝承のあることも、その場で聞かされたが、実際の刷り注文の九割方はずっと『般若心経』だというその実地作業も見物したうえで、ようやく暖簾をくぐった近くの小料理店で、金聖嘆『水滸伝』註の不明箇所を教え教わる「師弟」間の談、ときおりまた先刻の仲基におよぶ。そのさい、日頃から「批評家は、専門のないことを専門となしては並の専門家は越える」などと自認吹聴する者が、例によってたぶん小賢しい口を利いたのだろう、つかのま表情を改めた並ならぬ「専門家」から、ほろ酔いの「批評家」は不意の一喝を浴びるのだ。

どだい、仲基も読まずに江戸に近づくのは、モグリだぞ！

爾来、仲基に注意してきたおかげで、『日本小説批評の起源』の著者は、金聖嘆のかたわらに宣長を呼びこむことができた。彼らの「注釈」作業のうちに、今日につづきうる批評の即物的な「起源」を求めたその書物の総括的な「序文」箇所には、「物のあはれ」の反義語は『漢意』ではなく「物」であるといった一行が、いくぶんか高揚気味に書き込まれている。そうした書物の基盤を、黄檗寺塔頭内に黒々とうち重なって六万本を数える版木によって、まさしく「物」としてたたき込まれた者には、『八犬伝をみちびく糸』における富永仲基の不在を、翻ってまた、さらに惜しむ権利があるわけだが……その権利はむろん、西田耕三の新著にかこつけた負け惜しみの別称である。せっかく、日本批評における主情主義批判として、「物のあはれ」の反義語を「物」にみいだせたのだとすれば、一進して、わたしはさらに、その「物」自体が逆に――「勧善懲悪的」な「価値」をはらんだ――「あはれ」と転じて日本文学を暗転支配する様相にまで、説きおよばねばならなかった。画竜点睛はそのじつ、右小著こそが逸したものだったのだ。

よって、この多分に懐古的な文章は、師筋よりおもわぬ機会を得た者による、一種の責任転嫁ともなるのだろうが……心のひろい西田耕三のことだ。こうしたふるまいも、また、恬として許容してくれるものと信じて、即席の筆を擱くことにする。

＊　水田紀久「『出定後語』と富永忠基の思想史研究法」（『日本思想大系』四三巻一九七三年所収）、釈徹宗『天才富永仲基　独創の町人学者』（二〇二〇年）、等。

＊＊折しもいま、小松謙による『詳注全訳水滸伝』全十三巻（汲古堂）の刊行がはじまり、「百回本」を底本としたその第一巻が世に出たところだ（二〇二一年八月）。この「全訳」には、金聖嘆と李卓吾の評注もすべて訳出されているとのこと。『日本小説批評の起源』のおり、おぼつかぬ漢文力で金聖嘆「七十回」本の評を読み辿っていた身としては、待望久しいものである。現物はまだ手にできていないが、悦ばしい企画である。これがもっと早くに出ていてくれたら、あれほど難儀せずに済んだのにとおもう一方、そうであれば右に記した萬福寺の一件もなかったかもしれず、したがってわたしはいまも、富永仲基を知らずにいる可能性が高いことを考えると、ちょっと複雑な気がせぬでもないが……。

（二〇二一・一一・一六　擱筆）

「写実」のしるし——志賀直哉の書法について

……とはいえ、言いっ放しのままではしまりが悪い。気も咎めるので、前文（「「勧善懲悪」と「物のあはれ」」）にひとこと呼び寄せたポイントを、この場に改めて敷衍しておくことにする。「私小説」における「事実」への執着すなわち「仮構」忌避、および、執着＝忌避のはらむ権能意欲の問題である。この二点にかんするごく一般的なことがらをふまえたうえで、さらに志賀直哉の書法につき、かねて抱懐する二、三の所見を重ねてみようとおもうのだが……前者にかんしては、たとえばフローベール『三つの物語』（一八七七年）中の一編『まごころ』の冒頭部、善良篤実な主人公フェリシテが仕えるオーバン夫人宅広間の描写中の次のような一行が、事態を逆照し、かえって格好の（かつ、それじたい大方の銘記にあたいするはずの）補助線となるかもしれない。

晴雨計の下の古いピアノには、木箱や紙箱が、ピラミッドのように積み上げられていた。

「晴雨計」（baromètre「気圧計」と訳される場合もある）は、当時のフランスでは、日本家庭における「寒暖計」のようなありふれた備品だが、この備品は、当の作品内で、どんな働きをもっているのか？――そうした問いから、ロラン・バルトの有名な文章は始まるのだが、バルトはそこで、かたわらの「ピアノ」と「木箱や紙箱」が、それぞれ、オーバン家の「ブルジョワ性」や「無秩序」を共示する記号として「物語」に奉仕しているのにたいし、この「晴雨計」は、その種の共示性をいっさいもたぬかにみえるという。それは、珍しいものでも、意味ありげなものでもない。人物の性格や心理を彩ったり、場所の特徴や雰囲気を演出したり、過去の出来事を象徴したり、なにごとかを予告暗示したりもせず、ひとことでいえば、小説にとって「無意味なもの」として、「晴雨計」はそこにあるわけだが、バルトはこのとき、その「無意味さの意味作用」に着目し、これに、「現実効果」(effet de réel) なる絶妙の名を与えることになる（「現実効果」一九六八年）[1]。「物語の構造」に組み込まれぬ細部として、それはそのつど、物語全体の「写実」性そのもの、すなわち、当該テクストと現実との連続性の担保をなしているのだ、と。その担保をさして、バルトはさらに積極的に「指向対象的錯覚」(illusion référentielle) と呼ぶのだが、同じ観点は、『S／Z』（一九七〇年）[2]においても繰り返されている。「《真実》らしくするには、正確であると同時に、無意味でなければならない」、と。

　この「構造」概念はむろん、遠くアリストテレス『詩学』中、「物語の統一性の意味」について記された一節に由来する。

　そして、出来事の諸部分を組み立てるにあたっては、そのどれ一つを他の場所に移したり取り去ったりしても、たちまち全体が動かされてばらばらに解体してしまうような、そのような緊密な構成を物語にあたえなければならない。それがあってもなくても何ひとつ目立った違いが起こらないようなものは、けっして全体の部分であるとはいえないからである。

（藤沢令夫訳『詩学』）

古代ギリシャの叙事詩と悲劇に求められた「創作法」を、二千年以上の時を隔てた西洋近代に蘇らせるかたちで、たとえば、ポーは「構成の哲学」を書き、プロップは「昔話の形態」を分析し、トマシェフスキーは、「小説の初めで釘が壁に打込まれたと言ったなら、小説の終りでその釘で主人公は首をくくらねばならぬ」というチェーホフの言葉をひきながら、作品における小道具やエピソードの「構成的動機」を説く（「テーマ論」一九二五年[3]）。バルト自身の「物語の構造分析序説」（一九六六年）も、同じ系譜に連なってフランスにおける「物語の構造分析」の嚆矢をなし、その二年後に、かかる「構造」中の例外部分の意義として、あらためて右の「現実効果」論が書かれることになるわけだが、この観点が、一場を支配する「仮構（フィクション）」概念を大前提としていることはいうまでもない。「仮構」ゆえの「構造」であり、かつ、「構造」ゆえの「事実」（らしさ）である。つまり、「事実」（らしさ）はここで、逆に「仮構」を不可欠とするわけだ。

これに対し、「私小説」にあっては、「事実」はあくまで純然と「事実」であらねばならず、したがって、そこでは「無意味さの意味作用」など生じようもない。「構造」はおろか、そもそも「仮構」意識を捨て去ること自体を糧となすような作中には、現に、「それがあってもなくても何ひとつ目立った違いが起こらないような」諸細部がみちみちているからだ。バルトのいう「写実」の有力なしるしは、そこで、諸細部の「現実効果」ではなく、しかじかの「事実」の実在効果としてあらわれる。

この点を、非の打ちようもないほど愚直な三段論法で口にした作家が、久米正雄である。すべての芸術の基礎は畢竟「私」にあるのだから、数ある小説ジャンルのうちでもっとも純粋に作者の実体験をなぞる「私小説」こそ、散文芸術の「根本」であり「本道」であり「真髄」でなければならない。――菊池寛とならぶ当代随一の大衆作家でありながら（むしろ、そうであるがゆえに）、日頃からそう確信しているのだという『螢草』の作家は、たしかに、古今東西の二、三の天才たちの「本格小説」ごとく、「他」を描いて、飽く迄「自」を其の中に行き亘らせる」手があることは承知しているが、その場合とて、そこに伴う「一種の間接感」「技巧」「虚構感」といったものが鼻について「信用が置けない」のだという。

さう云ふ意味から、私は此頃或る講演会で、かう云ふ暴言をすらを吐いた。トルストイの「戦争と平和」も、ドストエフスキーの「罪と罰」も、フローベルの「ボヴリイ夫人」も、高級は高級だが、結局、偉大なる通俗小説に過ぎないと。結局作り物であり、読み物であると。

（「私小説と心境小説」一九二五年）

ところが、気の利いた子供でも分かるように、それが「作り物」でないことを、作品そのもののは証明できない。よって、作家自身がそれを保証するしかなく、果然そのようにして、右論者（のみならず、当時もいまも多くの人々）が最高の「私小説」作家とみなす志賀直哉は、「創作余談」（一九二八年）以下、一連の自作解説において——久米正雄の場合と同様——なにか拍子抜けするほどの素朴さで、「事実」と「作り事」（「想像」）の区別を、しかも判で押したように書き込まずにはいないのだ。

すなわち、『網走まで』は「勝手に想像した」もの、『濁った頭』も『剃刀』も「作り上げた小説」、『母の死と新しい母』や『流行感冒』や『城の崎にて』は「事実ありのままの小説」、『速夫の妹』は「事実に大分潤色してある」、同じ「材料」に基づきながら、『大津順吉』『和解』は「事実」、『或る男、其姉の死』は「事実と作り事の混合」……といった具合である。前文にふれたとおり、父子間の確執の原因が記されていないことを、小説『和解』の構成上の欠陥とみなす（ごく妥当な）批評にたいし、重要なのは、長い不和のすゑにやっと和解できたという実生活上の「事実」であり、これを「動因」として「何の作為もせず、事実を只その儘に書いて行つて、それで芸術品になつてゐる所がいいのである」と、激昂気味にそう居直る別文もある（「唇が寒い」）。

彼の後継者を自認する者たちも、とうぜん顰みに倣う。瀧井孝作が「私自身の当時の生活をありのまま、正直に一分一厘も歪めずこしらへずに、写生したもの」と自注すれば（「『無限抱擁』の頃」）、上林暁は後進を諭して、私小説は「作者と作品が一体となつたもの」ゆえ「そこに嘘のあるべきはずはない」（「私小説作法」）と鸚鵡返しに——「何か異常な思考力の不足」（中村光夫・後述）までも師筋から引き継ぐかのように——書き記すことになるのだが、この種の金科玉条化などは、文学史一般にありがな惰性のたぐいにすぎない。逸しがたいのは逆に、日本の小説家として最高度の「思考力」に恵まれた作家の一部も、時にまた、同じように「事実」に捕らわれてしまうことだ。

戦前では、「「話」らしい話のない小説」の価値を説いた芥川龍之介が、その典型となる。自死寸前の作家はそこで、誰よりも「この人生を清潔に生きてゐる」志賀直哉の処世態度に屈服すると同時に、「写生の妙」をきわめた描写上の「リアリズム」に「東洋的伝統の上にたつた詩的精神を流し込んだ」志賀作品の「話」のなさを絶賛し(「文芸的な、余りに文芸的な」一九二七年)、おりから、先にみたアリストテレス流の「構造的美観」の重要性を説く谷崎潤一郎(「饒舌録」)と鋭く対立する。戦後では、大江健三郎が、日下直樹なる作家の一人称作品『不肖の子』に「感動」しながら、「そしてこの感動はもし、この作家がこの「私」とちがってハンセン氏病者でないとしたならば湧きおこらないもの」なのだと書く(「私小説について」一九六一年)。その「感動」の根に、作者による「生と死についての信仰告白」を見出す気鋭作家は、同じ年の初めに『セヴンティーン』と『政治少年死す』を発表したその豊かな「想像力」のうちに、みずからまた興味深い対立を呼び入れてみせるだろう。今日の「晩年の仕事」になお健在なその独自の振幅はちょうど、芥川自身がそのじつ、「「話」らしい話のある小説」の一級の書き手であったことも彷彿させるのだが、この点はしばらく措く。

ポイントは、こうした「私小説」において、「事実」が審美的、倫理的、さらには宗教的な「価値」とほとんど無媒介に結びついてしまうことにある。さながら、プラトンのいうイデア界が無傷で地上化したかのごとく、実在は、それ自体として美しく正しく信ずべきものとしてあろうとする。欧米の日本文学研究者らが異口同音に驚いてみせる傾向だが、このとき特徴的なのは、久米や志賀はともかく、芥川も大江も（近年から、秋山駿や小谷野敦を加えてもよいが）、「私小説」を擁護する誰一人として、その紐帯を論理的に説明しない点にある。この世を「清潔」に生きていると、なぜ、志賀のような「詩的精神」にとんだ「描写」が生まれるのか？　赤の他人の「信仰告白」がなぜ「感動」的なのか？　芥川も大江も一言も説明しないが、この緘黙はしかし、彼らにおいてきわめて正しい態度である。それがまさに「論理」をこそ超えた事態にかかわるからだ。そのときはじめて、「物」じたいが「あはれ」になる。『日本の思想』（一九五七年）の丸山真男が「実感信仰」と呼ぶのは、むろん、この脱＝論理のことである。「国学的な事実の絶対化と直接感覚への密着の伝統」（傍点原文）が近代にまで流れ込んだその「実感信仰」と、西欧的な「理論信仰」との一対を強調して「日本の思想」の特質を説いたこの書物が、とりわけ「私小説」の存在に着目することは、良く知られていよう。

ところで、バルトのいう「現実効果」は、読者の錯覚を刺戟するのだった。対して、「私小説」的な「事実」は読者に盲従を要求する。それが「事実」であるか否か、作品自体は証明できず、したがって、読者には知りようもないからだ。「事実」（〈「事実」／「想像」〉の区別）はひたすら作者の独占権のもとにある。志賀直哉を愛読するということは、その独占権にすすんで隷属することにほかならず、ほとんど常軌を逸した「自己崇拝」以外にはさしたる根拠もないまま、作者はその主従関係を自明視する。自分の読者ならとうぜん、それが「事実」か否かを知りたがるだろう。そう確信する作者は、こうした自作解説を繰り返すのはさすがに「少し気の引ける想ひだが」と断りつつ、読者にはやはり「何かの便宜」になろうと続けもするのだが（「続創作余談」一九三八年）、これとて、読者へのサービスではなく、再度の隷属指令に近い。それを「便宜」におもわぬ読者など、はなから歯牙にもかけていないからだ。

この「作品以前の「事実」にたいする志賀の異様な執着」。これに着目する大西巨人は、作家の「執着」のうちに創作や批評の「第一原則」にもとる「錯誤」「逸脱」「邪道」を指弾しているが（「作中人物にたいする名誉毀損罪は成立しない」一九四七年）、同時に見逃せぬのは、西洋小説にはない誤りばかりではなく、まったく別の流儀で発揮される欲望の所在なのだ。主人公のみならず作中人物のすべてを、作者の生活感情の「リズム」の範囲に出入りさせる作品風土につき、中村光夫の『志賀直哉論』（一九五四年）が指摘しているのは、まさにそのことである。

（…）さらに大切なのはかうした作品がその鑑賞のためにあらかじめ読者から要求する条件が、一般の私小説のやうに作者の生活感情にたいする同感や同意どころではなく、あたかも「配下」としての服従であることです。

その抜きがたい「名士意識」のもと「作中人物を支配すると同じ熱情で読者を「配下」にすることを希う彼の制作モティーフ」のうちに、中村光夫は、「無意識」であるだけに余計始末にわるい「前近代性」を指摘し、われわれはそして、同じ「前近代性」を目の当たりにして、前文にみた西田耕三の卓見、すなわち、「物のあはれ」がむしろ「勧善懲悪」的な「強制」と化すという卓言に改めて一票を投ずることになるわけだが……こうしてたんに前文の帳尻をあわせるだけでは、もちろん「話」にならない。

要は、「真実」偏重にからむ技法的な側面にある。

*

この点、『日本の思想』の丸山真男が「実感信仰」と「私小説」とをじかに結びつけていたのは、じつは（後の新書版「あとがき」で当人も認めているように）かなり早計だった。彼は別文でも、〈「理論信仰」／「実感信仰」〉と同じ一対として、「媒介された現実」（傍点原文）と「直接性における現実」との二項性のもとに「私小説」を召喚しているが（「肉体文学から肉体政治へ」一九四九年）、そこでもかなり曖昧に処理されているポイントを糺しておけば、他の造形芸術と同様に、文学にかんしても、この二項性じたいが無効なのだ。丸山の想定するような二項的な対立は、そのじつ一方の「媒介された現実」のみに内包されてあり、そのなかで、用いられる一連の技術様態の事後効果として、あるものが「フィクション」性をきわだて、あるものが「直接性における現実」であるかのような印象をもたらすにすぎぬのだ。志賀の固執する〈「作り物」／「事実」〉の区別もむろん同様である。つまり、とうの昔に正岡子規が――彼の「写生」論を「リアリズムの源流」に指定した江藤淳の文脈を小気味よく裏切るかたちで――知悉していたとおり（本書第

Ⅲ章「リアリズム批判序説」参照／以下、子規にかんしては同）、フィクショナルであれ直叙的であれ、その印象自体は、どちらも言葉＝媒介の生み出す「幻影」であることに毛ほどの相違もない。「事実」はここで、実在そのものではなく、実在にたいする特定の操作性の別称である。

この事態はそして、すべての言語的国籍をこえる。これゆえ、西欧近代小説との鮮明すぎる相違をとおして、「事実」が美や倫理や信仰と無媒介にむすびつく国学的伝統のみを問題にするだけでは、まだ十分ではないのだ。というか、文化的な相違を強調することは、ある場合、洋の東西をこえた「第一原則」を見失う危険を逆にはらんでいるだろう。小説に問うべきは、その「第一原則」としての操作性にほかならない。作者個人の人格や思想といったものにかんしても、同じ操作性との関係が問われねばならない。関係はとうぜん強弱明暗の幅を示すものだが、たとえば、先にいう読者への「服従」要求などは、比較的明瞭な事例となるだろう。

『沓掛にて』（一九二七年）における、有名な芥川批判をおもいだせばよい。『奉教人の死』のごとく「仕舞で読者に背負投げを食らはすやうな」書き方を自分はかねがね好まない。それは作者にとっても「損」な「技巧上の欠点」である、と、当人にむかってそう口にする志賀は、「読者を作者と同じ場所で見物させておくほうが私は好きだ」と書き添えている。同じことはとうぜん、芥川の得意とした「夢オチ」の技法などについてもいいえ、短編中心のもともと「夢」とはなじみの薄い作品風土の例外として、長編『暗夜行路』（一九三七年）の時任謙作は、作中で四度、いずれもなかなか印象的な「夢」をみているが、その場景が「夢」であることはどの場合もあらかじめ明示されている。このうち、最初の「夢」は、それをやったら死ぬという「播磨」なる（名ばかりで仕儀は不明な、そのぶん却ってなまなましい）性戯にまつわり、覚めたとおもえばまだ夢のなかだったという二重化をはらんいるが、「或夜彼は夢を見た。寝てゐる所に宮本が変な笑顔（わらひがほ）をして入つて来た」とはじまり全集版で二頁ほどつづくそのくだりは、中途に次のような注記を挿入している。

（…）謙作は訊かなかつた。そして夢から覚めた。気味の悪いいやな気持が残つた。それを云ひに来た宮本が既に化物のやうな気がした。宮本の形を借りた化物のやうに思はれた。――彼は便所へ立つて行つた。（それが又夢だつたのである）便所の窓が開（あ）いてゐて、戸外（そと）は静かな月夜だ。（…）

（前編第一部「十一」）

さらに十行ほどの文章で「滑稽な感じのする魔物」が描かれたすえに「そして今度は本統に眼を覚ました」と終わる同じ光景を、『奉教人の死』のみならず『杜子春』『魔術』など、読み手の意表を衝くことに長けた芥川ならどう書くかと考えてみればよい。芥川にかぎったことではない。読者との駆け引きを心得ている作家であれば、ここは腕のみせどころとなろうが[4]、志賀直哉は、断じてそんな腕は振るわない。中村光夫の言葉を復誦するなら、「配下」を相手に駆け引きをする主人などいないからだ。

もっとも、志賀直哉にしてみれば、この場合、凝った綾をつけるは卑怯だということになるのだろう。あるいは、正直さに欠けるとでも？　そうであるとしたら、その判断はちょうど、たとえば『文学論』の「写実法」の一節に、夏目漱石が「質直」の一語を書き入れることと同根のものである。

> 月を叙してCynthia's hornと云ふ。これ聯想より来る表現法なり。或は其事実の月に遠きを忌むものあらん。「鎌の如き月」と云ふ。又聯想法に過ぎず、然れども切実の度に於て数歩を抜くが如し。最後に「三日月」と云ふ。天下是より簡単なる表現法なし、是より質直なる表現法なし。
>
> （夏目漱石『文学論』）

ここでは、「三日月」なる記号は天空の実在物（レフェラン）を指し示すと同時に、それを用いる者の倫理的資質（「質直」）をも共示するわけだが、その共示性はとうぜん、他の記号との比較から生じている。とある一天体を指して、日本語に「三日月」という言葉しかなかったら、その語が「質直」であるかどうか——これもまた、「写実」概念を散文に先んじてもっとも有効に成立させた当の子規が、いわば、ことの初めから見抜いていたとおり——誰にも判断できぬからだ。

ちなみに、西欧における「自伝小説」がまさに「自伝」として読者に受容されるその契約条件を丹念に分析した書物（『自伝契約』一九七五年[5]）のなかで、著者フィリップ・ルジュンヌは、ジッドに宛てたヴァレリーの書簡の一節を紹介しているが、そこでは、友人の自伝的作品『一粒の麦もし死なずば』にみる「行きすぎた名人芸」の危うさが指摘されている。

聴罪司祭に名言を吐くということは、由々しいことです。何故なら、彼をして貴君の罪を赦すことを忘れさせてしまうに充分なものがあるからです。告解者には、誠実さと相容れない冷静さがある、と彼は思う訳です。

ヴァレリーは、言葉の「技術」とそれを操作する者の「誠実さ」との「二律背反」を指摘しているわけだが、その「誠実さ」が漱石のいう「質直」に等しいことはいうまでもない。となればさらに、志賀直哉その人について誰もが指摘する「潔癖さ」にかんしても、同様の目配りが必要となろう。評伝類によれば、たとえば迷信家・泉鏡花は病的なまでに、衛生学者・森鷗外はなかば職業的に、過度な「潔癖症」とともに、それぞれ「この人生を清潔に生きて」いた。だが、彼らの読者は、通常の字義をこえた意味を好んでその事実にこめようとはしない。「清潔」「潔癖」といった言葉は、志賀直哉にかぎって重々しい含みをおびるのだ。なぜか？ 志賀の書く文章が、その鏡花や鷗外のみならず、およそ他のあらゆる日本語作家に比して、飛びきり短いからである。

*

ここにひとつ、人文研究の他領域に先んじて国立国語研究所に「コンピューター」を導入したという岩淵悦太郎が、志賀直哉のワンセンテンスごとの「文節」数をカウントした報告がある（『志賀直哉全集』「月報3」一九七三年）。志賀の『城の崎にて』『焚火』が一文に加える「文節」数を、鷗外『高瀬舟』のそれと比較したものである（少数点以下は四捨五入）。

『城の崎にて』（全一〇八文）→文節数平均8／最長25最短1、4〜6で半数。
『焚火』（全二一〇文）→文節数平均8／最長33最短1、3〜7と9で半数以上。
『高瀬舟』（全二〇一文）→文節数平均11／直哉に比べ文節数分布に偏りが少ない。

報告者はこれに、別の「ある一つの調査」から拾った数字として、「新聞（19）、ラジオ・ニュース（16）、講義（9）、談話（4）」を添えながら（「過剰敬語」の今日からすれば「談話4文節」には驚かされるが）、志賀直哉の短文率を強調し、加えて、「接続詞」の少なさをその文章の特徴となしているのだが、もちろん、これだけで済む話ではない。注目にあたいするのは、たとえば、その短さと、描かれる場面との関係である。

散切（ざんぎり）になつた頭が括り枕の端の方へ行つて了つてゐる。それが息をする度に烈しく揺れた。吾々が三つ呼吸する間に、母は頭を動かして、一つ大きく息をひいた。三つ呼吸する間が四つする間になり、五つする間になり、段々間（あひだ）があいて行く。踞（こご）んで、脈を見てゐる代診は首を傾けて薄目を開（あ）いて居る……。もう仕なくなつた。かう思ふと、暫くして母は又大きく一つ息をひいた。其度に頭の動かし方が穏かになつて行つた。

少時くすると不意に代診は身を起した。——母はたうとう死んで了つた。

（『母の死と新しい母』一九一二年）

右は、志賀が『白樺』以外の雑誌（北原白秋主催『朱欒』）にはじめて書いた短編だが、例によって「少年時代の追憶をありのままに書いた。一ト晩で素直に書けた」（「創作余談」）と自註された作品のこのくだりにかんして、戦後に神学者として名を馳せる若き日の井上良雄は、「句の長さ、句読点、ダッシュと共に」ここではいわば「文章自体が死を呼吸してゐるのだ」といった印象的な言葉を寄せている（「芥川龍之介と志賀直哉」一九三二年）。最初の作家論の対象に志賀直哉を選んだ小林秀雄は、「資質といふ一自然」に従って「氏の眺める諸風景が表現そのものなのである」と断じていた（「志賀直哉論」一九二九年）。その断言を意識しながら、井上はさらに、この作家は「自然を描くのではない。自然に描くのだ」（傍点原文）とも記しているのだが、この伝でゆけば、別短編の次のような箇所では、同じ志賀の「文章自体」が対象を「自然に」殺しにかかるのだ、とみることができようか。『小品五つ』（一九二五年）のなかの佳作「家守」の一節である。

自分は家守の少し弱つた所を上から頭を突きつぶしてやらうと思つた。二三度失敗した後うまく丁度眼と眼の間の脳天に箸を立てた。箸の先は黒く焦げて尖つてゐた。家守は尾をクリッ〳〵と動かして藻掻（もが）いた。自分は手に少し力を入れた。家守はキュー〳〵と啼いた。それからぐつと力を入れると片方の眼が飛び出した。そして自然にさうなるのか又は抵抗する気か口を大きく開けた。口の中は極く淡い桃色をしてゐた。

こうまでされて庭の隅に捨てられた家守は、しかし、「片眼は飛び出したまま、脳天は穴の開いたまま」まだ生きていた。その「気味悪さ」を描くわずか全二十文（平均文節数6）の掌編にあって、家守の生命力に「或怒り（いかり）」を感ずる話者（「自分」）の、存分（ユーモラス）に子供じみた（どこか中原昌也をおもわせる）嗜虐性が、小刻みな句読法（punctiation）がいわば語源どおり招き寄せる暴力（punch）とよく馴染んでいる点を銘記すればよい。誰もが指摘する志賀の力強い簡潔さとは——『源氏物語』やその代表的現代語訳者の諸作をおもいだすまでもなく——原理的には一文をどのような長さにも引き延ばしうる膠着言語を、強いて簡潔たらしめる「力」にほかならない。この家守はその「力」自体の供犠であるかのように脳天を穿たれ片眼を剝きだし、かたわらでは果然また、雀が蟬を「突いたり振りちぎつたりして」いるのだ。打突、切入、切断。同様の紐帯のもと、別の短編では、川中でもがく鼠の首を「魚串が刺し貫いて」（『城の崎にて』）、猫に嚙み殺され食用にまわされたあげく庭に捨てられた母鶏の「ぶつぎりにされた頰の赤い首」が、その雛鳥に啄まれ（『濠端の住まひ』）、明転してまた、「枯れ枝を折る音が静かな森の中に」響き（『焚火』）、それぞれの作品をひときわ活気づけているだろう。

とすれば、小林秀雄と井上良雄が共有する先のキーワードは、いまはむしろこの紐帯にむけて（前者については端的に、後者ではなかば）修正されねばならない。問題は、叙述（書き方）と虚構（書かれたもの）とのあいだの「自然」な関係にかかわるからだ。[6] 逆に、『濁つた頭』『大津順吉』などを数少ない例外として、志賀の筆が性欲描写に馴染まず、心理描写にも（「愉快」／「不愉快」

の一点張りで）あまり踏み込まぬのも、これゆえである。性欲も心理も、いわば原理的にしまりもけじめもなく、簡潔さとは容易に折りあいがつけにくいものであるからだ。

もとより、志賀直哉は、そうした関係に無自覚ではない。

現に、先の『母の死と新しい母』にかんする自註には、「小説中の自分がセンチメンタルでありながら、書き方はセンチメンタルにならなかつた。この点を好んでゐる」といった言葉がつづいている。暴力団の恐喝まで招く「弟」の不始末を題材とした『荒野』の、難渋のあとをとどめる草稿断片類のひとつにも、「もつと明るく書くべし。明るく気軽に書いて、ブツキラ棒に、終わりの憂鬱を生かす方面白し」といった書き込みがみえる。里見弴の新作に寄せた文章には「芸術上の事で不即不離といふ事をよく考へたが、近頃はそれよりも、「離れて、しかも強く即く」といふ事を切に思ふ」（「荊棘の冠」序」）といった一行もあるが……これらはしかし、日本の伝統文化どころか、むしろ同時代アメリカのハードボイルド小説の心得ではないか？

この点、山とある志賀論のなかで、安岡章太郎の『志賀直哉私論』（一九六八年）は見逃せない。明治末年から大正期にかけ、日本小説はフランス「自然主義文学」、とりわけその「短編小説の骨法」を、じつは、アメリカの「雑誌ジャーナリズム」によって（数々の偽作とともに）すでに「変質」を被っていたモーパッサンを通して学んだ。シャーウッド・アンダーソンやウィリアム・サロイアンの名をあげ、大方の意表を衝いてそう指摘する安岡は、「余談ではあるが」と断りながらも、抱懐久しい所見として、志賀直哉とヘミングウェイの「資質的な相似」を指摘している。

すなわち、「文体の簡潔さ、動物の生態描写の見事さ、思索が観念よりも行動になって現れていること」。加えて、たとえば『陽はまた昇る』（一九二六年）が、短編小説の積み重ねを骨格とする点、その短編相互を作者に酷似した主人公の主観がつなぐ点、場面場面がたえず旅行者たる主人公とともに移動展開する点において、『暗夜行路』とのあいだに示す類似性は、「ただの偶然の一致とは思われない」。ヘミングウェイの主人公が戦傷で「不能」になったことと、謙作の母親の「不義」とが、ともに「象徴的な意義」を担っている点なども無縁ではあるまいというこの安岡説は――等しく西欧近代の付け焼き刃な亜流として出発した日米文学の主たる発表舞台が、短編を生みやすい「雑誌」であったというメディア論的視界もふくめ――たんなる奇説として軽々に斥けるには惜しいものがあろう。少なくとも、志賀直哉の名作に、尖った杉箸で脳天を突き刺される「家守」や、猫に噛み殺された「鶏」の「ぶつぎりにされた頬の赤い首」が見事に馴染んでいるのと同じ流儀で、ヘミングウェイの作品には「狩り」や「闘牛」がよく似合っているのだ。

　もちろん、無視できぬ相違はいくつもある。大にしては、何より作品のスケールと色調が違う。中にしては、ヘミングウェイの（たえず対等な）作中人物が交わしあう、それじたいスポーツや格闘に似た矢継ぎ早な「会話」の応酬は、志賀直哉の作品風土に遠く無縁である。そして、小としてたとえば、あちらでは、夕日までもがハイテンポで沈み（「もう夕方だった。かなり眠った。太陽は丘のうしろに沈み、平原は、すっかりかげっていた」[7]）、こちらでは、朝日が比較的ゆっくりと昇ってくるのだ。――先の掌編作品で、「家守が生きてゐる事が自分にとつて凶事のやうに」感ずる人物が、たまたまその日から出向く予定だったという同じ「大山」で、別作の主人公が「不思議な陶酔感」とともに「大きな自然の中に溶込んで行く」快感に包まれて眠り入り、やがて開かれた瞳に映ずる光景の、有名な描写箇所である。

　明方の風物の変化は非常に早かつた。少時して、彼が振り返つて見た時には山頂の彼方から湧上るやうに橙色の曙光が昇つて来た。それが見る〳〵濃くなり、やがて又褪はじめると、四辺は急に明るくなつて来た。萱は平地のものに較べ、短く、その所々に大きな山独活が立つてゐた。彼方にも此方にも、花をつけた山独活が一本づつ、遠くの方まで所々に立つてゐるのが見えた。その他、女郎花、吾亦紅、萱草、松蟲草なども萱に混つて咲いてゐた。小鳥が啼きながら、投げた石のやうに弧を描いてその上を飛んで、又萱の中に潜込んだ。

　中の海の彼方から海へ突出した連山の頂が色づくと、美保の関の白い灯台も陽を受け、はつきりと浮び出した。間もなく、中の海の大根島にも陽が当たり、それが赤鱏を伏せたやうに平たく、大きく見えた。村々の電灯は消え、その代りに白い烟が所々に見え始めた。然し麓の村は未だ山の陰で、遠い所より却つて暗く、沈んでゐた。謙作は不図、今見てゐる景色に、自分のゐる此大山がはつきりと影を映してゐる事に気がついた。影の輪郭が中の海から陸へ上つて来ると、米子の町が急に明るく見えだしたので初めて気付いたが、それは停止することなく、恰度地引網のやうに手繰られて来た。地を嘗めて過ぎる雲の影にも似てゐた。中国一の高山で、輪郭に張切つた強い線を持つ此山の影を、その儘、平地に眺められるのを稀有の事とし、それから謙作は或る感動を受けた。

（『暗夜行路』後編第四「十九」）

夜明けの描写は、引用文の一つ前のパッセージからはじまっているが、八文からなるその箇所もふくめると全二十三文（一文平均文節数は10）。文章数も平均文節数も、志賀の短文性が許容するぎりぎりの長さに引き延ばされてあるといってよいこのくだりにおいて、その例外的な長さが、時間の経過を擬似的（テクスチュアル）に転写しているだろう。それに加えて特記すべきは、この例外性が同時に、叙述上のいまひとつの例外性を呼び出している点にある。

作品の最末尾、この山頂から半死半生で戻った宿で病床につく謙作から、急報に駆けつけた妻の直子にむけて現れる不意の焦点移動が、それである。視界が謙作のもとから離れる例外的な措置は、すでに一度、直子と彼女の従兄弟・要との「過失」場面（後編第四「五」）にも講じられ、そこでの視点は、謙作から「全知の話者」に委ねられていた。同じ直子のもとにはまた、今度は虚構上に共通のアクセントを刻んで、謙作の母親と祖父との「密通」疑惑が重なっていた。そのようにして、この場には、右の安岡章太郎がやはり並ならぬ直感力とともに一言した「二つで一つになる主題」が張り巡らされてゆこうとするのだが……志賀直哉におけるこの種の組成力にかんしては、多言をひかえておく。

いうまでもなく、すでに、その安岡の小説作品を論じた蓮實重彦が、同じ作家の直感を鮮やかに展開して志賀の作品風土の相貌をテマティックに一変させた名論（「廃棄される偶数」一九七六年『「私小説」を読む』所収）を書いている。やや先んじて、『和解』のはらむ時間性に、プルーストに似たメタフィクショナルな「循環構造」を分析した平岡篤頼の丹念な文章もある（『迷路の小説論』一九七四年）。わたし自身も、かつて、小林秀雄のいう「眼」ではなく、まったき「手」の問題として、志賀直哉の「コムポジション」につき論じてもいるゆえ（『日本小説技術史』第六章）、この方向にいたずらな屋を架けずにおこうとおもう。ここではいま少しだけ、文の長短にまつわる問題につき言葉を継いでおくほうがよい。

*

たとえば、正岡子規はかつて、虚子の一句「大なる鍋の底に河豚を煮つゝあり」について、その字余りの写実性（「印象明」度）を次のように説いていた。

大なる鍋の句、大なる鍋は大鍋と短く言ひて可なりとの説もあらん。此説非なり。大なる鍋と長く言へば鍋殊に大きく見えて且つ鍋の大なる処が此の句の主眼と為る。鍋大ならざれば此句些の趣味なく、鍋の大なるが主眼とならざれば此句の趣味其の半を減ず。「大なる」と言ひ「底」と言ひて始めて印象明なり。（「明治二十九年の俳句界」）

別文では、反＝修辞の表看板を時にみずから平然と裏切っては抜群の言語センスを示す典型のごとく、子規はまた、柿本人麻呂の一首「足引の山鳥の尾のしだり尾のながながしき夜をひとりかも寝ん」の序詞の効用を指して、次のような一行を添えている。

> 「足引の山鳥の尾の」といふ歌も前置の詞多けれどあれは前置の詞長きために夜の長き様を感じられ候。
>
> （「歌よみに与ふる書」）

ともに、叙述の形態と虚構内容とのあいだの一種擬態論（ミモロジック）的な関係性を示すものである。同様の関係に導かれるようにして、志賀直哉が、描写対象に応じて文の長短を如上あざやかに使い分けていた点を確認すればよいのだが、このとき、その志賀が、俳句・短歌にたいしては終始冷淡な小説家でありつづけた事実は、一考にあたいしよう。

一体に、俳句・短歌と「私小説」との親和性は、内外数々の論者が指摘するところである。とりわけ、平野謙の名高い二分法（『私小説の二律背反』一九五一年）が、近松秋江や葛西善蔵の「破滅型」と対置して「調和型」と呼ぶ白樺派系の「私小説」（「心境小説」）と、俳句との近しさは、「スナップショット」「人生の断片」などといった語彙とともに各所で繰り返されている。研究界にも、吉田精一などを筆頭に、俳句、短歌、私小説を同列に論ずる傾向が跡をたたぬし、実際に、志賀直哉を「神様」と呼んだ先の久米正雄は、瀧井孝作と同様、「事実」狂に近い「無中心論」を唱えた河東碧梧桐（Ⅲ章「リアリズム批判序説」参照）に連なる俳人でもあった。その久米の自賛によれば、「心境小説」という自前の命名は、俳句仲間のジャーゴンから思いついたものだという。俳句側からも、「俳句は「私小説」だ」と揚言する石田波郷が「境涯句」を推奨すれば、戦前、その波郷の伝統句と対峙する「新興俳句」の雄として官憲の弾圧（「京大俳句事件」）を被ったモダニスト西東三鬼もまた、敗戦後、「私小説」の傑作『神戸』『続神戸』を書きあげ、やがて奈良の旧居近くで、「尊敬する小説家」の面影を自句に刻みこんだりするのだ（「志賀直哉あゆみし道の蝸牛」）。

にもかかわらず、当の「神様」が恬として俳句を顧みないのはなぜか？　それは、その視覚性を絵画や映画にいささか無邪気にひきよせながら、志賀の作品風土を「記録文学」と名づけた今村太平がいうような「近代的理智」（『志賀直哉論』一九七三年）のなせる技ではない。「理智」ではなく、むしろ「矜持」の問題である。すなわち、短さと切断性の本質を共有すると同時に、散文の名にかけてそれを越えること。俳句についての緘黙は、かえって雄弁に、その優越的矜持のありかを証しているかにみえる。前文に顕揚した富永仲基に寄せるなら、ここにあるのは、一義的な本質を共有するもののあいだに演じられる「加上」的な光景に近いのだ。大乗仏典の代々の編纂＝創作者たちにとっての始原は、釈迦の「金口」（「直話」）であった。こちらでは『小説神髄』の第一声がそれにあたる。すなわち、「見たままありのまま」のその始原にむけ先行する「写生」句に「加え上る」散文。志賀直哉の「写実性」に見出されるのはそれであり、龍樹や智顗など大乗仏典の有力編纂者たちがしばしばそうしてきたかもしれぬように、志賀直哉もまた、みずから克服した先行者を忘れる権利を行使しているのだといえばよいか。

鮟鱇の骨まで凍ててぶちきらる　加藤楸邨

築地あたりか、厳寒早朝の魚河岸に吊されたこの「鮟鱇」はたしかに——常套的な「区切れ」を拒んでいるそのぶん却って鋭く切れ味をましつつ、ジャンル自体の絶対的な切断性をおのが身に受け止めるかたちで——志賀の描いた「鶏」の「ぶつぎりにされた頬の赤い首」によく似ているだろう。だが、楸邨の名句には定義上とうぜん、次のごとく鮮やかに「加上」的なもう一文の余地はない。

殺された母鶏の肉は大工夫婦の其日の菜になつた。そしてそのぶつぎりにされた頬の赤い首は、それだけで庭へはふり出されてあつた。半開きの眼をし、軽く嘴を開（ひら）いた首は恨みを呑んでゐるやうに見えた。雛等は恐る〱それに集まるが、それを自分達の母雞（おやどり）の首と思つてゐるやうには見えなかつた。ある雛は断（き）り口の柘榴のやうに開いた肉を啄（ついば）んだ。首は啄まれる度、砂の上で向きを変へた。

（『濠端の住まひ』）

改めて、冒頭に引いたバルトの「現実効果」を思い出せばよい。フローベールの「晴雨計」を彷彿させると同時に、それとはまた別種の、「写実」のいわばもうひとつのしるしとして、末尾のこの一文は、「物語」の構成上は「それがあってもなくても何ひとつ目立った違いが起こらないようなもの」（アリストテレス『詩学』）であると同時に、子規流にいえば場景の「印象明度」を（しかし、俳句には不可能な自在さで）一段上に高めているだろう。片眼が飛び出した「家守」描写の末尾に添えられた「口の中は極く淡い桃色をしてゐた」という一文も、同じ働きをしている。

同種の一文は『鵠沼行』（一九一七年）にも書き込まれていた。

兎に角、帰る事にして順吉は昌子を呼び、思ひ切つてまくり上げてゐる着物を着せ直してやつた。丸くふくれた小さな腹には所々に砂がこびりついて居た。さうして身體（からだ）だか、着物だか、もう磯臭いにほひがして居た。

今度は流れを渉らずに橋から廻つて帰つた。池で順三が鎌倉から来た昇（のぼる）（昌子と同年生まれ）を舟に乗せて遊んで居た。（傍点原文）

「創作余談」の作者言にたがわず、家族を引き連れ鵠沼海辺で遊ぶ一日を描いた作品は、「失敗した長い小説の一部分を切り離した日記のやうな」出来映えに収まっている。この自註には例によって、「総て事実を忠実に書いたものだが、唯、一ヶ所最も自然に事実ではなかつた事を書いた所がある」といった言葉がつづいているのだが、面白いことには、同じ自註によれば、同行した「二番目の妹」が、この一編を読み、その「一ケ所」まで「事実」だと錯覚したのだという。このエピソードを紹介しながら、志賀の「写生の妙」を説くくだりで、芥川龍之介はその「一ケ所」が「丸くふくれた小さな腹には所々に砂がこびりついて居た」の一行だと同定しているが（「文芸的な、余りに文芸的な」）、芥川の文章はしかし、「創作余談」の一年前に書かれている。それゆえ、何かのおりに作家当人から聞いていたと考えるべきだが、そのとき、右の自註と同じように（つまり、肝心の一文は伏せられたまま）告げられていた場合、芥川は果たして、全集で十三頁ほどの作品全体から、その一文をぴたりと言い当てることが出来たろうか、と、そう問うてみるとよい。現代の作家たちならどうだろう？　芥川なら間違いなく出来たとおもう。それが出来ぬようでは、とうてい一流の書き手＝読み手とはいえぬからだ。志賀自身は「私に最も自然に浮んで来た事柄は自然なるが故に却つて事実として妹の記憶に甦つたのだらうと考へ、面白く思つた」と例によっていかにも身勝手に解釈しているが、もちろん、そんなことはない。ほんらいそれを否定する権利をもった人物にまで「事実」と錯覚させるほど、この「加上」的一文が利いているということである。

最後にもう一例、多分に微笑ましい錯覚も添えておこうか。

山田太一が、先にみた『母の死と新しい母』にまつわる回顧譚を披露していて、それによれば、戦争末期、母親を亡くした小学四年生の年に、たまたま手にした改造社「現代日本文学全集」シリーズ『志賀直哉集』（一九二八年）でこの短編を読んだ山田少年は、はじめて「文章の力というものを意識」したという。彼の母親も、作中の「臨終の描写」とそっくり同じように死んでいったからだ。その少年が、翌年か翌々年の夏休みの課題作文に、この作品の「大半」を盗用したところ、教師に「絶賛」された。しかし、そのおりには事実を「白状」できず、そのまま今日にいたったというのが、有名シナリオライターの「懺悔」話であるが……奇しくも、その『志賀直哉集』巻頭の「序」には、作者自身の次のような言葉が収められている。

夢殿の救世観音を見てゐると、その作者といふやうなものは全く浮んで来ない。それは作者といふものからそれが完全に遊離した存在となつてゐるからで、これは又格別な事である。文芸の上で若し私にそんな仕事でも出来ることがあつたら、私は勿論それに自分の名などを冠せようとは思はないだらう。

『ボヴァリー夫人』執筆中のフローベール(本書第Ⅱ章参照)を彷彿させるこの言葉が、他の誰にもまして、志賀直哉当人には似合わないことは、上述に明らかだろうが、山田太一の「懺悔」話は、皮肉にもきわめて例外的に、この「序」言を裏付けているといってよい。そうとは記されていないが、早熟ぶりがしのばれる山田少年の一挙は案外、この「序」言に(無意識のうちに)促されていたかもしれぬからだ。おそらく文学などには縁のない小学教師の正しい無知が、その「格別な事」を助勢しているかにもみえはしないか?

ともあれ、「物語の構造」がもたらす「現実効果」にせよ、俳句にたいする「加上」的な効果にせよ、たんなる無知にせよ、互いに原因を違える都合三種の錯覚は、ここでしかし、同じひとつの教訓を指さしていよう。すなわち、「自然に」浮かぼうが、逆に、作為の限りをつくそうが、無知の仕業であろうが、書き手が誇り、あるいは恥じるべきは、その錯覚の生々しさにほかならず、同じ錯覚を進んで肯定することが、あらゆる読み手の権利である。――それがまさに、「小説」という場の真実であることは、改めて断るまでもあるまい。

ちなみに、山田太一の文章は、古本で買いそろえた『志賀直哉全集』第一巻(岩波書店一九七三年）、三百四十一頁から『母の死と新しい母』の本文が始まるその一頁前のブランクに、丁寧に切り貼りされていた新聞欄に読まれるものである。「思い出の一冊」と題された欄名があるだけで、新聞紙名は不明、「62・9・26」という自前スタンプが押され、「62」はとうぜん一九八七年を指すだろう。いかなる人物が、どんな感慨とともに切り貼りに及んだかは、むろん知るよしもないが、どこから届いたとも知れぬこの文章に接した昔の愉快な驚きの記憶が、いま、本稿の執筆動機のひとつとなったわけだから、序でにそんなものまでこの世にいるとすれば、このエピソードは、その「批評の神様」からの不意の賜だったのかもしれない。……柄にもなくそんな気がしている。

註

（1）ロランバルト・バルト／花輪光訳『言語のざわめき』（一九八七年）所収

（2）同／沢崎公平訳『S／Z』（一九七三年）

（3）新谷敬三郎・磯谷孝編訳『ロシア・フォルマリズム論集』（一九七一年）所収

（4）細かなことだが、この「夢の中の夢」のとば口にあたる箇所の一文「彼は便所に立つて行つた」は、じつは、すでに最初の夢では謙作に密着していた話者（志賀の語彙では「作者」）視点のわずかな遊離を示して効果的である。その遊離感が、夢に特有の距離感（同じ主体の、見る者と見られる者との分離）に通じながら、それを予告しているからだ。したがって、次の「(それが又夢だつたのである)」は、達者な筆つきからすれば一種の蛇足である。この点を作者当人がどこまで意図したかはむろん不明だが……。

（5）フィリップ・ルジュンヌ／花輪光監訳『自伝契約』（一九九三年）

（6）この「自然」さにかんして、『言葉と小説』のJ・リカルドゥーは「虚構が叙述をみずからに似せようとする手法」を「第二次的なリアリズム」と呼び、『随想』（二〇一〇年）の蓮實重彥は、「「語ること」と「語られるもの」との無理のない調和」にあっさりと「レアリスム」の名を与えながら、その「調和」に「齟齬」の生気をもたらす磯﨑憲一郎『終の住処』の「歴史」性を顕揚している。

（7）『キリマンジャロの雪』（一九三六年／大久保康雄訳）

（二〇二一・一二・一二擱筆）

Ⅱ　フローベールの教え

＊以下は、『ボヴァリー夫人』執筆時（一八五一年～五六年）に恋人ルイーズ・コレに宛てて、連日のように綴られた書簡から抄録した行文に、それぞれコメントを添えたものである。末尾一通のみ、その後の時期から採った。

＊引用は基本的に、『フローベール全集』8・9・10巻（筑摩書房一九六七年～七〇年／訳者・蓮實重彥、平井照敏、山田𣝣、斎藤昌三、中村光夫、山川篤、加藤俊夫、内藤昭一）に依る。一部、工藤庸子編訳『ボヴァリー夫人の手紙』（筑摩書房一九八六年）と、アンリ・トロワイヤ『フローベール伝』（一九八八年／水声社二〇〇八年、市川裕見子・土屋良二訳）からの書簡文面もまじえたが、後二者の場合、引用末尾に訳者名と頁数を記入した。

＊手元の原書（FLAUBERT：*Correspondance II*, Gallimard, 1980）も参照し、（7）については、全集で訳し落とされたとおぼしき一行を補い、日付も原書に従った。

＊本章にかぎり、引用文中の傍点はすべてそれぞれの訳文に依る。

（1）なんについて書かれたのでもない書物

一八五二年一月一六日

ぼくが素晴らしいと思うもの、ぼくがつくってみたいもの、それはなんについて書かれたのでもない書物、外部へのつながりが何もなくて、ちょうど地球がなんの支えもなしに宙に浮いているように、文体の内的な力によってみずからを支えている書物、もしそんなことが可能なら、ほとんど主題がない、あるいはほとんど主題が見えない書物です。もっとも美しい作品とは、もっとも素材の少ない作品なんです。表現が考えに近づけば近づくほど、言葉がそこにぴったり貼りついて見えなくなればなるほど、美しさは増すのです。〈芸術〉の未来はこの道にあるとぼくは信じています。（…）形式（フォルム）は巧緻になるほどに柔軟になる。あらゆる典礼様式、規範、節度を超えしまう。叙事詩を捨てて小説を、韻文を捨てて散文を採る。正統性の問題にかかずらうことをやめて、形式を産み出す各人の意志そのままに自由になる。このように物理的な重圧から解放されようとする動きはあらゆることがらに認められて、たとえば政体にしても、東洋の専制主義から未来の社会主義へと同じような動きを示しています。

そのようなわけで、美しい主題とか醜い主題というようなものは存在しない、また、〈純粋な芸術〉という視点に立てば、そもそも主題などというものがないのだということを、ほとんど公理として定立できます、なにしろ文体はそれ自体で、ある絶対的なものの見方なんですから。

（工藤 101-102P）

その後、実際の「芸術の未来」や「政体」はともあれ、ここで夢みられている「なんについて書かれたものでもない書物」(livre sur rien ／または「何も書かれていない書物」) から、文学の現代性をめぐる最良の議論の数々が引き出されてきたことは、衆目の一致するところだ。この「文体」が、ロラン・バルトの「エクリチュール」に相当することなど、いうまでもない。「叙事詩を捨てて小説を、韻文を捨てて散文を採る」という覚悟は、今日なお、心ある作家たちにあって、その歴史的な矜持を育んでいるだろう。そうした書き手たちにおいては、「主題」の有無美醜はまさに二次的な所与と化している。その意味で、『ボヴァリー夫人』に着手して、まだ第一部なかばに達したにすぎぬ書き手は、「小説」なるものの存在論自体にかんしては、ここで早くも、ほとんど完璧な「公理」を綴ってしまっているかにみえる。戦後フランスの作家や批評家たちが、フローベールを再発見したゆえんである。

もちろん、たとえば、小説家にあっては、思考に「ぴったり貼りついて」見えなくなる言葉が、なぜ「美しい」のかと考えてみる余地は、いまになお残されてあろう。フローベールにはつとにまた、「〈芸術〉の世界において〈美〉は形式(フォルム)からにじみ出てくる」(46.9.18 ／工藤 48P) という

「公理」があるが、先の「言葉」とこの「形式（フォルム）」とは、ならばどう関連するか？　あるいは、後世がフローベールを読む最大の魅力は、「言葉」による「表現」という要素自体にそなわった理不尽で不実な弾みが、これらの「公理」をみずから裏切る美しい瞬間にたちあう醍醐味であるのかもしれない。フローベールのこの「何も書かれていない書物」と、二十歳年下の詩人・マラルメが「実現不能」な可能性として希求した「すべてが書かれている書物」（「世界は一冊の美しい書物へと到りつくためにつられている」Le monde est fait pour aboutir à un beau Livre）とのあいだにひりたつ緊張感の質も、さらに幾度でも計り直されてよいもののひとつだ。

いずれにせよ、ことごとに復誦にあたいする「教え」だとおもう。

（2）ペンの人間　一八五二年二月一日

ぼくは心のなかに先の見通しを持つということがなく、ただじかにぼくを取り巻いているものだけを眼に入れています。自分を四十歳の人間、五十歳、六十歳の人間であるかのように考えているのです。ぼくの生活は、ぜんまいを巻かれて規則正しく回転する歯車です。今日やることは明日もやることでしょうし、昨日やったことでもあります。十年前も同じ人間でした。ぼくという人間のつくりは一つの体系のようなものだと悟りました。白熊を氷上に棲息させ、駱駝を砂上に歩かせる物事の自然な傾き、この傾きに従うままになっていて、自身ではどうしようもないという一つの総体だと分ったのです。ぼくはペンの人間です。ペンによって、ペンのために、ペンとの関係において感じ、ペンを持つとずっと感ずることも多くなるのです。

最後の一行（Je sens par elle, à cause d'elle, par rapport à elle et beaucoup plus avec elle）は、工藤訳では「ペンによって、ペンゆえに、ペンとの関係において感じ取ります、いやそれ以上に、ペンとともに、感じとるのです」となっているが（106P）、三十歳のフローベールがこの文章にこめたドゥルーズ的な前置詞（avec）の響きを重視するなら、最終行は工藤訳に就いておくほうが良いかもしれないし、原文中の造語も、つとにドゥルーズ的な接続性を示してよう（Je suis un homme-plume）。「人間－ペン」。

大学時代にフローベールを耽読していたカフカの『日記』にも「書くことを放棄するや、忽ち現れる思考の生硬さ」とある（近藤圭一・山下肇訳 1915.1.20）。以前にも、フローベール書簡中の一節「私の小説は私がぶらさがっている岩の様なものだ。そして私は世の中の事は何も知らない」が、共感を込めて引用されている（1912.6.6）。自分と自分の小説（「火夫」）の関係もこれと「似ている」、と。

彼らとは比較にならぬ私事を並べるのは少し気が引けるが……目下、有り難くない病名とともに、不意に病院のベットに縛りつけられてある者にとって、生涯のどの時期にもまして、右の「人間－ペン」が切に身に沁みる。実際、数冊のノートと一緒に病室に持ちこんだパソコンの画面に、さながら一種の「写経」のごとく、こうして畏敬する作家たちの言葉を打ち込み、それに寄せてみずから言葉を綴る元気があることだけが、剝きだしの生甲斐となっている。

もちろん、ドゥルーズの「文学と生」（『批評と臨床』）に示された別系統の教えどおり、ここからわたしは「目を赤く充血させ鼓膜に孔をあけて」帰還するつもりだ。

（3）超人間的な没個性　一八五二年三月二七日

（…）例えばバイロンがどれほどリリスムを持ちあわせようと、シェイクスピアのような人物が、超人間的な没個性で傍らに押し潰してしまうのです。この人物が陰気だったか陽気だったか、それだけでも分かっているでしょうか？　芸術家は、あたかも彼が生きた人間ではなかったかのように後世の人に信じさせるべく身を処さなくてはなりません。考え及ばなければ及ばないほど、その人間がぼくには偉大に思えます。ぼくはホメロスやラブレーという人間について何も想い浮べることが出来ませんし、ミケランジェロのことを考えると、夜、灯りのもとで彫りものをしている見上げるように背の高い老人をただ背後から見ることが出来るだけです。

別の書簡には、シェークスピア、「あれは人間じゃない、大陸ですよ」といった寸言もみえる（52.9.25／工藤 166P）。近年の「シェークスピア＝集合名詞」論を先取りするかのような言葉だが、面白いことに、本邦にあってたとえば志賀直哉が、よく似た所感を残している。

「夢殿の救世観音を見てゐると、その作者といふやうなものは全く浮んで来ない。それは作者といふものからそれが完全に遊離した存在になつてゐるからで、これは又格別な事である。文芸の上で、若し私にそんな仕事でも出来ることがあつたら、私は勿論それに自分の名前などを冠せようとは思はないだらう。」

昭和初期、「文学」に今日的な(＝大衆的な)商品価値を賦活する契機となった、いわゆる「一円全集」版の序に読まれる言葉だが(一九二八年)、本邦大作家はそのじつ、自身の立言とは真逆の方向、つまり、ひとたび作者の名を消すや、作品そのものが成立しないような「仕事」に終始し、これを、自他ともに誇りつづけていた(前章「「写実」のしるし」参照)。彼此くらべあわせるにたる一事だろう。

もっとも、それも偉大な作家の宿命か、ゴンクール兄弟の『日記』をはじめ、後世のさまざまな資料が、思いのほか「俗」で、文壇的虚栄心ともさして無縁でないフローベールのすがたを、いまに伝えつづけてはいるのだけれど……。

（4）散文は生まれたばかりのもの

一八五二年四月二四日

隆々とした筋肉を持ち、反り返って踵を鳴らす、あの古くからの文体はもう存在しません。でもぼく、このぼくは或る一つの文体を頭に描いています、素晴らしい文体、十年後にしろ十世紀後にしろ、誰かがいつかはきっと作り出すはずの文体、韻文のようにリズムを持ち、科学用語のように精確で、波打ちが、チェロの音色が、飛び散る火花が感じられる文体、頭のなかに小刀のように切れ入ってくる文体、そして、軽快な追風に乗った小舟で滑走するように、思考が滑らかな表面を滑っていくように思われる文体を。散文は生まれたばかりのもの、これこそ思いを潜めねばならぬことです。韻文はとりわけ古い文学の形式です。韻律の組み合わせはすべて為されてしまいました。が、散文のほうはそれどころではありません。

半年ほど後の書簡にも「小説は生まれたばかりのものであり、この分野でのホメロスが待たれているのだ」と綴られている（52.12.17）。そのフローベールから、「十世紀」はおろか、たかだか百七十年しかたっていない。ゆえに、散文はいまもやはり、生まれたてのものである。かかる散文によって作り出される「小説」が、みずからへの決定的な定義をいまに許していないのもまた、これゆえである。

フレーザーに従うなら「小説」は、たとえば「呪術」のごときものである。呪術の二種の本質(「類感呪術」「感染呪術」)と同様、小説の場所でもやはり、似ていることと、近くにあることとが、格別の権能を発揮するからだ。このとき、その「呪術」からの脱却に「近代」の本質をみいだしたヴェーバーの所見を尊重すれば、「小説」は何より近代社会になじまぬジャンルとなる一方、ヘーゲルの規定では、同じジャンルが「市民社会の叙事詩」と転ずる。ルカーチはこれを「故郷喪失の先験的形式」と呼び、サルトルはそこに「社会の自意識」を求め、近年ではベネディクト・アンダーソンが「国民=国家」の鍵を託す……といった具合に、「小説」とはむしろ、定義をもたぬことが唯一の定義と化すような不実な場としてあるわけだが、作家たちはいまも、そうした場所で、しかも、生まれたての散文を手にしている。だから、何をどう書いても良いのだ。

とはいえ、フローベールは同時に他方、一語とてゆるがせにしないリゴリスムに徹した小説家であったことを忘れてはなるまい。独自なのは、その厳格さがかえって解放的な生気を呼びこむかたちで、右のような夢を彼に許していることだ。この、みずみずしくほとんど官能的な希望を生きうることが、あきらかに、世の作家たちの至高の権利というものである。

（5）イロニー　一八五二年五月八－九日

とはいえ、人生を支配しているものは皮肉であるように思えます。ぼくが涙を流した時、しばしば、鏡のなかに自分の姿を見に行ったのはどうしてでしょう？　自分自身を上から見下そうとするこの気構えは、恐らくあらゆる徳性の源なのでしょう。この気構えは我々を自分自身の個性（ペルソナリテ）に執着せしめるどころか、これから身を離させる底のものなのです。極限に達した喜劇味、笑わせることのない喜劇味、駄法螺のなかのリリスムは、ぼくにとって、作家として最も意欲をそそるものです。

右にいう「皮肉」ironieは、たとえば、夏目漱石の説く「写生文」の要諦（親が子供を見る態度）をおもわせる。『病牀六尺』の正岡子規の達した「「あきらめ」以上の域」の明朗さにも通じよう。むろん、フロイトの「超自我」にも寄せることができ、その場合、「自我」と「超自我」との距離に生ずるものが「ユーモア」と呼ばれることになるが、このさい定義は二の次だろう。ニーチェもどこかで、馬鹿話に興じあっているとき、人はもっとも「高貴」であるといった断章を書きつけていたはずで、わたしは久しく、ニーチェのその言葉を肝に銘じてきた者だが、フローベールのこの教えにも従うようにしている。そう「しばしば」ではないものの、おのれの悲嘆顔をおのれにさらしてみると、確かにふっと息がつきやすくなるのだ。

個性からのかかる離脱ゆえにこそ、一方にまた、さまざまな対象との多様な一体化として「書くことの悦楽」（後述13）が生じることも、いうまでもない。

(6)「ポ・エ・チック」批判

一八五二年七月五―六日

「神経の昂り、魂を惹きつけられること、それが詩」ですって。とんでもない、詩はもっと晴朗なものを土台としています。過敏な神経をもてばそれだけで詩人になれるというのなら、ぼくはシェイクスピアやホメロスよりも上ですよ、しかしぼくの考えじゃ、ホメロスはあまり神経質ではなかったと思いますね。こんな混同は、冒瀆的です。(…)〈詩〉は精神の脆弱さではありません、そして傷つきやすい神経とは、そうした脆弱さのひとつです。――ものごとを過度に感じる能力は、ある種の弱点です。(…)

芸術においても同じこと。情熱が詩を作るのではありません。――個性を主張すればするほどに、訴える力はなくなります。ぼく自身、いつもこの点で失敗した、つまり、いつも、自分の書くものすべてのなかに自分を置いてしまったのです。――たとえば、聖アントワーヌのかわりに、ぼくがそこにいる。誘惑はぼくのためので、読者のためのものじゃなかった(…)。

だからこそぼくは、いヽいヽいヽしゃべっている感じの詩、美文を並べただけの詩が大嫌いなのです。――言葉をもたぬようなことがらは、まなざしが伝えてくれる。――魂の昂揚、リリスム、描写、そうしたものすべては文体を与えられたときに、ぼくの受け入れるところとなります。文体なき場合は、芸術を、また感情そのものを、売って汚すようなものなのです。
　この羞恥心が邪魔をするために、ぼくはいつでも女を口説くのが下手なんです。――自然と唇をついて出るポ・エ・チックな台詞をしゃべろうとしたとたん、相手の女性が「なんていんちきな男！」と思うんじゃないかと心配になる、そしてじっさいに自分がいんちきな男なのではないかという懸念がぼくを押しとどめる。

（工藤 145-146P）

　一八四四年一月一日。パリ大学法学部に在学中の数え年二十三歳のフローベールは、突然、癲癇症状をおもわせる発作に見舞われ人事不省に陥る。「ポン＝レヴィックの危機」と呼ばれるその出来事によりクロワッセでの隠棲生活を余儀なくされて以来、しばしば「過敏な神経」に苦しめられながら、彼は、ロマン主義的な色調を濃厚にとどめる習作（初稿『感情教育』、初稿『聖アントワーヌの誘惑』）に取り組むのだが、「そのころの刻印」を「徒刑囚のように首筋につけて歩いている」という右のフローベールは、抒情詩人・ミュッセとの痴話を書きよこす恋人にむけてというより、かつての自分自身を鞭打つかのような峻烈さでこの返書を綴っている。「売って汚す」と穏やかに訳されてある箇所の原文には、芸術そして感情そのものの「売淫」（une prostitution）という端的な語彙があてられている。訳文「ポ・エ・チック」が忠実に移した単語攻撃（「po-ë-tiques」）には、むろん満腔の揶揄と軽蔑がこめられてある。

芸術における「ポ・エ・チック」な感情吐露にたいする反撥は、右以前よりフローベールに根づいてあり、付きあいはじめたばかりの同じ閨秀詩人にむかい、つとに「酔った男によって書かれた食卓の歌があるでしょうか？　いつも感情がすべてだと思ってはいけません。いろいろな芸術にあって、感情はフォルムがそなわらねば無なのです」(46.8.12) と釘を刺していた彼は、右の後も、「きみは芸術を情熱のはけ口にしてしまった。何かが溢れて流れこんだ一種の尿瓶にしてしまったのです」(54.1.10) とまで書き送るだろう。

「ポ・エ・チック」なものにたいするこうした反撥のその生産力こそが、やがて『ボヴァリー夫人』や『感情教育』や『ブヴァールとペキュシェ』(含、『紋切型辞典』) に結実してゆくわけだが、書簡集中、他にも散見するよく似た「ポ・エ・チック」批判にふれるたびに、わたしは、折々のしかるべき対象にむけ批評的溜飲を下げてきた者である。時にそれをあからさまに口にしながら同時代の日本文学と接してきた者だが……もっと生産的に、かりにこのフローベールが生きながらえ、後世に煌めく作家たちの名作に出会うとき、その「感情」と「フォルム」の関係を個々にどう受け止めたろうか？　そう想像することを、一種の批評的訓練として、わたしはそのつど自分に課してもきた。たとえば、プルーストの一人称については？　フォークナーの間接話法は？　ヴァージニア・ウルフの「内的独白」は？　あるいは、セリーヌの「電報文体」は!?

（7）書き方を知らない本

一八五二年七月二六日

ぼくが一番書きたい本は、まさしく、ぼくが一番書き方を知らない本なのです。この意味で、『ボヴァリー』は前代未聞の力業ということになるでしょうが、これを意識するのはただぼく独りでしょう。主題、人物、効果など、すべてがぼくの埒外にあります。これによって、以後、ぼくは大きな進歩を遂げることになるでしょう。この小説を書いているぼくは、両手に鉛の玉をつけてピアノを弾く男みたいなものです。でも、ぼくが運指法をしっかり身につけた時、自分に合った曲がうまく手に入って力一杯これを弾くことが出来れば、恐らく首尾は上々といくはずです。

同じように、五十年百年に一人といった天分と鋭気に恵まれた人は、考え方を知らない思考に取り憑かれ、描き方を知らぬ画布に挑み、演出法を知らぬ舞台を作り、撮り方を知らぬカメラを回す。グレン・グールドは、まさに、両手にも背中にも鉛を付け、ピアノにフットペタルが備わっていることも知らぬかのように、ブラームスを弾いているではないか。

新しさの真の契機。日本では、『浮雲』の作者は、誰もまだ用い方を知らない文章語のなかで明らか混乱しながら、いわば、「失敗」することに見事に成功した。『にごりゑ』の女性作者は、出来事の配列をめぐり、同時代の男たちが腐心する作品「成功」の鍵を虱潰しにして、日本語小説に奇蹟をもたらした。「私小説」、もしくは「私小説」な発想の最大の弊害は、おそらく、その書き方を子供でも知っている領分に、いまなお小説的欲望を誘致しつづける力にある。

批評は?……大きなことはいえぬが、わたしが久しく「評伝」の誘惑に駆られるのはこれゆえだろう。ずいぶん沢山の「評伝」を読み、このジャンルを好んでいるくせに、その書き方が、いまだに良く分からないのだ。

(8)「著者の省察」批判　一八五二年一二月九日

これ故、『アンクル・トム』は狭隘な書と思えるのです。この本は或る道徳的、宗教的観点に拠って書かれていますが、人間の観点に立って書かれるべきだったのです。責めさいなまれる奴隷に同情するためには、この奴隷が立派な男、良い父親、良い夫で、賛美歌を歌い、聖書を読み、彼を鞭打つ人たちを許してやるなどということは必要ではありません。(…)著者の省察披瀝は絶えずぼくを苛々させました。奴隷制に対して今更省察を加える必要などあるでしょうか? それを示せばいい、それだけでいいのです。『死刑囚最後の日』中、いつも秀れていると思ったのはこの点です。死の苦しみに対して一言の省察も書かれていません(…)。『ヴェニスの商人』で、高利貸が糾弾されているかどうか考えてご覧なさい。かえってそのために劇の形式は秀れたものになり、作者の姿を消してしまっているではありませんか。バルザックもこの欠点から免れ得ませんでした。彼は正統王朝派でカトリックで貴族主義者ですから。

作者は作品のなかで、神が宇宙におけるように、到る処に偏在しながら何処にも姿を現わさないようにしなくてはなりません。「芸術」は第二の自然なのですから、この自然の創造者も同じような態度をとらなければならないのです。

ロンドンで出版されるやヨーロッパ中で大評判をとったストウ夫人の『アンクル・トムの小部屋』(一八五二年)が、これを「原文」で読んだフローベールから引き出した一節。半年前の「ポ・エ・チック」批判につづき、ここでは、自分が描く対象にかんする「作者の省察」(les réflexions de l'auteur) 挿入が批判されている。

文中のヴィクトル・ユゴー『死刑囚最後の日』(一八二九年)は、判決からの三週間、パリの広場での公開処刑日までの時間を、「死刑囚」の一人称(カミュ『異邦人』の時制は複合過去、こちらは複合過去と単純過去の併用)で綴ったユニークな中編作品だが、それは、死刑制度についての「省察」はおろか、犯行についても、個人的なプロフィルについても黙説法を貫きながら、彼のおぼえる「死の苦しみ」をまさに提示することに徹したテクストである。

三ヶ月前の書簡にも、「「芸術」とは提示することです、ぼくらは提示することしか考えてはなりません」(52.9.13)という一行がみえる。当時の文壇で「詩の女神」ともてはやされた十一歳年上の恋人にそう教え諭すいまだ無名のフローベールは、パリで圧倒的な盛名に浴した後年、親交を深めた老大家(にして、かつて、みずからの感傷的なヒロイン・エンマに愛読させた)ジョルジュ・サンドにむかっても、同じ所懐をくりかえしている。

「それに私は心のなかの何物かを紙の上に曝すのにうちかち難い嫌悪を感じます。小説家は何事についても自分の意見を表白する権利を持たぬとさえ私には思われます。神様が自分の意見を述べたことなどかつてあったでしょうか?」(66.12.5-6)。

　これに対してサンドは、「私にはまったく理解できない」と応じているのだが、作家と作品との関係について、大先輩にむかってフローベールが決然と言い放ったリゴリスティックな定言命法に、後続作家としてどう応ずるか。それがゾラやモーパッサンの問題であったのみならず、爾来、このリゴリスムにたいする否認や闘争が、その後のフランス文学にさまざまな様相を導き入れるわけだが……本邦に翻って、『小説神髄』(一八八五年)における坪内逍遥の「只傍観してありのまゝに摸写する」べしという(馬琴の「省察」的説教癖を全否定した)指令も、フローベール的リゴリスムと無縁でなかった点は、言い添えておく価値がある。そのさい、日本の批評家もまた神(「造化児」)を引きあいに出すだろう。小説家は「弁士に似たるは最も拙く、人形遣に似たるは益々つたなし」、「たゞ造化児が天下の衆生を弄べるが如くなすべし」、と。ちなみに、日本がフランス由来の「メートル原器」を受け入れたのも、『小説神髄』と同じ年だった。同時代的な振幅は意想外に深く、逍遥が、どこかでフローベールの言葉を聞きかじっていた可能性もある。

　ところが、この逍遥の第一声から発したはずが、いつのまにか奇妙な発展をとげた「自然主義文学」が、ついには「私小説」まで産み出してしまった。その日本的偏向性にもっとも鋭く切りこんだ批評家が中村光夫(『風俗小説論』一九五〇年)であったことも、とても納得がゆく。フローベールを見よ、と。戦後の日本文芸批評の雄にしてシャープな近代文学史家でもあった彼は、若年の頃、フローベール書簡集を座右にはなさなさず、長じて現に、右のサンド宛書簡は彼の訳文である。

ちなみに、フローベールとは異質ながら、やはり途方もない描写力をほこったトルストイは、晩年にいたって「改心」し、道徳の価値を顕揚、みずからの傑作をふくむ芸術の価値を否定してみせたが（『懺悔』一八八二年――白樺派が好んだのは「改心後」のトルストイである・為念）、トーマス・マンの『アンナ・カレーニナ』論（『トルストイ全集 別巻』所収）によれば、人類の救済者と転じた大文豪は、ほかならぬ『アンクル・トム』の作家をシェークスピアよりも上に置いていたという。そのトルストイは、民話と並んで教訓的な戯曲を好んで書きつづけた。対して、「作者の姿を消して」しまう劇形式に魅力を覚えつづけ、数編の試作をもつフローベールは、パリで実際に舞台にかけた戯曲『候補者』（一八七三年）で、惨憺たる失敗を喫してしまう。付けてこの平仄、いかにも興味深い。

(9)『紋切型辞典』　一八五二年一二月一六日

で、この本には、アルファベット順にあらゆる主題について、礼儀にかなった愛想のいい人間であるために人前で言わねばならぬことすべてが並べられるわけです。

すなわち、こんな風です。

「芸術家」　皆、無私無欲なり。
「伊勢蝦」　うみざりがにの雌。
「フランス」　統治するには鉄の腕が必要。
「ボシュエ」　モーの鷲。
「フェヌロン」　カンブレの白鳥。
「黒人女」　白人女より情熱的。
「建立（こんりゅう）」　記念建築物についてのみ使う言葉、等々。

全体として霰弾のように痛烈なものになると思います。この本の初めから終いまで、ぼく自身がでっちあげた言葉は一つとして差し挟まず、いったんこれを読んだ後は、ここにある文句をうっかり言いはしないかと恐くなって、もう口もきけなくなるようにしなくてはなりません。

そう口にしておきさえすれば、自分の善良さや品位が自動機に保証される。と同時に、それについてはもう、それ以上深く考えることも感ずることもせずに済むような言葉。それはまた、保証する側の安寧に与するという言う意味で、一種の言説的（つまり、無料の）寄付行為としての言葉でもある。そんな言葉を集めた『紋切型辞典』の名は、一年半にわたる中東旅行の途次、ダマスから親友ブイエに宛てた書簡に初出する（50.9.4）。その文面は、彼らの間で同じアイデアが以前から話題になっていたことを伝え、そこにはまた、「愚かしいのは、結論をつけようと望むこと」という決定的な寸言も綴られている。その「愚かしい結論」の陳列台帳という途方もないアイデアが、爾来長くあたためられ、未完の遺作『ブヴァールとペキュシェ』の第二巻に結実せんとするわけだが……こんなことを思いつくだけで、すでに途方もなく偉大だと驚嘆するしかない。この、天才的な反射神経！

「散文」や「小説」と同様、ブルジョワ社会における「大衆」もまた、当時、生まれたばかりのものである。生まれるやいなや、またたくまに世界を席巻しはじめたその言説や思考法、趣味や習慣を、たんに否定することは、誰にでも出来る。大切なのは、その存在を認めながら、こうして、同時にそれに逆らうという否認の戦術と実践にある。奴らを黙らせるには、鋭い逆説も風刺も諧謔も論破もいらない、たんに奴らの口まね（物まね）をしてやればいいのだ、と。

この戦術はとうぜん、現在も可能である。フローベールの時代以上に必要でさえある。少しずれるが、たとえば、こんな風に……？


「オリンピック選手」　コロナ禍の世界に感動を届ける。

「感染予防」　大切な人のために。

「多様性」　お互いに認め合う社会　どんな人も取り残さない配慮。

「繁殖期間」　サクラマスたちの恋の季節。

「英雄」　そのときの信長の心の内に入ってみよう。

「日常語」　時代につれて大きく変化させて貰ってもいいですか？

「寄り添って」　国民の皆様に寄り添って、貧しい子供たちに寄り添って、自宅療養者の不安に寄り添って、傷つきやすい人の心に寄り添って、等々。

汎用・濫用も可、かえって望ましい。


人生に寄り添うとベットはこうなります　海に寄り添って島とともに生きる、寄り添うお葬式、眞子さまの困難に今度はわたしたちが寄り添って……テレビをつけ、新聞をひらき、ポスターを目に、パンフレットを手にするたびに……寄り添って、寄り添って、寄り添って……！

もっとも、フローベールの時代以上に、この戦術を圧倒的に無効にしつづけるものが、時代の悪しき進捗というものである。『紋切型辞典』中に自分の慣用語を見出し「恐くなって」口をつぐむには、まだ一定のリテラシーが要るのにたいし、そのリテラシー自体の完璧な溶解こそが、現代社会のあかしであろうからだ。現に、いまこの瞬間も、自分が無数の他人とまったく同じ言葉を使っていることに、ひとなめの恐れも羞恥もおぼえぬ「世人」(ハイデッガー)が、世界中で嬉々として、手元の電子器具から「発信」しつづけているだろう。

なお、先の(4)のコメント中に引いた「小説は生まれたばかりのものであり、この分野でのホメロスが待たれているのだ」は、同じこの書簡に読まれる一行である。その事実を強く銘記しよう。『ボヴァリー夫人』のなかで、たとえば、エンマとロドルフが口にしあう歯の浮くような愛語の数々。進んでその「紋切型」をふくみ、かつ、その愚かさを容赦なく描き出す一方で、それが否認に終わらず、さらに何か別の言葉を産み出す契機となすこと。それが、世の「紋切型」の死臭とは異なり、「生まれたばかりの」言葉に課され、また誇りうる活気というものだろう。

⑽「手頃な捌口」　一八五三年三月三一日

雑誌発行というきみの考えについてぼくの意見を書きます。（…）つまるところ、何でも口に出して発表出来、手頃な捌口を持っているということほど有害なものはありません。自分自身に対してずいぶん寛容になってしまいますし、友達も自分が寛容に扱ってもらいたいものだから、寛容な態度を示してきますからね。こうして何ともはや真正直に窖（あなぐら）のなかに落ち込んでしまうんですよ。

ルイーズが企画していた雑誌発刊についての苦言。彼女の考えた誌名は『フランス評論』、編集委員として、彼女自身に加え、フローベールやブイエ、ルコント・ド・リールなどの名があったというが（工藤217P）、この企画を敢然と拒むフローベールは、「単行本」勝負に徹し、願いどおり一挙にその鮮やかな結実を得るだろう。

もちろん、誰もが「クロワッセの隠者」と同じ資産や境遇に、さらには才能に恵まれているわけではない。時代もメディア環境もまったく違う。

だが、信じがたい勢いで世界を覆いつくす現下の新しい環境のなかで、かねてより久しく注目している年下の批評家・研究者たちのブログ記事などを目にしていると、ときおり、右の言葉が脳裏をよぎる。それぞれ、実力のある書き手だ。そうした人々のブログゆえ、とうぜん読み応えはあり、個々に良いことが書かれてはいるのだが、総じて、文章そのものに、かつて紙媒体で感じた生気がうせている。ちょうど、スクリーンの映画とDVDの場合のように、紙の反射光とともに現れる言葉と、内蔵光に押されて目に届く言葉との相違といった要素もあるかもしれない。だが、それはやはり二次的な問題だ。気がかりなのは、ネット「発信」のあまりのたやすさが、彼や彼女らの才能にとって、悪く「手頃な捌口」になっているかもしれぬということだ。

近年わたしも一度、この「窖」にはまりかけた記憶があるゆえ、なおさらそう感ずるのだが……そう感ずることじたいが、すでに時代遅れなのか？

(11) 古典礼賛　一八五三年八月二六日

ホメロス、ラブレー、ミケランジェロ、シェイクスピア、ゲーテらは、ぼくには非情に思えます。底なしで無限で多様です。ほんの小さな裂け目から深淵が見え、下の方には暗黒と眩暈が存在します。けれども、何かしら不思議と優しいものが全体に漂っています！　はじけ拡がる光、太陽の微笑があります。それに、静けさ、静けさ！　そして力強さ。ルコント描くところの牡牛のように、喉に垂れ肉を持っています。

例えば、サンチョに比べると、フィガロは何と貧弱な創造でしょう！　驢馬にまたがり、生の玉葱を食べ食べ、乗りものを踵で蹴りながら、主人公と喋り合っている彼の姿は、実にありありと想い浮べられます。どこにも描写されてはいない、あのスペイン街道がはっきりと目に見えてきます。が、フィガロはどこにいるのでしょう？　コメディー・フランセーズの舞台に。社交的文学です。

古典への親炙は、クロワッセ隠棲の当初から表明されている。同じホメロスやシェークスピアの名とともに、ヴォルテールの『カンディード』を「二十回」読んだと友人に伝えている(44.6.7／工藤 25P)。

古典礼賛そのものは、もちろん、世々の教養人たちも、他の作家たちも容易になしうるものであり、現に、東西諸方で口にされてきたものである。その意味で、通り一遍に受け取れば、平凡な言葉かもしれない。が、これをひとたび、執筆中の『ボヴァリー夫人』との関連のもとにおくや、一節は無類の活気とともに、読む者の心を強く打たずにはおかない。すなわち、作家はいま、『ボヴァリー夫人』第二部八章、一ヶ月前から取りくみ、仕上がるまでになお三ヶ月も要する「農業共進会」の長い場面を書きつづけているところだ。県参事官が型どおりの演説をする村の広場には、ヨンヴィルの人々が犇めき、広場を見下ろす役場の二階では、色男が歯の浮くような台詞で人妻を口説いている。上下ふたつの「紋切型」場面。それを交互に(かつ、徐々にテンポをあげながら)書き並べるそのくだりが示す同時異景とコラージュの技法は、かつて、どんな偉大な作家の筆にも叶わなかったものだ。つまり、彼らにたいするフローベールの礼賛はここで、古典の恩恵をたっぷりと受けながら、同時に、それとはまったく別のもの創出した(しつつある)手応えに、煌めいている。「愛する人と共にいて、別のことを考える。すると、一番良いアイデアが浮かぶ」(ロラン・バルト『テクストの快楽』)。就寝前の一時間は必ず手にしつづけたという愛読書の数々は、ちょうどそのように、このフローベールに働きかけている。不意の飛び火のようなその弾みが、なんとも感銘深いのだ。

それればかりではない。ここには同時に、偉大な作品に共通するスピノザ的な光源がぴたりと指呼されている。すなわち、「暗黒と眩暈」の底からも煌めき放たれる「善」そのものとしての明澄な「力強さ」。数日前の文面にも、感傷過多な恋人に、「きみも毎日古典を読む習慣をつけなさい」(8.22) と教え諭している。その古典の「力」を浴びつづけることこそ、他の何にもまして、「健康」な生の企てとなるのだ、と。

アナクロニスム？ 断じてそうではあるまい。これは、いまも（いまこそ）拳々服膺すべき言葉なのだ。もし、わたしたちにまだ、しかと掲げる両の手と受け止める胸とが残っているのなら。

⑿ 文芸批評宣言　一八五三年九月七日

これから二、三年の間、フランスの古典作家をすべて注意深く読み直し、註をつけてみるつもりです。この仕事は『序文』（知っての通り、ぼくの文芸批評作品です）を書くのに役立つでしょう。（…）文芸批評が何故、歴史や科学の批評に比べてこんなに遅れているのかを明らかにしてやるつもりです。すなわち、その理由は、土台がないからなのです。彼ら全員に理解が欠けているのは、文体の解剖学、すなわち、いかにして一つの文章が前の部分から繋がり出てきているか、そこに繋がらなければならないのは何故なのかというような事です。今の研究は、人体模型をなぞって、すなわち解釈論をなぞって、教授連、つまり自分の教えている学問の道具の使い方、つまり筆の使い方も知らない馬鹿者共に倣ってやっているに過ぎませんし、第一、生命が欠けています！　愛が！　愛、教えられて分かるものではないもの、神の秘鑰（ひやく）、魂が欠けているのです。これなくしては何も理解出来やしません。

この批評家宣言も、同じ「農業共進会」を（難渋のうちにもいよいよ確かなものとなる手応えとともに）書き進める作家の筆先から、物の弾みの素晴らしい賜のごとく、後世にむかってはなたれた予言の煌めきをおびている。フローベールのいう「文体」styleは、作家個々の言語的体質と垂直に結びついたものではなく、一つのテクストなかに書き込まれる言葉が互いに横ざまに連携しあう動き、すなわち、ロラン・バルトのいう「エクリチュール」に相当する点を、ここでも改めて銘記すればよい。

二十世紀初頭のロシア・フォルマリズム、戦後英米の新批評やフランスのヌーヴェル・クリティック、近現代の日本批評などが、それぞれどの程度まで、フローベール自身によっては書かれなかったこの『序文』とかかわるか（否か）については、問わずにおくが、少なくともわたしは、この「教え」に忠実に従ってきた者である。気がつけば、「批評」とは「註」の別称であることを強調した本まで書いてしまった。批評に手を染めた当初から意図したわけではないが、結果として、フローベール的『序文』の徒となりおおせたわけだ。上手くいったかどうかは、分からない。何しろ、「解剖学」と「愛」とが、同時に要求されている場なのだ。慈愛にみちた解剖医の鋭利なメスさばき⁉……ともあれ、そんな離れ業の強いる「永遠の掻痒感」（53.9.30）に、一度たりとも足下を浚われなかった文芸批評家は幸いである。

(13) 書くことの「悦楽」

一八五三年一二月二三日

確実に言えるのは、一週間まえからとても好調だということです。こんな調子が続きますように！　なにしろ自分ののろさに辟易しているんです！　でも原稿を清書してみたら、目が覚めて、幻滅、なんてことになるんじゃないかとそれも心配です。いやともかく、出来の良し悪しは別として、じつに甘美なるものですね、書くということは！　それは自分自身でなくなること、今語っている被造物のなかをくまなくめぐることだ。たとえば今日などぼくは、男と女の両方になり、同時に情人ともなり情婦ともなって、秋の午がりの森のなか、黄ばんだ葉叢のしたを、馬で散策したのです、ぼくは馬たちであり、木の葉であり、風であり、交される言葉たちであり、愛に溺れた瞼を半ば閉じさせる朱い太陽でありました。——

思い上がりでしょうか？　それとも敬虔なのか。桁はずれの自己満足が愚かしくあふれ出したものなのか、あるいは〈宗教〉へとむかう漠然たる気高き本能なのか、ともあれこのような悦楽を、身をもって知ったのちに、これを反芻していると、思わず神に感謝の祈りを捧げたいような気になります、かりにぼくの祈りの声が神に届くものとしての話ではありますが。

（工藤 302P）

ミシェル・フーコーは、そのデビュー作、ビンスワンガー『夢と実存』についての「序論」（一九五四年）で、サルトルの「想像力」論に真っ向から逆らいながら、百年前の同邦作家とまったく同じ事を記している。「想像力」とは、不在の友人ピエールを脳裏に（どこかしら不完全なかたちで）描き出すことではなく、自分自身がまさにそのピエールのいる「世界」と化すことである。わたしは、彼が読んでいる「手紙」であり、そこに注がれる「眼差し」であり、彼の「注意」であり「不満」であり、彼のいる部屋の「壁」となる。そのようにして、それはつまり、不在の何かが、あちらからこちらへ来ることではなく、こちらがあちらへ行って、「くまなく」あちらに漂うことなのだ、と。

そうした「想像力」に恵まれ、かつ、フローベールと同じ「悦楽」とともに、確実にこれを生き、さらには書きうる人間が、「作家」という名の生物なのだろう。

乏しい私見では、カフカの愛読したローベルト・ヴァルザーも同様の悦びを書き残していたし（「作家」一九〇七年）、よく似た台詞はきっと、世界中の「作家たち」によってあちらこちらで記され、語られ、こころに呟かれているはずだ。

谷間の岩底にひとりうずくまりながら、周囲の「あちこちにいて、どこにもいない」自己の剝離感に苛まれ、かつ、それをこそ愛おしむ「杳子」も、山奥の土方仕事のたびに、自分は自分ではなく「空、空にある日、日を受けた山々、点在する家々、光を受けた葉、土、石」「それらのだ。

ひとつひとつだった」と感ずる「秋幸」も、だから逆に、古井由吉や中上健次によく似ているのだ。

フローベールの言として有名な「ボヴァリー夫人は私だ」の「私」も、ほんらい、この次元で理解されなければならない。「私小説は亡びたが、人々は「私」を征服したらうか。私小説は又新しい形で現れて来るだらう。フロオベルの「マダム・ボヴァリイは私だ」といふ有名な図式が滅びないかぎりは」。おそらく、日本文学の大きな不幸のひとつは、小林秀雄「私小説論」のこの皮相な断言を、長く真に受けてきたことにあるのかもしれない。しかし、この「私」は、「図式」などでは毛頭なく「動き」であり、「征服」すべき所与ではなく、たえず未聞の様態なのだ。

ともあれ、作家という別の生物が、こうして確かに、この世には存在し、いまも、棲息してしまう。それを思うたびに、畏怖の念を禁じ得ない者は、同じフローベールが、つとに、「要するに、兵士になれぬ人間がスパイをやりはじめるのと同じことで、芸術をやれないやつが批評を書いているのだ」(46.10.14／工藤 53P)と書き送っているところは、耳が痛いのだが……『ボヴァリー夫人』の作家にいわれるのなら、甘受するよりほかにない。

(14) 何もかも知っていたんです、あの連中は。　一八五四年四月七日

ぼくがもう若くないとはじつに残念です！　若くさえあればうんと勉強したんだが！　ものを書くためには、本当はすべてを知っていなければなりません。我々がみなこんな具合に、文士稼業に明け暮れているかぎり、恐ろしいほどに無知なままだけれど、一方であゝしたことを知ったなら、どれほどの考え、比喩がわいてくることか！　一般的に言って、我々には精髄というものが欠けているんです！　ホメロスとかラブレーとか、あらゆる文学が生まれ出るもとになった書物は、それぞれの時代の百科全書です。何もかも知っていたんです、あの連中は。一方我々ときたら、何ひとつ知らない。ロンサールの詩法には、ひとつ面白い訓戒がありますよ。鍛冶屋、金銀細工師、錠前屋などの工芸技術に親しんで、そこからメタファーを汲み上げるようにという教えです。たしかにそうすれば、ひとつの言語を、内容豊かで変化に富んだものにすることができるでしょう。一冊の書物にあっては、すべてが似ていながらじつはひとつひとつ違っている森の木の葉のように、文章という文章が、立ちさわいでいなければいけません。

（工藤 313P）

英語圏では二十世紀最大の小説のひとつとして、ジョイスの『ユリシーズ』も『オデッセウス』から生まれているし、何より、新旧『聖書』の途方もない産出力というものが西洋文学全般に働きかけているわけだが……では、われわれの文学はそのホメロスや、ラブレーを、あるいは、セルバンテスのような存在をもっているかといえば、残念だが首を傾げねばならない。そこに、彼此の文学的土壌の大きな相違を認めざるをえないが、非凡な学殖に恵まれた作家は日本にも確かにいて、近代であれば、鷗外と漱石がそれにあたり、芥川龍之介がこれにつづくだろう。江戸期なら、曲亭馬琴の「百科全書」な蘊蓄があり、もちろん、紫式部は『史記』や『日本書紀』を読みこなしていた。要は、いまも作用するそれぞれの波及力にあるわけだが……あまり大雑把に視野を広げても、さして意味はあるまい。

右からは、近代小説にむけまさしくホメロス級の作品を残した当の作家の示す、この揺るぎない謙虚さを、繰り返し肝に銘じておかねばならない。小説なるものの（おそらく永遠に）融通無碍な振幅にかんして、確かに、われわれは、あまりにもしばしば「何ひとつ知らない」。

付けてまた、同じフローベールには、当の「百科全書」自体の痛烈無比なパロディー小説（『ブヴァールとペキュシェ』）もある！　つくづく凄い作家だとおもう。

⒂ 挿絵厳禁

ジュール・デプラン宛　一八六二年六月一〇日

挿絵に関しては、一万フランくれると言われても、誓って言うが、一枚たりとも絶対に入れさせない！……そのことを考えるだけで頭が変になる。決して！　決して！　ああ！　教えてほしいものだ。どうせ変な奴がハンニバルの肖像とカルタゴの肘掛け椅子の絵を描くに決まっている！（…）下品な奴にばかげた正確さで僕の夢をこわされるために、これほどの技法を駆使してすべてを曖昧なままに残そうと苦労したわけではない。

（市川・土屋 188P）

一つのジャンルの本質的な要素は、他のジャンルに転移されないものにある。転移されれば（それはしばしば、みずから転移を誘いもするのだが）そのつど決定的に変質するものである。この意味では、小説における「物語」は、あくまで二次的な要素にすぎない。それは、いわば無傷のまま、演劇にも映画にも導入できるからだ。「話者」と「描写」は、そうならない。他のジャンルに移されるたびに、きまって齟齬と誤作動をきたす。後世の目には、そのギャップ自体がきわめて興味深いのだが、『サランボー』の作者は、ここでとうぜんの権利として、作品にとって本質的なものを台無しにするな、と主張しているわけだ。

　しかし、フローベールのこの要求は、彼の死後たやすく無にされる。百五十年にわたり、さまざまな刊本が、フローベール作品の名場面の数々に「挿絵」を挿入していまに熄もうとしないわけだが……たとえば、『ボヴァリー夫人』冒頭のシャルル登場場面に細叙される「毛皮の軽騎兵帽とポーランド風槍騎兵と山高帽子と川獺皮の庇帽とナイト・キャップの諸要素が多少とも見いだされるがそのいずれでもないという混合様式の帽子」（山田爵訳『ボヴァリー夫人』河出文庫版）。試しに、ネットで検索してみるとよい。そこには、何種類かの度外れに奇怪なスケッチや写真が——小説というよりは下手物小屋にふさわしい小道具をおもわせながら——まさしく「ばかげた正確さで」再現（?）されているだろう。

　この種の視覚像は、それがどれほど品良くうまく描き添えられてあったとしても（あるいは、そうであればあるほど）本文を損なう。

　散文の押韻効果のために鏤骨彫身したフローベールにとっては、「挿絵」はむろん、第一にまず語音を殺す。それは、途方もない労苦のすえに作り出した語の響きあいを真っ先に抹消する不倶戴天と敵となるわけだ。

　また、たとえば「僕らは自習室にいた」と始められる作品の、その冒頭場面全体を視野におさめた「挿絵」があったとしよう。この場合、「自習室」や、新入生を迎える「僕ら」や、校長から「ロジェ君」と呼ばれる予習教師にもまた、この奇怪な「帽子」と同等の視覚像が与えられるわけだが、テクストはしかし、どこにあるとも知れぬその「自習室」や予習教師の細部は喚起しようとせず、その場に歴々と居合わせたはずの話者（「僕ら」）も、いつのまにか消去しながら、この「帽子」への細叙を講じているのだ。不実な話者の周囲に仕組まれた「描写の過剰と描写の不在」とのその不均衡。挿絵はこのとき、小説ならではの積極的な曖昧さとともに、「写実主義（レアリスム）」なる符牒にはとうてい収まりきらぬかたちで、作品全体に浸透する不思議な力を、抹消しにかかるだろう（同右・蓮實重彥「解説」参照）。

第三として、「挿絵」はまた、小説を駆動する〈叙述／虚構〉の相互作用をも消してしまう。現に、右の「帽子」が数多くの実例中のひとつとなり、新入生シャルル・ボヴァリーが両膝にのせている珍妙な代物は、次のように細叙されていた。

それは鯨骨を芯に張った中ぶくれの楕円形で、まずいちばん下には三重の腸詰状丸縁がぐるりをとりまき、つぎにビロードの菱形模様が赤糸の筋をあいだにはさんで兎の毛の菱形模様と交互にならび、それから上は袋のような形にふくらんで、その天辺（てっぺん）には刺繡糸でごてごてと一面に縫い取りをほどこした多角形の厚紙があって、そこからやけに長っ細いひもがたれて、その先に飾り総（ふさ）めかして金糸を撚（よ）った小さな十字架がぶら下がっていた。帽子は真新しく、庇が光っていた。

「起立」と先生が言った。

彼は立った。帽子が落ちた。クラスの全員が笑い出した。

叙述視点がここで、「帽子」の下から上にゆき、「天辺」から「やけに長っ細いひも」にそってまた下降する点に注意すればよい。その〈下↓上↓下〉の動きをなぞるかのように、教師の号令一下、シャルルが座っていた椅子から立ち上がった拍子に、「帽子」が落ちるのだ。……もちろん、散文の押韻化の場合とは異なり、また、不可思議な話者による「描写の不均衡」について草稿研究が明らかにしている意図的選択とも違って、こうした点にまで、フローベールの意識が行き渡っていたとはおもわれない。だが、こうして、ときに作家当人の思惑をこえた動きや関係を産出することこそ（厳密にいえばその産出性への発見を介して、読者をいっそう深々と作中に巻き込むことこそ）、その作品がいまも生きている証拠ではないか。

（二〇二一・九・二五起筆～一〇・二五擱筆）

Ⅲ　批評三論

《現実》という名の回路――子規・漱石・柄谷行人

きみたちが世界と呼んだものは、まずきみたちによって創造されねばならない。
（ニーチェ）

『意味という病』

あらゆる超越論の背後には精神の惰弱がひそんでいる……。ニーチェの一喝はたとえばカミュに、現象の明度にたえるというシジフォスのテーゼをもたらしたが、そのとき、「人間たちのうちで最も聡明で最も慎重な」この罪人の相貌はあまりに古典的でありすぎた。なぜそれが罪であり、受苦なのか？

「不条理」とはつまりひとつのポーズ、いかにも悲劇的なポーズではないか？――周知のように、これがロブ＝グリエの最初の主張であり（『新しい小説のために』一九六三年）、彼の有名なマニフェストはたしかに、シジフォスの明証にまといつくある種のいかがわしさを遺憾なく暴きたてている。「ところが、世界は意味もなければ不条理でもない。ただそこに《ある》だけである」と。あるいはまた、「人間は世界を見つめるが、世界は彼に視線を返しはしないのだ」と。爾来、「ただそこに《ある》だけの世界」なるこの公理は「文学」という名の問題を様々に際立て、いまなおひとつの試金石たり得ている。換言すれば、ヌーヴォー・ロマンのその後を漫然と見送りながら、人はいまだにこの石に躓きつづけているのだし、とりわけ、外来の新意匠を取沙汰しては常に、テクストより「理論」を尊重してきたわが国の批評において、その光景は無残なほどあらわである。そう言ってたぶん誤りはない。

たとえば評論集『意味という病』（一九七五年）のなかで、柄谷行人はこう書いている。

ロブ＝グリエがめざしたのは、人間とものとの狎れあい、アナロジー、比喩的同一性といった関係を《切断》することだ。そのとき「意味」のフィルターによっておおわれていた事物（事象）はただ絶対的な客観性として現前するだけであり、他方心理とか性格とか思想をもっていた主体は絶対的な主観性、いいかえれば非人称的な主体となる。《切断》はかかる両極性を生みだすのだ。

一文は「小説の方法的懐疑」と題されている。ロブ＝グリエの公理をこのように受け止めたのち、柄谷はここで、同様の《切断》を共有する作家として古井由吉と小川国夫の名を挙げることになるのだが、同じ眼のはこびは集中いたるところに一貫し、この書物の基本的な性格を形づくっている。翻って「マクベス」を語り、鷗外を顕揚し、「私小説の両義性」を唱え、柳田国男と漱石を掲げて「人間的なもの」の何たるかを説きつつ、「内向の世代」への共感を記す。そうした豊富な話題の焦眉に映えて《切断》への思い入れはたゆみも知らず、勢のおもむくところ、「意味」にまみれた世界から切れていることが「文学」の最良にしてほとんど唯一のあかしである、といった価値観が厳かに言明されるに至る。

われわれは現実を把握する概念を考案して、かえってその概念によって現実を見うしなう。
（「マクベス論」）

カフカの作品にはなんの寓意もないし象徴性もない。むしろそのような「意味」を切りすてることによって、読む者をあまりにリアルな世界のなかにまきこむのだ。われわれはそれを「夢のようだ」という。
（「夢の世界」）

鷗外は世界は不条理だといっているのだろうか。そうではない。ただ世界は在るがままに在るといっているのだ。彼は、《物語化》以前のわれわれの経験をとらえようとしているのである。
（「歴史と自然」）

田山花袋は「小説」を書いた。が、私の判断では、それは《文学》ではない。柳田国男の方に私は《文学》を感じる。（…）小説より事実の方が面白いということがおこるのは、小説の側に〝人間的なもの〟に対する懐疑の呟きが消え、かわりにてっとり早い文学的観念を提示するか、現実を文学的な解釈でカヴァーするかしかしていないからである。

（「人間的なもの」）

引用はいくらでも可能だし、いずれの場合も論旨は明快を極め、明快さの度合に応じて誤謬はたえず根本的である。もちろん周到な柄谷のことだ。顕揚する作品のかたわらに悪しき実例を示し、「汚染」の状況を分析するなどといった事態にはまちがっても立入りはしない。敵は常にテクスト性一般のうちに仮想され、まるごと排撃される。なるほど、テクストは「ただそこに《ある》だけの世界」に「意味」をまといつかせるにちがいない。それがテクストの本質に相違ないことをぼくらもまた良く承知している。ただ、悪いことに、その本質にはどんな例外もあり得ないのだ。事実、しかじかのテクストが柄谷に語らせる《切断》もやはり立派な「意味」ではないか？　この「意味」だけは世界を汚さないと考えるのは大いに公平を欠くだろう。――たぶんここに『意味という病』のひどく逆説的な性格があるはずだし、一事はまたより具体的な場所にいっそう顕著でもある。賞揚するに足ると信ずる作品を扱うときの柄谷の手ぎわに注目するとよい。ぼくらはそこで、「意味」を剝ぎとられた世界に見入るこの鋭敏な読み手が、その実、意外に根深く「意味」に憑かれ、「意味」を必要とするありさまを目のあたりするはずだ。

ロブ＝グリエの公理から古井由吉を導きだす先の箇所（「小説の方法的懐疑」）、柄谷は『先導獣の話』からこんなくだりを引用してみせる。

……ひとたび混乱が生じると、あまりにも合理的な秩序は一気に崩れ去る。いや殺到の秩序がこわれるだけなら、われわれは群衆的な存在から目覚めて一人一人の人間にかえることも大いにありうることであるから、まだしも救いはある。だがもっと恐ろしいことに、われわれはなまなましい叫喚をよそに、殺到の秩序を冷ややかに守ったまま、ごうごうと走り出すかもしれないのだ。その時、何人かの人間が踏みつぶされることになっても、それは殺到の秩序に属することなのだ。あまりに合理的なものはしばしばいきなり非合理的なものへ転化すると言われるが、事実はそんなドラマティックなものではなかろう。あまりに合理的なものは、ある時、そっくりそのまま非合理的なものでもあるのだ。ちょうど野獣が変らぬ足どりで明るい野を横切ってすうっと暗い繁みの中へ入って行くように。

長々とそっくり孫引きするのは他でもない。慣習的分類に「説明」と呼ばれるこの種の部分を他の場所でもさかんに引用して、《切断》のあかしの一班を担わせようとするところに、この書物の癒しがたい疲弊を見るからだ。一体に、「説明」とはそれがどのように尖鋭な認識を伝えていようと、テクストの最も反動的な要素である。[1]が、ここでもやはり周到な柄谷のことだ。同じ論証のより大きな部分は相応の「描写」にふりあてることを怠ってはいない。ところが、まさにその場所で、この書物はかなり本質的な「病」の徴候をあらわにしてしまうのだ。同じく「小読の方法的懐疑」から。——また少し長くなるが、注意して柄谷の手さばきを辿ってほしい。ここには、「説明」の箇所を鵜呑にすることと同根の、しかしはるかに反動的な読みの惰性がひそんでいる。

木のドアから漏れていた月の光は、朝の光に変って行った。浩はそれをずっと見ていたが、それでもドアを開けてバルコンに出た時、明るさは意外だった。空は真白い壁の稜で切り取られていて、すぐそばの天井のようにも、遙かにも感じられた。壁はここの人が空を見る時の額縁だった。廊下のような路地には隈なく反射光があった。

（小川国夫『アポロンの島』）

こういう文体が示しているのは、風景を視る目の特異性である。小川氏はもはや志賀直哉のようにみていない。風景は「額縁」のようにスタティックであり、ものの形態よりも光と闇がまず感じられる。事物との距離感は、「すぐそばの天井のようにも、遙かにも感じられ」るほどにあいまいだが、それはターナーの水彩画のようなもうろうとしたぼかしによってではない。極度の鮮明さが距離感をうばい、とらえどころのない夢の雰囲気を与えている。この文体は事物を〝隈なく〟明視しているが、このとき視える「光」は外在的なものではなく、内感というべきものだ。

> つまり、小川国夫のリアリズムは、ものを「意味」によってカヴァーしていくのではない。小川氏は風景から「意味」をはぎとることによって（…）

このあとは省略してもよいだろう。重要なのは、柄谷がここで「描写」を「説明」の代わりに用いていることだ。あるいは、代用するためにそれを「説明」の位置へ堕落させること。「こういう文体が示しているのは」と彼は語りはじめる。「示す」とは他でもない、「意味する」ことだ。その同義語を辛うじて回避できるのはおそらく、「文体」なる巧妙な遁辞に強く依りかかりながら語っているためだけれど、いずれにせよ、小川の一節はここで〈距離感の喪失〉を示すものへと還元され、次いでおきまりの「ただそこに《ある》だけの世界」が導かれようとする。この確固たるはこびはしかし、たとえば幾何の演習とあまりに酷似してはいないだろうか？　証明すべき結論はすでに用意されていて、柄谷はその場所で、証明に不可欠な補助線を引きさえすればよい。「描写」はその一線によってたちどころに裁断される。だが、思考と記述の秩序に関して、本来テクストの問題ほど反幾何的なものはまたとないはずで、ぼくらのあえて「堕落」と呼び「惰性」と指弾するところも等しくこの点にかかっている。

実際、テクストに固有の真実を照らして、「描写」は一般にそう信じられているよりははるかに啓示的な要素であって、柄谷の引用するごく短い一節にすら、「描写」はテクストの孕む様々な特質の一端をのぞかせているのだ。ぼくらに言わせれば、「すぐそばの天井のようにも、遙かにも感じられ」る虚構のその空間的な擾乱は、小川の「内感」に発するよりはむしろ、最初の一行にしのびこむある種の錯綜した印象の方により強く呼応している。つまり、夜明けの時間の経過にふれて喚起される一定の〈長さ〉と、それを語る語り方の〈短さ〉との間に惹き起こされる不整合のきざしが（それは次の「浩はそれをずっと見ていたが」によって修正されようとするが）、続いてこの遠近法の倒錯を際立てるのだ、と書き得るし、そのようにいわばテクストの内的な進行をたしかに窺わせるこのくだりは、少なくとも柄谷の言うほどには「スタティック」ではなく、さらにまた、ぼくらの見るところ、小川のテクストは全体にわたって随所に《語り方／語られるもの》の許す同種の関係性（うごき）を利用してもいる。

翻ればしかし、それは柄谷の関知するところではない。彼はおかまいなく「描写」のひろがりから「意味」を描出する。《風景から「意味」をはぎとる》という目新しい「意味」へと資するために（！）、この批評家は果敢にもテクストから「描写」をはぎとってしまうのだ。排撃されるのはだから「ただそこに《ある》だけの世界」を隠すものばかりではない。そうした《世界》を開示したはずのテクストもまた同様なのだ。柄谷の読みの言ってしまえば極めて統制的な性格を十分銘記しよう。そこにおいて、テクストは二重に遠ざけられ遺棄されるに至る。しかし、落ちついて考えれば、このことの示す矛盾は歴然としているだろう。第一、罪深い様々なテクストに取り巻かれていなければ、特定の「作品」に目を開くことなど初めから不可能なのだし、また仮に、小川国夫の「描写」の示すものがロブ゠グリエの公理であり、さらに譲って、はしなくも記される「内感」のようなものであったとしても、当の「描写」を際立て、まさにそのような「意味」を持つものとして問題化させるものはやはり、『アポロンの島』のめぐりに累々とひろがる様々にすり切れた「夜明けの描写」であるはずだ。柄谷は疑いもなくそうしたテクストのただなかで思考している。

むろん、そんなことは彼自身百も承知のはずだ。ただ忘れたふりをしている。忘れたふりをして、つまり、柄谷はひどく急いでいるのだ。急いでテクストの外に出ようとすること。あるいは、テクストの外に《ある》ものしか信じようとしないこと。『意味という病』の一切の徴候はまさにここから生じるのであって、あの〈距離感の喪失〉なる抽象にしても、厳密に言えば、テクストの内と外とを強引に結びつけようとする傾きに資する一瞬に、最も罪深いものとなりはてるのだ。このとき、批評のことばは、外を目指して内側をたえず溶解する一種のテロリスムをためらいもなく行使する。「文体」「眼」「水彩画」「事物」「明視」「内感」——これらのことばの証すところはもう明らかだろう。すなわち、この書物はあらゆる場所で《直接的な世界／テクスト》なる新種の二元論に侵されているのだ。柄谷はそれをロブ゠グリエの公理から真直ぐにひきずり、あくまで執拗に断言する。テクストは《世界》を汚すのだ、と。

なぜなら、ひとたびわれわれが〝経験〟として意識するとき、それはすでに言語化されたものであり、そのものではないからである。われわれが事実とよんでいるものは、一つの表現形式にほかならない。

（「夢の世界」傍点原文）

その通りだ。ぼくらとしても、こうした立言の尖鋭な側面には十分敬意を払うものだし、事実この有能な批評家は、肝心の一点を除くなら、この書物の数多くのくだりで比類なく正確に語ってさえいる。しかし、彼がわざわざ傍点を施してまで強調する二項対置的な認識については、是非ともこう言っておかねばならない。「そのもの」など何処にもないのだ、と。このとき、ぼくらは経験的な明証に著しく反しているのだろうか？　だが、《ある》とは常に存在論的な命題である。ぼくらの前に何かが《ある》とすれば、それはたぶん、《ある》ことがたえず《問題》となりうるような契機の連続とそのひろがり、つまり、テクストに他なるまい。

　実を言えば、この点にこそ、人々が漫然と見送りつづけたヌーヴォー・ロマンのその後が深く係わっていた。この書物で、「ロブ＝グリエ的懐疑」だけは手ばなすわけにはいかないが「意匠としてのヌーヴォー・ロマンは何ものでもない」と柄谷の記す時期には、当のロブ＝グリエやクロード・シモンなどは最初の主張を（『ニューヨーク革命計画』『導体』といった実作を通して）乗り超えた地点に達していたのだ。

　今日までの人々の思考は、プラトンの超越論に貶められた現象界の復権を目指して様々なものに敵対してきた。大雑把にそう言ってよければ、表立った系譜の端緒にたぶん『言語起源論』のルソーを名指しうるこの《直接的な世界／テクスト》なる認識もまた、たしかにそうした文脈を携えていた。この二分法をめぐって、しかし、ヌーヴォー・ロマンは今ではこう主張する。すなわち、現象こそ、「ただそこに《ある》だけの世界」の方こそむしろ超越的であるのだ、と。一九七二年のある討論会で[2]、《世界》には「名づけ得ぬもの」があり、自分はその感触を「ことばの内に蘇らせたい」と主張するナタリー・サロートにむかって、ロブ＝グリエは次のように述べている。周知のように、彼女は『不信の時代』においていちはやく、ロブ＝グリエと同様の異議をカミュに唱えた作家である。ロブ＝グリエはこのとき十年前の自分に語り聞かせていると書いてもよい。

いやちがう。いいですか、世界と向きあう芸術家に関して、基本的に異なるふたつの立場があるのだとわたしは思う。一方は、すでにそこにある世界へやって来てそれについて語ろうとし、他方は、まだ存在していない世界へやって来て、彼自身のことばによって世界を創り出そうとする。

むろんこの声は海をへだてた柄谷の耳に届きようもなかったろうし、それを咎めるつもりもない。しかし、このような認識の転換が、柄谷が「何ものでもない」と捨象しさる「意匠」の様々な試みを通して初めてなされたことだけは、もっと驚かれてよいはずだ。ここにはたぶん、テクストの実践が作家にもたらしえた変容の最たる姿が示されているだろう。

《現実》!?

事実は小説より奇なりと云う。興味深いのはただし、このことばの当否ではない。それはむしろ、《事実》がこうして常に《小説》と一対をなして語られるという一事にかかっている。第一に問われねばならぬのは「事実」「事物」「現実」といった一連の語彙の性絡、それらが指し示すものの一貫した措定性、超越性であって、そのことに思い至らぬかぎり、《事実》より平凡な《小説》の衰弱をどのように咎めたてたとて、何も始まりはしないのだ。かつて、「文学に何ができるか？」と問いつめたサルトルに切り返し、ジャン・リカルドゥーの吐いた名言がある。それに倣ってぼくらの観点をひとまず次のように要約しておけばよいか。一切の《小説》が止みはてるとき、いかなる《事実》も起こりえぬだろう、と。

ぼくらが再三漱石の『文学論』にこだわるのもこのことに係わるので、少なくともそれは、最近、篠田浩一郎によってさかんに喧伝される「F＋f」理論の先見性を過大に評価するためではない。より啓示的なのは、たぶん篠田が故意に見落している「写実法」なる一章の存在であり、あの浩瀚な分類の一項目に、まさにレトリックとしての「写実法」を設ける分析者の稀に見る正確さと、その正確さにしのびこまずにはいない錯覚の性質なのだ。もとより、「F＋f」にコノタシオン理論の等価物を認めるのは自由だし、それは間違っているわけでもない。ただ、同じロラン・バルトに寄りかかるなら、「浜辺では日焼けでさえ語りかけである」（『神話作用』）とまで言明するその徹底した一元論をこそ『文学論』には対置すべきである。篠田の啓蒙性は、そのときはるかに申し分のないものとなるはずだし、当の漱石の理路もまた、より本質的な問題性をおびるに相違ない。

月を叙して Cynthia's horn と云ふ。これ聯想より来る表現法なり。或は其事実の月に遠きを忌むものあらん。「鎌の如き月」と云ふ。又聯想法に過ぎず、然れども切実の度に於て数歩を抜くが如し。最後に「三日月」と云ふ。天下是より簡単なる表現法なし、是より質直なる表現法なし。

（夏目漱石『文学論』）

同じくだりをぼくらはこれで三度※引いたことになる。ここには先ずひとつのテロルが、すなわち、同一の「事実」をめぐる様々な表現に施して等級を際立てずにはいないある抑圧の傾斜が認められ、次いで、そのようなテロルを半ば無意識に行使することによって目指される地平が探求された。《世界／テクスト》の二分法に引き裂かれながら、おそらくはその中間に措定される静止した空間への憧憬と渇望を指してぼくらは「字物のユートピア」と呼んだわけだが、ただし、《秋風／あきかぜ》について指摘したような、いうならテロルの裏側で反芻されつづける漱石の怯えには見たところ極めて貴重な直観が示されているのであって、それは一面において直接的な世界に対するテクストの優位を物語ってさえいた。漱石はただ、こう書いてよければ「導体」としてのテクスト[3]の意義を理解しなかった。そこに、たとえば文字面への怯えとこだわりを単なる「偏執」と退ける当時の文脈に十分抗しえなかった理由の一斑があるはずだし、テクストのひろがりにひたすら静的な相を夢見る地平への退行も、等しくこの一事に根ざすと言ってよいかも知れない。

およそこのような観察を許してきた「写実法」の同じ一節を改めてここに取りあげることは、ぼくらにとって別段唐突なはこびではない。なぜなら、反レトリックの擬制を漱石という個人に収斂しながらその底流に問われつづけたのは、やはり、《現実》とは何かといった最も基本的な事柄でもあったわけだから。

ぼくらがここで「直接的な世界」と呼ぶもの、漱石の文脈に従えばそれはむろん「事実の月」であり、これをめぐって「Cynthia's horn（シンシアの角笛）」「鎌の如き月」「三日月」なることばが取り巻いている。このとき、《現実》とは「世界」と「ことば」の乖離そのものを指すべきである。どちらか一方についてではない。少なくとも、《世界／ことば》なる二元論を抱えたままどちらか一方についてこれを用いることは、結局、両者を共に失なってしまうことを意味するだろう。《現実》とは他ならぬその二元性を発動させるものの謂なのだ。それは単に事でもなければ物でもなく、それらの事物にあずかって様々な書換が可能であるようなひとつの事態であり、単なる事物はそうした事態に取り込まれて初めてわれわれを促すのだ。「天下是より簡単なる表現法なし。是より質直なる表現法なし」――注意しよう。ここでは「簡単」がたちどころに「質直」へ置きかえられてくる。正しく《現実》と呼びうるのはつまり、そのなかで、あるものについて「シンシアの角笛」の代わりに「三日月」を選ぶことが、そのまま多分に倫理的な価値をさえ生み出してしまうような領域に関してであり、その場所における徹底して内在的な体験に他ならない。「事実の月」には決して達することのない代わりに、いや、決して到達しえぬことによって、ぼくらは無数の「月」の恩恵（汚濁）に浴して（まみれて）いる！

歌といふといつでも言葉の論が出るには困り候。歌では「ぼたん」とは言はず「ふかみぐさ」と詠むが正当なりとか（…）。

牡丹と深見草との区別を申さんに生等には深見草といふよりも牡丹といふ方が牡丹の幻影早く著く現れ申候。且つ「ぼたん」といふ音の方が強くして実際の牡丹の花の大きく凛としたる所に善く副ひ申し候。故に客観的に牡丹の美を現はさんとすれば牡丹と詠むが善き場合多かるべく候。

（『歌よみに与ふる書』）

正岡子規のこの一文についても同じことが言えるはずで、このとき子規にとって真に現実的なのはボタンの花そのものではなく、その花を指して「深見草」と呼び慣わしてきた事態であり、もしくはその事態のいわば失効した性格であるだろう。ここにもまた、ある直接的なものをめぐり《深見草／牡丹》の書換の可能性がひかえていて、一方から他方へのその落差のうちに、「客観的」といったやはりひとつの価値が発動する。「牡丹の幻影早く著く現れ」るのは、決して「牡丹」なる一方の表現にだけ属する問題ではないのだ。これはひょっとすると、皮肉なほど適切に「牡丹の幻影」と書いた一瞬、子規の心を掠めたことかも知れない。それはしばらく問わぬまでも、ここで逆の事態を想像しておくことは無駄ではあるまい。すなわち、ボタンの花がそれまで「深見草」流の異称を持たず、さらに「牡丹」「ボタン」「ぼたん」の別も知らず、後者のどれかひとつ、たとえば仮に専ら「ぼたん」によって指示されていたとすれば、どうだろう？　そこでは同じ花がこのように問題化されうる多くの契機が奪われ、ということはつまり、「実際の牡丹の花の大きく凛としたる所」が子規を惹きつける力も、かなり弱まってしまうに相違ない。

子規をこの花へと促すのは、むしろ「深見草」なる紋切型なのだ。

しかし、こうしたテクストの優位、単なる世界に対するその本質的な主導性は、今日にいたるまでなお貶められている。逆に言えば、ぼくらはあらゆる場所で事物という名の病に憑かれている。

消去法のテロル

引きつづき正岡子規のいくつかの評言を取り上げることにしよう。

実のところ、柄谷の先の書物において明瞭に意識され提示された事柄は、一方では、わが国の「近代文学」の発生とともに古く、今日の問題が明治的な発想をひきずる度合に応じて、たえず新しいと言うべきものであるのだ。「近代文学」の底流を犯して、ある種強迫観念とさえ呼びうるものがまとい憑いている。その憑依のありさまを様々な時期のしかるべきテクストに徴して眺めて行くことが、ぼくらにとって今後の重大な課題のひとつとなるはずだが、そうしたふくみからも、子規の存在をここに逸するわけにはいかない。「テクストは世界を汚す」――言うまでもなく、「写生」という名で子規に取り憑いたこの観念は、その直截さ、直戴さのもたらす比類なき効力を携えて、その後の「文学」にいくつかの決定的な性格を付与している。

もちろん、子規の抱えこんだ問題の全容は、単に「写生説」だけで捕えきれるものではない。実際、この作家の複雑な豊かさにぼくらは漱石とはまた別の意味で注目しているので、たとえば、一般には俳句・短歌革新の延長と目される「写生文」の特異性などはその最たるものだろう。短詩から散文へと踏みこんだ瞬間に、前者において猛威をふるった「写生」のテロルが見事に失効する様をぼくらはすでに指摘したことがあるが、[4]「或る景色又は人事を見て面白しと思ひし時に、そを文章に直して読者をして己と同様に面白く感ぜしめんとするには、言葉を飾るべからず、誇張を加ふべからず、只ありのまゝ見たるまゝに其事物を模写するを可とす」(「叙事文」)といった具合にそのまま散文へと転位された「写生」の公理を、当の散文の許容する長さにおいて破綻させるものこそ、実は導体としてのテクストの相に他ならなかった。ただし、厳密には俳句・短歌においても実作のありようはすでに「写生」理論を裏切っていたと言うべきなので、ひとつには、句作の必然がつとに「配合」の要を求めさせるといった傾きにきざしていた背理の性格が、散文に及んで著しい破綻を導き出すと見る方が妥当であるのかも知れない。すぐれた実作者が常にそうであるように、子規もつまり自らの理論そのものをさほど信じてはいない。「写生」を信奉したのは後世であって、子規の問題が真に示唆的であるのはむしろ、反レトリックとしての理論と本来レトリカルであるより他にない実践(テクスト)との二律背反、両者の競合の形勢に係わるのだ。が、こうした留保はともかく、子規は理論の効力だけは信じていた。当面の要はそこにある。

松井利彦の観察によれば、「写生説」の要諦は、実は当時一高の教科書に用いられていたスペンサーの『文体論』に由来すると云う。子規研究における碩学のこの立論は十分信を置くに足るものだが、念のため、松井の解説中(日本近代文学大系16『正岡子規集』)に原文で引かれてあるいくつかのくだりからり、ふたつほど転訳しておこう。

ブレイヤーはこう言っている。文章中すべての不必要な部分は「叙述を妨げイメージをふさぐ」と。またさらに「長い文章は読み手の注意を鈍らせる」のだ、と。

言語を思考を伝達するための記号組織と見なすなら、機械装置の場合と同様に、各々の部分がより単純にそしてより功妙に配置されていればいるほど、より大きな効果が得られるのだと言ってよいだろう。

多少とも子規に親しんだ者には、一般に「心力消滅説」(economy of mental energy)として知られるこうした文体観と写生理論との親近性は、一読して明瞭なところだろう。子規の第一の面目はつまり、「短さ」を顕彰するスペンサーの所見が最も効力を発揮しうる領域の発見にかかっていた。発見は容易であったし、それはまた、自らを閉じこめているいわば余剰の堆積について彼が誰より過敏であったことを意味するのだが、テクストの疲弊をいたるところに嗅ぎあてながら、彼は次いで執拗にそれを痛罵する。このとき、正岡子規の名は何より先ず、数々の俳句・短歌にむけられた「消去法のテロル」として現われてくる。

テロルは、「理窟」をテクストにまぎれこむ余剰の第一と見なすところから始まり、俳諧において連句を否定し(「発句は文学なり。連俳は文学に非ず」)、和歌において古今集を拒絶する(「貫之は下手な歌よみにて古今集はくだらぬ集に有之候」)といった具合に、見事な正確さで「敵」の本質を衝きながら進行する。裁断は常に「実景」と「実感」の名において下されることは言うまでもない。順序は逆だが、たとえば躬恒の「心あてに折らばや折らむ初霜の置きまどはせる白菊の花」を指弾して、「此歌は嘘の趣向なり、初霜が置いた位で白菊が見えなくなる気遣無之候」であるとか、「花の匂」なども大方は嘘で、桜も梅も「古今以後の歌よみの詠むやうに匂ひ不申候」と記してはさらに、同じ躬恒の「春の夜の闇はあやなし梅の花色こそ見えね香やは隠るゝ」を難じて、舌鋒は苛烈を極める。

「梅闇に匂ふ」とこれだけで済む事を三十一文字に引きのばしたる御苦労さ加減は恐れ入った者なれど（…）

（『歌よみに与ふる書』）

最初の歌についてては、すでに安東次男が適切な反駁を記している（『百人一首』）ので詳述はひかえるが、要は「初霜の置きまどはせる」が「白菊」に添えられた誇張的な比喩である点にかかっている。つまり、一首は初霜の置いた庭前を嘱目としているのではなく、安東はだから子規の非難を「見当ちがい」と斥けるわけだが、ここで見逃せないのは、「見当」を失なわせるほど強く子規を促している《実景（感）》へのその拘泥ぶりである。同じことは「春の夜の」への論難にも当てはまり、子規はなに憚ることなく、一首を「梅闇に匂ふ」へ還元した上でその《実感》に添わぬところをあげつらうのだ。ここにおいてたとえば、「梅」を深窓の女人に、「闇」を恋心に通わせるといった、当時としてはごく自然な一首のふくらみは無残に消去される。一首を前に先ず《実景》を想定し（想定できぬ場合はむろん初めから無視し）、それ以外の部分を贅物として退ける（「縁語のいやさ」「これは又上三句全く役に立ち不申候」等々）と同時に、わずかに残されたその《実景》を、さらに《実感》の度合から裁断する。こうした読みの規制を被れば王朝和歌の伝統などひとたまりもないことは、他の例を挙げるまでもあるまい。

翻って俳句の場合を眺めてみると、こちらは和歌に比べ、実作の深まりと持続的な「俳句分類」作業を通してかなりの自信を得たところから展開されているので、同じ「理窟」を指弾するにしても、目配りはいきおい微を穿ち多岐にわたり得て、ほとんどあますところを知らない。

世の中は三日見ぬ間に櫻かな　蓼太

（…）俗には「三日見ぬ間の」と伝へたれども矢張「見ぬ間に。」と「に」の字の方よろし。「の」とすれば全く譬喩となりて味少く、「に」とすれば「櫻」が主となり実景となる故に多少の趣を生ずべし。

（『俳諧大要』圏点原文）

こうした具合に、《実景》《実感》を目指しての消去法の実際は、子規全集中いたるところで見事な冴えを示し、それ自体はたしかに壮観でさえある。そして、彼のテロルを免れ、否定の激しさと同じ情熱で顕揚されるものが、あるいは源実朝であり、あるいは蕪村であるようなはこびもまた、立派に筋は通っている。

武士の矢並つくろふ小手の上に霰たばしる那須の篠原

（…）普通に歌はなり、けり、らん、かな、けれ抔の如き助辞を以て斡旋せらるゝにて名詞の少きが常なるに、此歌に限りては名詞極めて多く（…）。此の如く必要なる材料を以て充実したる歌は実に少く候。

（『歌よみに与ふる書』）

柳散り清水涸れ石ところ〴〵

（…）蕪村の柳散の句の如き材料多く印象明なる者はたま〳〵芭蕉が作らざりしに非ずして芭蕉時代には未だ此種の工夫を為し得ざりしなり。

（「明治二十九年の俳句界」）

傍点はぼくらのものだが、「名詞」「材料」「充実」などの文脈に十分注意してほしい。もちろん、子規の顕彰する歌風・句柄はこれらに尽きるものではないし、年を逐って柔軟に多様なひろがりを示す彼の俳句観などについては別して詳論を要するところだけれど、いま注目したいのは、そのような多様性の底に子規が生涯保持しつづけたひとつの根本的な価値観、すなわちテクストの「絵画的特性」への信頼が、ここで、いわば「名詞信仰」とでも呼ぶべき事態と深く結びついている点である。このことは、自派の碧梧桐の句（「植込のつゝじ山吹姫小松」「鶯や押上町の家の梅」）の美質を説いて、次のように記すところなどにあらわである。

植込の句の名詞多き（…）、鶯の句の名詞多き、皆印象を明にしたる者なり。

（同右）

この〈消去法(テロル)↓名詞↓印象明瞭〉なる初めの回路が、「印象明瞭」即「絵画的」(「俳句をして印象明瞭ならしめんとするは成るべくたけ絵画的たらしむることなり」・同右)といった、子規にとってはすこぶる自明の置き変えを受けて、〈絵画的↓絵画〉なる回路へと連結される。

赤い椿白い椿と落ちにけり　碧梧桐

(…)之を小幅の油画に写しなば只地上に落ちたる白花の一団と赤花の一団とを並べて画けば則ち足れり。蓋し此句を見て感ずる所実に此だけに過ぎざるなり。椿の樹が如何に繁茂し如何なる形を成したるか又其場所は庭園なるか山路なるか等の連想に付きては此句が毫も吾人に告ぐる所あらざるなり。吾人も亦之れ無きがために不満足を感ぜずして只紅白二団の花を眼前に観るが如く感ずる所に満足するなり。(同右)

〈↓印象明瞭・絵画的↓絵画〉と伸びるこの回路はそして、次のような稀に見る断定に導かれ、《消去法(テロル)↓名詞↓印象明瞭(絵画的)↓絵画↓実景(実感)》という具合に完結する。

○西洋の審美学者が実感仮感といふ言葉をこしらへて区別を立てゝ居るさうな。実感といふのは実際の物を見た時の感じで、仮感といふのは画に書いたものを見た時の感じであるといふ事である。こんな区別を言葉の上でこしらへるのは勝手であるが、実際実感と仮感と感じの有様がどういふ風に違ふか吾にはわからぬ。

（『病牀六尺』圏点原文）

子規のあらゆる評言は、読みようによっては明らかに、この回路のいずれかの接点を補強することにかかっている。たしかにそう言ってよいはずだが、断るまでもなくここには、ふたつのよく似た錯覚と、ひとつのあらわな飛躍がしのびこんでいる。

錯覚の第一は〈名詞→印象明瞭〉であり、《牡丹／深見草》のくだりでも指摘したとおり、その錯覚の起源こそ、ぼくらの繰返し問うところに他ならない。いまひとつは〈絵画→実景〉であって、この原因についてもやはり、別種の差異のひろがりを示しうるだろう。すなわち、西洋写生画がその愛好者をしてかかる錯覚に導きえた理由もまた、それが当時の「日本画」の様相に対して持った極めてスキャンダラスな落差に係わっている。そして、おそらくこのふたつの事態の親和力が、子規に〈絵画的→絵画〉なる強烈な思い入れ、彼にあっては決定的な飛躍をもたらしたのだ。「名詞信仰」と書いたが、「信仰」ということばは、正しくはこの点に用いられるべきものであったかも知れない。果たして子規は、終生「絵」を参照しながらテクストを語ることをやめなかった[5]。

今こゝに一本二本の野花を巧に画きたる者ありと仮定せよ。吾は之を見て美を感ずべし。少くも天然の実物を見て起すだけの感を起すべし。否実物を見るよりも更に美なる感を起すことさへ少からず。是れ其形状配置の巧なるにも因るべけれど又周囲に不愉快なる感を起すべき者無きにも因るべし。即ち絵画の材料として美なる者のみを摘み来りしに因るなり。縦し一歩を退いて此等の実物以上の感無しとするも絵画は厳冬の候に当りて盛夏の事物を見せ得べく一室の中に在りて山野の光景をも見せ得べし。會て見たる者を何時にても再び見せしむるも絵画の力なり、未だ見ざる所を実に見るが如く明瞭に見せしむるも絵画の力なり。(…)以上主として絵画に就きて論じたれども俳句に於けるも同じ事なり。

(「明治二十九年の俳句界」)

このとき、もうひとつ根本的な錯覚が子規を待ちうけている。つまり、テクストへの消去法(テロル)の実践のうちで手にした《名詞→実景・実感》の回路を逆に辿れば、そこにはたちどころに、《所有》のまぼろしが現われて来はしないか？　言語による事物の所有。言語への消去法(テロル)は彼に《直接的な世界》の所有を約束する。ちょうど、「絵」が何時でも何処でも、そして、まだそれを見たことのない者をも「実景」に立ちあわせるように……。ここにおいて、子規は一面ではまた、個人的労働と所有をめぐる新社会のこの上なく雄弁なイデオローグでもあるわけだが、実現されたこの幸福な錯覚を脅かすものはしかし、またしても排斥したはずのテクストなのだ。――世評低からぬ芭蕉の一句に註して次のように奇妙な留保を記すとき、急進して自由律への道を開かずにはいない碧梧桐の未来と「ホトトギス」の惰性とを占って、子規の物言いはすでに予言的でさえある。

枯枝に烏のとまりけり秋のくれ

此句を以て幽玄の極意、蕉風の神髄と為す事心得ぬ事なり。暮秋凄涼の光景写し得て真ならずといふに非ず。一句の言ひ廻しあながちに悪しとにもあらねど「枯木寒鴉」の四字は漢学者流の熟語にて耳に口に馴れたるを、其まゝ訳して枯枝に烏とまるとは芭蕉ならでも能く言ひ得べく、今更に珍しからぬ心地すなり。但し芭蕉の時に在て此熟語、此光景は詩文に画図に未だ普通ならざりしものとすれば、更に此句は価値を増して数等の上級に上らん。

（『芭蕉雑談』）

別のところで効を奏した子規一流の論法[6]を借りて、「姑く虚心平気に帰り始めて此句許りを読むものとして考へ」るなら、これはそれ自体としては申し分のない名句である。が、残念なことに、この句の《所有》する世界はいわば通時的な事態によって汚されている（かも知れない）。但し書きを逆に辿れば、たしかに子規はそう言っている。そして、彼の判断もしくはその戸惑いは、極めて正確にテクストのもうひとつの本質を衝いているのだ。

つまりこうだろう。それぞれのテクストは、ことばの織物としてのその固有の秩序にむしろ従順であろうとする度合に応じて、ある一定の空間に余剰をまき散らし《世界》を汚染する。と同時に、ひとつのテクストの存在そのものが、時間の軸にそって休みなく進行する余剰の契機となるのだ。あるテクストの現前は、それ自身が先行するテクスト間の差異によって促されたのと同じ機縁を増幅しながら、未来のテクストを促し、テクストのかかる連続性のうちで差異は次第に失効し、《世界》はまたしても隠される。時間的な位相から眺めれば、おそらくあらゆるテクストの本質は一種徹底したその後発性に係わるので、人はここで「名作」の名において、「亜流」を斥けることはできても、いわばすべてのテクストが亜流であるといった事態を回避することは不可能である。是が非でもことばの始源に遡ろうとする志向を指して、たとえば蓮實重彦が「メロドラマ」と揶揄するところはだからあながち不当ではなく、『言語にとって美とはなにか』の著者がどのように力説しようとも、平たく言い換えるなら、初めて海を見た原始日本人が「う」と叫ぼうが叫ぶまいが、ひとたびテクストの存在を意識した瞬間にはすべてがもう始まっている。——そのような事態について、吉本隆明流の一見精緻な論断はしかしいかにも無力であり、他方、「漢学者流の熟語」が先か「枯技」の句が先かにこだわらずにはいられない子規の、珍らしく歯切れの悪い物言いは、はるかに明晰であるに相違ない。

子規には周知のように、「短さ」への全面擁護を表面的にはかなり大きく修正して、いわゆる「俳句拡張論」を唱えた一時期があるのだが、そこで覚えたての「錯列法」(順列計算)を用いて俳句・短歌の数量的限界を指摘するのもまたこれと無縁ではなく、『獺祭書屋俳話』において、俳句・短歌はその「短さ」のために逆に滅亡するかも知れぬと表明させる単純な(しかも正しくない)計算を笑って済ますわけにはいかない。なるほど、彼は五七五の数の少なさを嘆いているように見えるが、その実そうした他愛のない危倶に裏返された形でまぎれこむのは、ここでもやはり、五七五の著しく限られたひろがりに群らがり寄せることばの過剰についての直観である。計量が予告するのはジャンルの滅亡ではなくて、むしろ「短さ」が必然的に促してしまう急速なその失効であり、事実、終戦直後、桑原武夫の「第二芸術」論におおいに名を成さしめたにもかかわらず、俳誌『ホトトギス』はいまになお存続し、五七五の堆積はさらに幾久しいものであるに違いない。

いずれにせよ、子規が「理窟」と並ぶもうひとつの裁断語「陳腐」を必要とするのは、こうした消息にかかっていた。そして実際、彼は幸運だった。「理窟」と「陳腐」を振りかざしてテクストの空間的・時間的な余剰性をしらみ潰しにして行きさえすれば、即座に《名詞＝実感》なるいまぼろしを手にしうる事態に生きていたのだから。彼は他の誰よりも正確に迅速にその事態を見抜き、果断に遂行した。実現された《名詞》は子規にとってはまぎれもなく、絵のような《直接的な世界の美》を所有するはずであった。

《表現》のドグマ

一体に、ぼくらの「近代文学」ほど、テクストにおける知的要素を一貫して排撃して来たものはまたとあるまい。その端的な徴候を子規と柄谷の評言に眺めたわけだが、一方が、知的操作のあからさまな現われに苛立ってこれを「理窟」と指弾すれば、他方は微に分け入り、操作がすでに無自覚で自動的に繰返される地平にさえ知的な残滓を探り当てては、これを「意味という病」と呼び捨てる。彼らに従えば、「理窟」を許すこと、「意味」を孕むことによって、テクストとは、著しく《世界》を隠すものの謂となる。むろん冷静な柄谷にとって《直接的な世界》が美であり得ようはずもないし、ましてや、子規流のひどく単純な反映論に、柄谷ほど無縁な者も稀であろう。実際、最近では『小林秀雄をこえて』とまで言明する当代屈指の批評家(7)がここで望んでいるのは、結びつくことではなく切れていることなのだ。しかし、《直接的な世界》そのものについて繰返すなら、両者がともに他ならぬ消去法(テロル)のただなかからこれを措定していること、逆に言えば、彼らのテロルを受け入れることによって、テクストの方が彼らに《世界》なるまぼろしを与えているといった事態には一向変りはない。彼らは等しくまた、この事態を超えた何処かに世界が《ある》と信じている。だが(必要ならこのさき何度でも強調するつもりだけれど)、《世界》とは、それを何らかのものと思考し意味づける、その考え方、意味づけ方のさなかに初めて創り出されるものである。

ぼくらはなにも定義の問題にこだわるのではない。はっきりと知っておきたいのは、自分たちがどんな場所にいて、その場所で十全であろうとする意欲を何が妨げるかということなのだ。ぼくらを取巻いて休みなく増殖する触手、いたるところで反復し連結しあるいは短絡しながら、限りなく失効しまた生気を帯びる回路、ひとたびテクストを意識した瞬間から、ぼくらは《現実》という名のこの回路のただなかで促され、そして促そうとする。このとき、知的であることはそれでもまだ、なにかしら疚しいことだろうか? 実際、好むと否とにかかわらず、知的であるより他に、この回路のなかでぼくらはどれほど有効な手段を持ち得るのだろう? なるほど遁辞はたえず蠱惑に富んでいたし、だからこそ百年もの間ぼくらは「文学」にかぶれつづけ、テクストをなおざりにして来られたのかも知れない。しかし、風化しやすいのはむしろ感性の方なのだ。

最後にもう一度だけ『意味という病』の著者の主張に耳を貸しておこう。《切断》のあかしを眺め渡したあとで、著者自身の文学観が厳かに言明されるあのくだりである。田山花袋の「小説」に柳田国男の《文学》を対峙させるために、柄谷行人は、柳田の『山の人生』の冒頭から「三十年あまり前、世間のひどく不景気であつた年に、西美濃の山の中で炭を焼く五十ばかりの男が、子供を二人まで、鉞(まさかり)で斫り殺した」話を引く。

> 女房はとくに死んで、あとには十三になる男が一人あつた。そこへどうした事情であつたか、同じ歳くらゐの小娘を貰つて来て、山の炭焼小屋で一緒に育てゝ居た。其子たちの名前はもう私も忘れてしまつた。何としても炭は売れず、何度里へ降りても、いつも一合の米も手に入らなかつた。最後の日にも空手で戻つて来て、飢ゑきつて居る小さい者の顔を見るのがつらさに、すつと小屋の奥へ入つて昼寝をしてしまつた。
>
> 眼がさめて見ると、**小屋の口一ぱいに夕陽がさして居た**。秋の末の事であつたと謂ふ。二人の子供がその日当りの処にしやがんで、頻りに何かして居るので、傍へ行つて見たら一生懸命に仕事に使ふ大きな斧を磨いて居た。阿爺(おとう)、此でわたしたちを殺して呉れと謂つたさうである。さうして**入口**の材木を枕にして、二人ながら仰向けに寝たさうである。それを見るとくら〱として、前後の考も無く二人の首を打落してしまつた。**それで**自分は死ぬことが出来なくて、やがて捕へられて牢に入れられた。

柳田はこの話を「我々が空想で描いて見る世界よりも、隠れた現実の方が遙かに物深い。又我々をして考へしめる」と結ぶのだが、それに漱石を近づけた上で柄谷はこう断言する。

ものを書ける人間ばかりがいるわけではない。子供をふらふらと殺してしまった父親は、その「心の経路」をありのままに表現することなどできない。いや、誰にしたってありのままに表現することはできないのである。できなくても構わない。ただ表現できない不透過な部分が人間の行為にはつきまとっているということを、漱石は「人間の条件」のようにみていたのである。

（「人間的なもの」）

そうだろうか？　ぼくらに言わせれば他ならぬ柄谷が柳田が漱石が、つまり「ものを書ける人間」が「子供をふらふらと殺してしまった父親」の存在をスキャンダラスにするのだ。あるいは、様々な「父親」を書き分けてきたひろがりのうちに登場することによって、この父親は何かしら意義深いものとして存在しはじめるのであり、事実、もっと端的に指摘してしまえば、ここで柄谷に働きかけ、彼「をして考へしめ」、ぼくらからすれば多少センチな感慨に耽らせるものは、この悲惨な出来事そのものであるよりは、むしろ柳田のレトリックなのだ。

柳田の文章を（ぼくらの施した傍点ゴチックに注意して）もう一度注意深く読んでみるとよい。これが柄谷を動かす第一の理由は、おそらく、最後の一文を導く「それで」という接続詞の用法にかかっているだろう。通常ならここには「しかし」といった逆接的な意味づけのことばが現われ、ぼくらを出来事そのものから遠ざける。もとよりこれは柄谷自身の論法であって、別の場所[8]では接続詞の性格に言及してこれとほぼ同じことを記してさえいるのだから、柄谷がこの「それで」を強く意識していたことは想像に難くない。それに触れないのは、だから繰返しの煩を嫌っただけのことであるかも知れぬ。しかし、ここには、まさにそうした逐語的な問題に立入った一瞬にあらわとなる事柄が直観的に回避されているふしが見うけられる。いや、直観的というよりはかなり意図的にだろうか。と言うのも、彼は是が非でもこの一文を「炭焼の父親」が柳田に直接語ったものに仕立てあげようとしているのだ。引用のすぐあとに「柳田はもう一つ、母親が子供を殺す話を記しているのだが、それは省略する。右と同じようなケースである。役人だった柳田は彼らを特赦にしたのだが（…）」とあって、問題の文章だけからはなるほど、ある農政官が担当事件の犯人と相対して、柄谷流に言えば「一種いいようのない衝撃」を受けながら調書を取る光景が容易に浮んでくるわけだが、必ずしもそうでなかったことは、柳田自身が「此親爺がもう六十近くなつてから、特赦を受けて世の中へ出て来たのである。さうして其からどうなつたか、すぐに又分らなくなつてしまつた。私は仔細あつて只一度、此一件書類を読んで見たことがあるが（…）」と書き添えている（柄谷の引用には省略されている）ことからも明らかである。

　にもかかわらず、柳田とこの親族殺害犯とのより直接的な交流の具体的な場面をさえ、柄谷があえてほのめかさずにはいられなかった理由、すなわち柄谷をそれほどにまで促す第二の動因は、この一文の巧妙な直叙仕立てにあるだろうし、第三の、柄谷にとってはたぶんさらに容認しがたい理由は、そうした直叙性によって独特の緊張を与えられている一文の極めて美的な性格である。

忘れてならぬのは、柳田の目にした実際の調書もふくめ、ここにもまた、ある混沌とした連続をめぐり無数の書換の可能性が取巻いていることだ。その可能性のうちから、あくまで直叙仕立てに（このとき肝心の場面に至って多用される柳田一流の伝聞体は絶妙の遁辞となる）、「小屋の口一ぱい」の「夕日」を、「秋の末」を、斧を磨く情景を、「入口の材木」（やがて流血を見るこの場所はすでに夕日に染められている！）を、そしてとりわけ、「くらくら」なる見事なオノマトペを選び際立てる。――こうした一連の「手法」が、繰返せばその他様々に失効した「手法」との新鮮な落差において、実は「我々をして考へしめる」のだ。柳田はここでまぎれもなく、ある効果を意識している。そう言って悪ければ、ひとたびそのなかにいることを知ったときから、すべてを有効性の度合に賭けるよりない事態を直観している。仮に実際の調書を書き写せたとしても、それだけでは彼にとってまだ十分ではなかったのだ。ちょうど柄谷にとって、柳田の一文のかたわらにはさらに、ほの暗い調書部屋の場面が必要だったように。余人なら別段の文句もない。ただ、別の場所では「事実」とは「表現形式に他ならぬ」と立派に言ってのける柄谷である以上、彼にはたとえば、「しかし」が「手法」であるのと等しく、「現実をあるがままに見ている」（「夢の世界」）と思わせる「それで」流のことばもまた「手法」であることを、そして、一から十まで「手法」であるより他にないことばがぼくらを促す由縁を問う義務がありはしないか？「表現できない不透過な部分が人間の行為にはつきまとっているということ」は、それ自体としてなら「ただそこに《ある》だけの世界」と同様、もはやぼくらをどのような諦観にも嘔吐にも恍惚にも誘いはしないのだから。

「テクストは世界を隠す」——これは錯覚であるとぼくらは書いて来た。が、悪いことに、それはテクストの存在を意識したときにまぎれこむ本質的誤謬の、まだほんの一面にすぎないのだ。その根強さを証するかのように、同じ誤謬から人はまたしばしば反対の公理さえ引き出しうるのだ。すなわち「テクストは世界をあばく」のだ、と。

　際立てられるのは、今度は逆に、テクストの形式性に対する探究と信頼である。もとより、そのこと自体はぼくらの望むところであるわけだから事は他日の詳述に譲るよりないのだが、たとえばシュールレアリスムにしろ「異化理論」にしろ、形式の復権を唱えるその有益な傾向に関していま十分警戒しておかねばならぬ点があるとすれば、それは、この傾きのところどころを襲って頑迷な合目的性のしのびこむことである。ぼくらは決して形式を《手段》とは考えていない。形式の開拓を通して「テクストは世界をあばく」としても、そのあばかれた《世界》がやはり形式の実践の外に措定されるとき、あるいは、この外なるものと人間との古びたロマンスが約束されるとき、この公理はもうひとつの公理との意外な呼応を窺わせながら、ぼくらの場所から再び遠ざかってしまう。

> 思想とことばは、霊感を受けたものの体験に追いつくことができない。それゆえ、芸術家は単に一般的言語（概念）ばかりでなく、一定の意味をもたない（凍ってない）、個人的な（創作者は個人的である）言語、すなわち、意味のない言語（ザウームヌイ・ヤズイク）によって自己を表現する自由がある。

（…）言葉は死んでいくが、世界は永遠に若い。芸術家は世界を新しく見直し、アダムのように、万物に自分の名称を与えるのである。百合は美しい、しかし、使い古され、《汚されたけが》《百合》という単語は不様ぶざまである。それゆえ私は百合のことを《eybI イエウイ》と勝手に名づける。すると、もとの清純さがとりもどされるのである。

（『言葉そのものの宣言』傍点訳文）[9]

ロシア未来派の実験的な試みを顕揚して、シクロフスキイがその論文「詩と意味のない言語について」に引くクルチョーヌィフの有名な一節である。たぶんこうした激越なロマンティスムを一面において強く引きずるところに、「異化理論」の危うい陥穽があるはずだし、同じくここにはさらに、癒しがたい錯覚がその最も尖鋭な姿を示していて、たとえば、ある花をめぐり《牡丹／深見草》の差異に全く恵まれなかった場合に、子規もまた踏み込んだに相違ない地平をはっきりと覗かせている。「言葉は死んでいくが、世界は永遠に若い」――サロートが「名づけ得ぬもの」と繰返してはロブ＝グリエらと挟を分かつのもまさにこれゆえであるし、『意味という病』の著者が自明のものとして抱えこむのも、やはり同じ錯覚なのである。

結局、ぼくらが強く異議を呈するのは《表現》という名のドグマに対してなのだ。あらゆる徴候がぼくらの回路を遮断する。《表現》という錯覚を可能にする固定した二分法は、その都度ぼくらから真の《現実》を遠ざけ、そのなかでぼくらが「人間的なもの」を賭けうる契機の十全さを、露骨に巧妙にあるいは半ば自動的に奪いとってしまう。《世界》も《人間》も初めから《ある》わけではない。テクストがそれらを受け入れるのではなく、むしろそれらがテクストを待ちうけている。「世界が永遠に若い」のは、この回路のなかでことばが絶えず死んでいくからに他ならぬし、テクストはまたこの場所で、世界を隠しもしなければ、あばきもしない。隠されたものとして、あばかれたものとして、それは刻々に世界を、そしてぼくらを創り出すのだ。「美しい花がある、花の美しさといふ様なものはない」。——そうだろうか? たとえそれがどのように耐え難いことであるとしても、まさに「花の美しさ」しかありようのない事態について、ぼくらは語りつづけるだろう。

註

(1) ただし古井のこのテクストについては重大な留保を必要とする。正確には、「描写」にまといつきその多義に富んで生産的な側面を一義的な「意味性」に還元するときに、「説明」は最も反動的な性格をあらわにするのだが、『先導獣の話』ではこの点に関して特筆に価する試みがなされており、引用されたような調子の「説明」を実は連綿とつらね、そこに圧倒的な優位を与えることによって、古井はここで「説明」そのものの自壊作用を導きだそうとしているかに思われる。このテクストはあくまで説明の「合理」によって進行する。『先導獣の話』の不思議な緊張はつまり「あまりに合理的なものは、ある時、そっくりそのまま非合理的なものであるのだ」と記されるところを、他ならぬテクストの内側から照し出そうとする持続にかかっているだろう。因に、このくだりを引用する柄谷の「説明」はこうである。
《これらの作品においてすでに古井氏は、人間の人格・心理・思想といったあいまいなものを少しも信じていない。人間を〝群れ〟の構造からとらえようとする認識、あるいは個体を、自ら統合しえないならいつ流出してしまうかもしれないものとしてとらえる認識、このような認識の根底にあるのは、人間についてのもろもろの形而上学、いいかえれば「意味の体系」への否認である。》（「小説の方法的懐疑」）

仮に古井がそうしたものを「信じていない」としても、批評の誠実は、にもかかわらず作家が信じているものについて語ることにあるだろう。

（2） *Noveau Roman:hier,aujourd'hui* , collection 10/18 U.G.D.1971 p.51

（3）「導体」はぼくらの造語ではなく、クロード・シモンの《Les Corps conducteurs》によるものだが、これはテクストのふたつの側面に関して用いることができるはずだ。一方は、テクストのいわば「自己再現」的な性格にかかわり、他方は、イデオロギーの発動体としての側面にかかっている。別の機会に指摘してきたことだが、テクストはある場合、その持続ともに生みだされる多様な規則に導かれ自らを紡いでいく。と同時に、そのような内的な進行にあるいは全面的に委ねられ、あるいはそれを頑強に拒み、またはそのふたつの傾きを半ばしながら、実現されたことばが外に対して、内容ばかりでなく、むしろその形式的な諸性格において他を促そうと働きかける。一方を「ポエティック」他方を「レトリック」とするぼくらの見解はすでに明らかなはずだが（江中直紀「（レ）トリックへむかって」参照）、そうした内的・外的なテクストのふたつの性格を総じて、ぼくらは今後とも「導体」なる語を使用するつもりだ。

（4） 渡部直己「幻想文学論序説」（『早稲田文学』一九七九年十二月号）参照。本書次章にも詳述。

（5） むろんここで第三の「事態」が生じる。テクストと「絵」との差異に強く促される事態である。子規が「病牀六尺」の最後の数歳を主として「写生文」と草花の「スケッチ」に費したことは、この点に資してすこぶる示唆的であるだろう。彼の晩年の別な意味での苛烈さはたぶん、そこに根ざすように思われる。

（6）「明治二十九年の俳句界」（八）。
子規はそこで俳句における「印象」と「余韻」のかかわりを説きながら、芭蕉の「あら海や佐渡に横たふ天の川」に及び、一句の印象が言われるほどには「明瞭」でないところを、次のような論法で導こうとしている。

《此句を熟読し又は此句の由来を知る人は初より種々の印象を起すといへども开(そ)は自己の妄想より来る者にして此句が現す者に非ず。姑(しばら)く虚心平気に帰り始めて此句許りを読む者として考へよ。而して後此句の印象不明瞭なる点を知るべし。》

ここには、テクストに行使した子規のテロルの最も効果的なすがたが示されているだろう。すなわち「再読」と「文脈」を否定すること。たしかに、このふたつを奪われるとき、テクストなど何ものでもありえない。

（7）　たしかにぼくらは、『意味という病』なる旧作にかたよって柄谷を語りすぎているかも知れない。この書物について、著者自身が「一言でいえば、本書は不徹底なのだ。あらゆる意味で、ここには過渡的な状態における混乱、あいまいさ、惰性態がある」（「第二版へのあとがき」）と記すところを知らぬわけでもないし、最近の柄谷がいくつかの意味において、旧作の「混乱」を乗り越えた地点にいることは承知している。『マルクス その可能性の中心』や『日本近代文学の起源』に対しては、ぼくらもまた相応の敬意を吝かにするものではない。が、究極においてこの批評家はテクストを信じていない。「偏差のたわむれ」であるとか「差延」であるとか、魅力的な用語を華々しく口にするわりには、それらをそのようなものとしてあらしめる、より具体的な所与をむしろ唾棄してさえいる。少なくとも、彼は旧作において「マルクスの有名なことばをもじっていえば、意識が言語を規定するのではなく、言語が意識を規定するのだ」と掲げたその先に出ようとはしていない。それなら、何が言語を規定するのだろう？　すなわち、柄谷行人の果断なマテリアリスムのうちには、残念なことに、いまだテクストの存在は登録されていないのだ。

（8）「夢の世界」参照。柄谷はそこで、十二世紀アイスランドの作家の「髪は巻き毛で栗色、眼も美しかった。顔色はとてもあおく、鋭い目鼻立ちをしていた。鍵鼻で、出歯のために口元はみにくかった。彼は徹頭徹尾、戦士だった」を引いて、次のように説いている。
《右のような「併列」的文体では、「眼が美しかった」と「口元がみにくかった」の間に but という語がはさまっていないことに注目すべきだろう。そこに but という語をいれてしまうのは、英雄はかくあるべきだという理念と実はこうだという現実の「矛盾」を意識するからだが、そういう矛盾はただわれわれの観念がつくり出したもので、この伝説の書き手は一見「在りさうもない」現実をあるがままに見ているのである。》

（9）『ロシア・フォルマリズム論集』（現代思潮社一九七一年）所収。

＊冒頭のエピグラフは高橋健二・秋山英夫の訳による。

※　この文章は、『早稲田文学』一九八一年九月号に、レトリック研究会の合同発表「意味の網目から」の総題のもと、江中直紀「（レ）トリックへむかって」、芳川泰久「字物のユートピア」とともに掲載されたものである。本文中の※印部分にいう「三度引いたことになる」とは、漱石『文学論』における同じ一節を、江中・芳川両氏も引用していたことをさす。その一パラグラフは、両氏の文脈もふまえている。
なお、レトリック研究会は、一九七九年十二月に、早稲田大学大学院フランス文学研究科平岡篤頼ゼミの卒業生・在学生を中心に発足した勉強会で、毎月一回、各回の担当者による発表をもとにした研究・議論の

場として維持された(江中直紀を指南役とする)七、八名ほどの集まりだった。この批評文における「ぼくら」という主語には、この研究会の面々との懐かしくも青々と背伸びした連帯意識のようなものが窺われる。

付けて、本文で分析した柳田国男『山の人生』にかんして……この文章を書いた八一年当時、わたしは、谷川健一の「聞き書「新四郎さ」——山の人生をめぐる新資料」(一九七四年)を読んでいなかった。その谷川論文は、発掘した民間資料(金子貞二『奥美濃よもやま話 三』——そこには、状況は酷似し、内容は異なる同じ炭焼男の話が採録されている)を参照し、『山の人生』冒頭のくだんのエピソードが柳田による捏造だった可能性を示唆したエッセイだが、わたしがこの「資料」を知ったのは、二十年後のことだった(谷川健一『柳田民俗学』二〇〇一年)。この点は、先頃、この小文を肯定的に紹介してくれた絓秀実・木藤亮太『アナキスト民俗学』(二〇一七年 248-252P)のいうとおり、「怠慢」の誹りはまぬかれない。が、知らなくても最低これくらいのことは気づかせてくれるのだ。それが当時の「テクスト論」の強みであったかとおもう。

(二〇二一・一一・一七後記)

リアリズム批判序説——正岡子規における〈明視＝名詞〉の構造

芸術作品の形式は、それ以前に存在してきたほかの形式との関係によって決定される。（…）新しい形式は、新しい内容を表現するためにではなく、すでに芸術性を喪失してしまった古い形式にとってかわるものとして出現するのである。

シクロフスキー『散文の理論』

（…）といっても、理性が進歩したのではない。ただ、物とそれらを類別して知にさしだす秩序との存在様態が、根本的に変質してしまったのである。

フーコー『言葉と物』

1 「リアリズムの源流」

いまとなってはことさら厳密な定義づけも必要とせず、このせいか、実際どんな文脈にも過不足なくおさまってしまうその貴重な一語に、たとえば「限界」といった否定的な言葉を取りあわせて、いくらか悲壮に、リアリズムの限界と叫んでみる。すると、この成句は、「文学の危機」「文学の衰弱」「文学の解体」などといった馴染ぶかい同義語をいくつも引きよせながら、それだけでもう何か「本質的」な論議の発端を用意するだろう。あるいは逆に、リアリズムの可能性とでも口ごもってみようか。現状ではたしかに、この肯定的な成句を真正面から声高に云々するのは容易ではないのだから、できるだけ慎重に周到に小声で呟きはじめる必要はある。が、結局は同じことなのだ。呟きの慎重さや周到さの度合に応じて、よそ目には「危機」や「衰弱」や「解体」とみえるその同じ光景をすらこの成句に回収しつつ、人はまた、それなり貴重な饒舌をこちらからもたやすく引きだしうるのかもしれない。

しかし、「リアリズムの限界」にせよ、「リアリズムの可能性」にせよ、これらはともに、ほとんど同語反復的な成句ではないのか？　なぜなら、「リアリズム」とはまさに、それじしんにあらかじめ限界を付与することから発する何かであり、みずからの条件であるその限界性のただなかで初めて、相応の可能性をもちうる何かであるからだ。「リアリズム」とはつまり、限界がそのまま可能性であるような場における理論であり方法であると思われるのだが、このことはただちに、ごく単純な反省——たとえば、あらゆる文学作品は言葉から作られており、言葉はそして、それが指呼する概念と同一ではなく、概念はさらに実体と同一化しえぬといった事実ほど自明ではないものの、ある意味ではやはりこれと同程度に単純で原理的な、それゆえ時として逆に都合よく失念されがちな反省として、次のような問いを惹起することになる。すなわち、「リアリズム」とは何かをより良く視つめることなのか、と。その失調や回復が折にふれ取沙汰されつづけてきた「リアリズム」とは果たして、これまで漠然とそう信じられてきたとおり、何かを、時代が進むにつれ複雑化するより多くの何かを熟視することにかかってきたのだろうか?

たぶん逆なのだ。それはむしろ、より少なく視るための理論であり方法であって、「リアリズム」がかりに、ある種劃然たる〈視線〉の獲得と薫育に資するためのものだとしても、この理論＝方法の第一の特性は、可視物の無秩序と過剰さに瞳が耐えきれなくなることを防ぐための、いわば未然の節約にかかっている。『言葉と物』のM・フーコーをもじるなら、文学と呼ばれる場所でここ百年近くのあいだ、われわれが以前より何かをより良く熟視しうるようになったと感じてきたのは、「リアリズム」という経済的な格子をとおして、われわれがたんに余計なものを視ないように努めてきたからにすぎぬのだ、といってもよい。

むろん、格子によって何かが視えるようになったことじたいを否定するわけにはいかぬし、少なくとも当初において、これが日本の「近代文学」に新鮮な〈明視〉をもたらした点は疑いようのない事実であろう。その記憶が温存されてあるからこそ、近年にいたるまで、文学を語ることとこの理論＝方法の働きを問うこととが、ほぼ相即の関係を保ちえてもきたはずなのだ。〈文学＝リアリズム〉というこの構図の執拗な延命ぶりは、ごく最近のふたつの話題作、『自由と禁忌』と『マス・イメージ論』にあたるだけでも明らかであり、既知の「リアリズム」をどう回復するかを問う前者と見事な平仄を合わせるかのように、後者もまた結局のところ、未知の「リアリズム」をどう受けとめるかに腐心するといったありさまなのだ。こうした事態に根本的な（つまり絶えず具体的な）批判を加えること。そのための基礎作業がここで目論まれている以上、われわれはまずその当初に着目しなければならぬのだが、このとき、批判の発端は『自由と禁忌』の著者がすでに十数年前に指摘した場所とほぼ重なりあうことになる。

その貴重な論考において、「リアリズムの源流」を坪内逍遙と二葉亭四迷にではなく、正岡子規と高浜虚子に求める江藤淳は、子規の「小園の記」や虚子の「浅草のくさ〴〵」などを引きながら、明治三十年前後という時代の「転換期——historical dislocation の割れ目から」「写生文という新しい文体があらわれて、人々の眼を新しいものにひらいた」（傍点原文）と断じてみせる。ついで彼は、「写生文の理論が、もともと散文論としてではなく俳論として唱道されたという事実」に着目し、子規の「明治二十九年の俳句界」の一節とともに次のように記すことになる。

《……或人又曰く

あら海や佐渡に横たふ天の川　　芭蕉

の句の如きは余韻ありて印象明瞭なる者に非ずやと。答へて曰く、此句を夏草の句に比せんに、余韻は彼よりも少く印象は彼よりも明なり。されども之を前に挙げたる碧梧桐の句等に比するに、印象明瞭の度は遙に劣れり。此句を熟読し又は此句の由来を知る人は初より種々の印象を起すといへども、开(それ)は自己の妄想より来る者にして此句が現す者に非(あら)ず。姑(しばら)く虚心平気に帰り始めて此句ばかりを読む者として考へよ。而して後此句の印象不明瞭なる点を知るべし》

この意見の当否は別として、このときの子規の心情には、共感すべきものがあるように思われる。彼は思いつめていたのであり、ものに直面し、それをとらわれぬ眼で認識することの必要性を、極論しなければならぬと感じていたのである。おそらく彼の眼には、世界は同時代者の眼に映じているのとは、よほどちがったかたちに見えはじめていた。それは時代の急速な転換のためだったかも知れず、死が彼に近づきつつあるためだったかも知れない。いずれにせよ、重い、名づけようのないものが、彼の六尺の病床を取り囲みはじめていた。このものを描かねばならぬと、子規は感じたのである。

（「リアリズムの源流」・『新潮』昭和四六年一〇月号・傍点原文）

たしかに、「文学史」の通例に抗ってまで、ことの当初に「写生文」の存在を顕揚し、さらにその起源として子規の俳論を取りあげる江藤の炯眼は敬服に価する。江藤によるこうした評価があらわれるまで、子規らの「写生文」は、昭和期の「生活綴方」運動の淵源として指摘されるか、夏目漱石や志賀直哉にかかわるさほど重大でもない傍証程度の処遇しか受けてはいなかったし、俳句とそれにかんする理論にしても、「近代文学」の中枢を担うものとして正面から論じられはしなかったのだ。したがって、これらを「リアリズムの源流」に位置づける視点そのものの果敢さ鋭さはわれわれにとってきわめて貴重であり、たとえそれが、同時代に台頭した「内向の世代」の自閉性への牽制といったいくぶんか露骨な底意をもち（副題には「写生文と他者の問題」とある）、それゆえ子規よりは虚子を過大視する傾向を示そうとも、その程度のことは微疵に類する。「源流」はたしかにここにある。

そう認めた上で、われわれはしかし、この同じ出発点において江藤があえて見落していることがらから始めなければならない。小林秀雄の子規へのオマージュ（「物質への情熱」）を小気味よく活気づけていた断定形と響き交わすかのように、江藤はたんに、「ものに直面し、ものをとらわれぬ眼で認識することとの必要性」とのみ記す。だが、その「とらわれぬ眼」は具体的にどのようにして養われたのか？　子規の「リアリズム」が、彼を取り巻いて当時あらたに出現しつつあった「名づけようのないもの」を看取しうる〈視線〉の獲得にかかっていたとしても、その〈視線〉は実際どのような方途によって可能となったのか？　原因と結果は記されている。子規にあって「とらわれぬ眼」が「必要」だったのは、彼の周囲には「形骸化し、あらわれつつある名づけ得ない新しいものを蔽いつくすような「文語体の余脈」しかなかった」（傍点原文）からだし、この「必要」が実現された結果、自己の「内」と「外」とを同時に描出しうるリアリズムが「活き」はじめ、虚子へと引き継がれてさらに、「他者を許容するリアリズムの文体が生れて行く」ことになる。江藤はそう書いて、「天才」の一語によってすべてを都合よく不問に付した小林秀雄とはまた別途に出ようとしてはいる。だが、短絡の非は江藤においても同様なのだ。「リアリズムの源流」はここで、彼によって原因と結果のあいだでまさに宙に吊られてしまったその過程に探られるべきものであり、この意味では、彼が子規の「心情」を読み取るだけで満足した右の一節中、最も重要なのは「姑く虚心平気に帰り始めて此句ばかりを読む者として考へよ」という実践的な命令の存在にほかならない。「あら海や佐渡に横たふ天の川」という芭蕉の句については、「此句を熟読し又此句の由来を知る人」とそうでない人とではおのずから鑑賞を異にする。だが、前者がこの句に認める美質は、結局のところ「自己の妄想」に発するのであって、一句に固有のものではないのだから「姑く虚心平気に帰り始めて此句ばかりを読む者として考へ」るべきである。このとき人は、たとえば碧梧桐の「赤い椿白い椿と落ちにけり」などに比べ、芭蕉の句が「印象明瞭の度」においてはるかに劣っている点を悟るだろう。子規はそう断じているわけだが、ここで注目に価するのはほかでもない。再読や文脈の介在性がひとつの句の「印象」を左右しうる点を子規が知悉していることである。一句の価値を裁定することと、再読や文脈の拒否といった実践的な操作とが、連動し一体化していること。実践を離れた場所にどのような新生もありえぬとすれば、要はまさにそこにあり、言葉そのものにたいするこの種の実践的な操作のありようをつぶさに眺め直すことが、われわれの急務となるだろう。

このことはまた、「夕顔の花」をめぐる子規と虚子との見解の相違（この言葉に「源氏以来の歴史的連想即ち空想的趣味」を認めるか否か）について、それは「いわば二人のリアリズム観の本質に触れた応酬にほかならない」としながら、江藤淳が次のように書き継ぐところにかんしても同断である。

極言すれば、子規の意識のなかでは、「夕顔の花」は、「夕顔の花」という言葉ではなくて、「其花の形状等目前に見る」印象の集合でありさえすればよい。ここでは言葉は言葉としての自律性を剝奪されて、無限に一種透明な記号に近づくことになるからである。（同右）

ならば、子規にあってはどのような操作と連動して、言葉が「無限に一種透明な記号に近づくこと」が可能となったのか？　繰りかえしそう問いかけながら、われわれはこのとき、はからずも『日本近代文学の起源』の柄谷行人と近い場所に立っているといえるかもしれない。

たしかに、ここでの目論みもやはり、「内」と「外」をめぐる「記号論的な布置の転倒」（柄谷行人）に近い動勢を探ることにあるのだし、その「転倒」を正統化しうる新たな可視性の場の成立がこれから問われようとしているのだから、柄谷のこの書物を無視するわけにはいかない。国木田独歩の「描写」にかんして「風景は、むしろ「外」をみない人間によってみいだされたのである」といった果断な一文を記したすぐあとで、「ノートをもって野外に出、俳句というかたちで「写生」することを実行し提唱」した子規に触れ、江藤淳の右の所見をふまえながら、柄谷はたとえばこう書いているのだ。

（…）しかし、実は「写生」そのものに、独歩と同質の転倒が潜在したことをみおとしてはならない。それはむしろ高浜虚子において顕在化するとしても、写生文がもちえた影響力の秘密はそこにあった。「描写」とは、たんに外界を描くということとは異質ななにかだった。

「外界」そのものが見出されねばならなかったからである。

だが、それは視覚の問題ではない。知覚の様態を変えるこの転倒は、「外」にも「内」にもなく、記号論的な布置の転倒にこそあった。

（『日本近代文学の起源』「風景の発見」）

そう、ことはたんに「視覚の問題」ではなかったのだ。要はむしろ、視覚が問題になったことであり、視覚を問題化しうる新たな布置関係の場が成立したことにかかっていたのだ。それはたしかだろうし、柄谷のこの視点を、「リアリズムの二面性」といった評言で自己の「内」と「外」とを先験的な所与として単純に定立する江藤淳のそれに比べるなら、同一の「源流」を語って柄谷の方がはるかに示唆的である点も明らかではあるだろう。が、ここにもまた問題がないわけではない。

ひとつには、この「転倒」があまりにも抽象的に語り継がれてしまい、ここでもやはり、「転倒」の具体的な過程が不問に付されてしまうこと。むろん、抽象は柄谷にとってたえず比類なく自覚的な選択であり、極点まで執拗に抽象的たらんとするその緊張こそが『日本近代文学の起源』の最良の文辞を支えてもいるのだから、一事を以ってこの書物全体への批判を担わせるわけにはいかない。だが、少なくとも正岡子規にかんするかぎり、過程を捨象することはすべてを無視することに等しい。ありようはそれほど如実であって、この意味では、「転倒」と呼ぶに足る動勢は、彼の「写生」の場で、「潜在した」どころか、むしろあますところなく顕在化しているのだ。

右と密接に絡みあう第二点として、江藤淳とともに柄谷もまた、「写生文」を俳句革新の延長とみなしていることに留意しておきたい。後に明らかにするように、それは延長ではなく極度の亀裂であって、子規から虚子へと引き継がれた「写生文」とは、俳句というフラスコのなかで誕生した〈視線〉の健康を曇らせ、ある種必然的な趨勢にしたがってこれを逆に蝕んでゆく方向に展開するものである。散文革新をめざした子規‐虚子のリレーにおいて「顕在化」したのは、柄谷のいう「転倒」ではなくじつはもっと別の光景なのだが、立脚点の整備はこれぐらいでよいだろう。江藤や柄谷の果断にならって、われわれもまた「定説」に挑戦してみなければならない。

正岡子規は果たして、「物質への情熱」（小林秀雄）に憑かれた眼の人であったか？――この問いをめぐりわれわれが主として着目するのは、直接にはしかし、『寒山落木』でも『俳句稿』でもない。これらに収められた夥しい量の俳句ではなく、作句と同量の情熱を傾けて子規が持続した言葉に対する三様の特徴的なふるまい、「作品と実生活」との間で一般にはたやすく看過されがちな、三つの互いに連携しあう実践の存在がわれわれの対象となるのだ。

すなわち、言葉を分類すること、比較すること、置換すること。

2　俳句分類

自選句集『獺祭書屋俳句帖抄』上巻（明治三五年）の自序で、子規は、彼と俳句との出会いについて次のように記している。著作年譜によれば、明治三十五年二月十日の一文。死が半年ほど後に迫った病牀からの回想である。

自分が俳句を始めたのはいつからといふ事もない。又誰れに習つたといふ事もない（…）。自分が俳句に熱心になつた事の始りは趣味の上からよりも寧ろ理窟の上から来た原因が多く影響してをる。其は俳句分類といふ書物を編纂せうと思ひついた為に非常に熱心になり始めた。而して此理窟的研究は他の一方に於て俳句の趣味を自分に伝へるやうになつたのである。（…）

俳句分類の研究が昔の連歌時代より始まつて、それから貞徳派の無趣味なる滑稽時代を過ぎ、宗因の談林に至つて僅に一点の活気を認めながら尚五里霧中に迷ふてをる有様であつたが、「春の日」「あらの」などゝ漸く佳境に入り始め、はじめて「猿蓑」を繙（ひもと）いた時には一句々々皆面白いやうに思はれて嬉しくてたまらなかつた。其頃別に「三傑集」の端本を一冊持つてをつて、其も面白い句が多いやうに思ふた。これが自分が俳句に於ける進歩の第一歩であつた。少し眼が開いたやうに思ふので旅行をして見たくて堪まらなくなつて三日程武蔵野を廻つて来た。（…）其が明治二十四年の暮の事で此句抄も二十五年から始める事とした。

この「俳句分類」がいつ始められたか正確な日付は残されていないが、他の記事（「俳句分類」「俳諧三佳書序」等）から推して、子規が大学へ進んだ二十三年の秋ごろからとみることが可能である。大学や上野の図書館に日参し、連歌時代から貞門・談林までの古俳句を「写して来ては内で清書」する段階ではまだ「義務のやうに思ふていや〳〵やつてゐた」という（「俳諧三佳書序」）。右にあるように、それが芭蕉で一変する。この体験は長く忘れがたいものだったらしく、「今迄の事を考へると丸で夢のやうで、今僅に眠から覚めた眼に外界の物がはつきりと写る、しかも何も彼も活気を帯びてたやうに見えた」（同右）とか、「夜の明けたるが如き心地に大悟徹底或は是ならんか」（「俳句の初歩」）と繰りかえし記されることにもなる。

この明治二十四年暮れが、文字通り「俳句開眼」の期であったことは誰しも認めるところであり、事実、たんに句作数の飛躍的増大（二四年・四四一句、二五年・二五三三句、二六年・四六三四句——岡井隆『正岡子規』参照）に徴するだけで、この期を境に子規が俳句にのめりこんでいったさまは如実に知られよう。「俳句分類」作業もその後いっそう意欲的に継続され、ほぼ明治三十二年にいたるまで、年によっては日課に等しい状態を示しつつ、最終的には『分類俳句全集』全十二巻（アルス・昭和三年〜四年）の厖大な量が踏破されてしまうのだが、ここで注目したいのは、分類作業そのものが、子規に「俳句の趣味」を伝えたという一事である。この「理窟的研究」がなかったら、自分はたぶん俳句をやっていなかったかもしれない。言外に、子規はそう回想しているかにも思われるのだ。

しかし、これはいささか奇妙な成りゆきではあるまいか、と、たとえば桶谷秀昭のような評家は訝ってしまう（『正岡子規』昭和五八年）。「趣味の上からより寧ろ理窟の上から」と子規はいうが、「趣味」という言葉を「感受性に等しいものと解するなら」、それと「理窟」とではかなり相違がある。「一般的に言つて」、「趣味」（＝「感受性」）を「根底とする文学への這入り方からすれば」、子規の右のような回想は「にはかに肚に落ちがたい何かを感じさせる」。「趣味」の必然がそうさせたのでなければ、「子規はなぜ俳句をえらびそれに生命を打ち込むやうになつたのか」、「そこにどんな内的・外的要因があったのか」と、さかんに疑問符を継いだあげく、桶谷は次のように推測する。すなわち、この「外的要因」は、明治二十五年に子規が書いた小説「月の都」の失敗であり、「内的要因」は「何でも自分の目の前に横つて来た仕事には忠実に従事する」(虚子)という彼の資質であるのだ、と。彼見を仰いだ露伴から「月の都」を突き返された直後、子規は碧梧桐宛の手紙で、「人間よりは花鳥風月が好き也」とうちあけている。桶谷にしたがえばつまり、小説の失敗が「契機となつて」、彼は「自分の「趣味」に直面し」、「直面した事に全力をつくして従事するのは、子規のやり方であつた」から俳句が選ばれたのだということになる。

虚子流に言へば、「人間よりは花鳥風月が好き」といふ「趣味」は、子規の「目の前に横つて来た」事実なのであつた。その事實だけが重要なのであつて、それが、俳句のかたちをとるか、歌のかたちをとるか、寫生文のかたちをとるかは、二の次であった。

(同右「感受性の発見」)

改めて断るまでもなく、この推論は多分にロマンティックなものである。人を文学に惹きつけるのは「感受性」であるという「一般的」な予断に強く依拠しながら、少なくとも「理窟」がその「感受性」を養うはずはないとみなすこと。そうした視点を追認しかつ特権化するかたちで、桶谷は、子規と俳句との紐帯を「理窟」以外のものに求めようと腐心し、彼の性格についての虚子の証言や、ことによると口惜しまぎれの言葉だったかもしれぬ手紙の一節を引き合いに出すのである。だが、ここで問われているのは、「感受性」そのものが生誕する場の性格なのだ。先の柄谷行人に倣うなら、子規において、「感受性」と「文学（俳句）」とは同時に発見されたものにほかならず、その発見は「俳句分類」という「理窟的研究」の場においてなされていたのだ。――ともかくこの場所を検討してみなければならない。このとき、俳句というジャンルの選択が、桶谷の説くごとく子規にとって「二の次」の問題であったか否かも、おのずと明らかになってくるだろう。

「連歌時代」の発句から（最終的には天保期まで）「巧拙に拘らず、時代に拘らず、出来るだけ多くの俳句を網羅してそれを分類せうといふ目論見（もくろみ）」（「俳諧三佳書序」）に支えられたこの分類作業の主眼は、「甲號」と総称される四季の部にあった。アルス版『分類俳句全集』十二巻[1]のうち十一巻の前半までをこの「甲號」が占めているが、注目すべきなのは、子規の創案にかかるその分類＝配列法の性格である。

子規以前、天保期の「月並」俳諧の隆盛を得て広く一般に流布されていた各種「類題句集」では、月別に季題（＝季語）を配列し、各季題の下に例句をおさめるといった体裁がとられていた。これにたいし、「有史以来」はじめて「内容により細別した分類法」（『分類俳句全集』「凡例」）に就いた子規は、まず月別を排し、「歳旦・春・夏・秋・冬」のゆるやかな五大別をたてる。次に、この五季それぞれについて、「時令・天文・地理・人事・動物・植物の六大目に別ち、各大目の下に季題により細別し、各季題の下更にその内容によつて」分類する（同右）。すなわち、春の部の天文の項下には「春風」「東風」「春雨」「陽炎」「霞」などといった季題別の区画が設けられるが、この区画はさらに細分化され、たとえば「春風」の句であれば、一句に詠みこまれてある「春風」以外の「内容」（＝事物＝名詞）の種類にしたがってしかるべき区域に配列されることになる。平均十句前後、二十句を上限とするこの最小区分の小見出しには、先の「六人目」に用いられた「天文」「地理」などのほか、適宜、「器物」「肢体」「衣冠」「神人」などの包括範囲の広い語や、「梅」「竹」「鶯」といった語が用いられ、一例をあげるなら、越人の「春風や帯ゆるみたる寝顔哉」は「春風（衣冠）」に、太祇の「春風や殿まちうくる舟かさり」は「春風（器物）」にみいだされるといった按配である。

また、季題以外に二つの事物を共有する句は、たとえば次のように一括整理されもする。

螢（雨と草）除竹

草の根に螢の消えぬ小雨哉　雨闌（続の原）
螢見し雨の夕や水葵　仙花（炭俵）
草の根を立ち得ぬ雨の螢哉　何大（幣袋）
雨の日は葉裏にともす螢哉　千峰（月影塚）
雨の夜の太藺を辷る螢哉　吟江（心花）
雨の夜の葉裏を伝ふ螢哉　同（推敲日記）

萍に螢しみあふ小雨哉　　紫水（新選）
雨粒の螢になるか蓬原　　梅室（　）ママ

「夏の部」の「動物」目中、「螢」の項下の最小区画のひとつである。みられるとおり、「螢」という季題に「雨」と「草」を詠みこんだ八句が並べられているが、「除竹」とあるのは、この直前に、「螢」に「竹」をあしらった数句が一括されてあるからで、「雨」についても、「螢」と「五月雨」の配合句は別区域におさめられている。さらに右の「水葵」「太藺（ふとゐ）」「萍（うきくさ）」はともに夏季の景物ゆえ、「夏の部・植物」に季題としてたてられ、たとえばそんな際には同じ句が再出することもあるばかりか、句数の多い好季題（S）の場合、右のように二つの事物（A・B）がそこに詠みこまれている句については、必要に応じて〈S－A〉の項にも、〈S－B〉の項にもおさめられることになるのだ（「即ち霞の句としても海と雁とを詠込んだ句の如き場合は、霞と海との項下にも収められ、又再び霞と雁との條下にも現されてゐる」・同右）。――分類のこの執拗に人為的な特性をまず銘記しておきたい。

ここには、子規の「リアリズム」を考えてゆく上で看過できぬ三つの（互いに深く絡みあう）ポイントが存在すると思われるのだが、第一に注目すべきなのはやはり、この分類＝配列法が従来の「季寄せ」の形式と真向から対立する点である。

それまでは、一年のうちどの月に属するかといったことのみ問われていた季題が、この場では、まずその「内容」が「時令・天文・地理・人事・動物・植物」なる「六大目」のいずれに属するかが問われ、次いで、他のどのような事物と組み合わされているかが検討される。むろん、あらかじめ「歳旦・春・夏・秋・冬」の自然な時間軸にそった五部門がたてられてはいる。が、作業の実態からすれば、この時間区分はほとんど積極的な意味をもちえず、問題はあくまで、人為的な分類空間の細分化にかかってくる。前代とのこの対照性は、後年、「月別」を復活させた虚子編『歳時記』との主眼の相違において、より明瞭なかたちで逆転反復されることにもなるのだが、子規による「これ等の区分を撤廃し、季節の推移するまゝに月を逐ふて排列する」(『新歳時記』昭和九年「序」)虚子や、翻って江戸期の編者らにとって、句の配列はそのまま四季の絵巻物になぞらえられるべきものだったとすれば、古俳句の累積を前にした子規はここで、いわば厖大な標本の作成を試みているのだと記すことができる。実際、子規の分類意識は、ちょうど〈門-類-科-属〉と順次審級を狭めてゆく生物学上のそれとほぼ等質のものであり、先に引いた越人や太祇の句は、昆虫か草花のように、それぞれ、〈春門天文類春風科衣冠属〉、同〈器物属〉と、しかるべき位置にピンで留められてあるに等しい。

この厖大な標本の平面には無数の格子壁が縦横に走り、格子に縁取られた一区画に目をやりさえすれば、同じ季題に同じ事物を詠みこんだ十数句が「巧拙に拘らず、時代に拘らず」一望のもとに見出される。そうした新たな可視性の場にかんする第二のポイントは、この格子壁の存在が、一句にまといつく過剰物を徹底して拒否しうることにあるだろう。(2) 名句・駄句の差も有名・無名の別もない。たとえば、芭蕉の「あら海や佐渡に横たふ天の川」を、あくまでも「天の川」という秋の天文の季題に地理(海)を詠みこんだ句として、「飛鳥川とあすは見るらん天の川」(吟江）などの十数句と同じ資格で一区画に並べること。[3] そして、この新たな並びの場で初めて一句の「巧拙」を判断すること。このとき、その判断には、『奥の細道』という文脈も、「横たふ」なる語の破格をめぐるさまざまな「曰く」も、「俳聖芭蕉」にかかわる逸話も介在することなく、一句の価値はもっぱら、同季題に同種の事物を配合した他句との比較からなされることになるだろう。冒頭に引いた一節で、「此句を熟読し又は此句の由来を知る人は初より種々の印象を起すといへども、并は自己の妄想より来る者にして此句が現す者に非ず」と子規が断ずるのもこのことと深くかかわり、こうした分類空間の存在が、彼を促して、まさに「虚心平気に帰り」新たな流儀で俳句を対象化させえたのだといえるはずだが、念のため、一句にまつわる「種々の印象」の一斑をここで確認しておこうか（文中の一句の表記のちがいは不問とする）。

酒田のなごり日を重ねて、北陸道の雲に望む。遙々の思ひ胸をいたましめて、加賀の府まで百三十里と聞く。鼠の関を越ゆれば、越後の地に歩行を改めて、越中の国市振の関に到る。この間九日、暑湿の労に神を悩まし、病おこりて事をしるさず。

文月や六日も常の夜には似ず
荒海や佐渡に横たふ天の河

（『おくのほそ道』角川文庫版）

実際、右のような文脈中にみいだされるとき、問題の句は、さまざまな「印象」（「妄想」）を読む者のうちに掻きたてずにはいない。たとえば、「文月」の句と隣接することによって、一句中の「天の河」はたんに「天文」上の実体を指呼するだけでなく、それ以上に強く「二星交会の場」を含意してしまう。と同時に、年に一度のその逢瀬のイメージは、「佐渡」という地名をも刺戟し、かつて貴種遠離の地であり当時は流人の島でもあったこの場所にまつわる幾多の悲話をそこに孕ませつつ、「荒海や」という初五の切字にひときわ抜き難い哀愁を担わせてしまうだろう。また、「この間九日、暑湿の労に神を悩まし、病おこりて」とある直前のくだりは、「横たふ」の破調と微妙に響きあい、暗天に白々と横たわっているのが、さながら旅泊に病を得た者の魂でもあるかのような、渾然として天地人一体と化す詩趣を一句へひそかにまといつかせているかもしれぬ。さらに、この「佐渡」が金鉱の地であることに深くとらわれる者であれば、黝々とした視界に浮ぶ「金の島」と「銀河」との配合に、別種の感興を抱かぬともかぎらない。

こうした「種々の印象」を過剰な「妄想」として排斥すること。そのために、一句をほんらいの文脈から奪い、句中の〈名詞〉（「天の河」「荒海」「佐渡」）をあくまでも「天文」や「地理」上の実体を指示する記号としてみなしうるような、また、記号としての透明度を測りうるような場を設定すること。その場所で、「姑く虚心平気に帰り始めて」俳句を眺め直そうとすることは、ちょうど、「生物」にかんする〈観察〉と〈記録〉と〈お伽話〉の三種の言葉たちが「まったく同一の次元で解きがたくもつれあう織物にほかならなかった」ルネサンス期（M・フーコー『言葉と物』）から、リンネが「生物」を救い出した作業の要諦に通ずるだろう。繰りかえしそう換言してよいはずだが、実際、リンネらの「博物学」と同様に、子規もまたここで、いわば重層的な過剰さの温床としてある前代までの言説の場から、俳句という「生物」を単独に救いとり、一句一句を、もっぱらその「特徴（カラクテール）」（季題と配合物）にしたがって対象化し直そうと努めるかにみえるのだ。

ただし、これは何も、「俳句分類」の編者が右のような「妄想」と初めから無縁であったことを意味してはいない。まったく逆なのだ。ここでぜひとも銘記しておきたいのは、子規じしんが、一方ではきわめてブッキッシュな存在であったという一事である。子規がたんに「眼の人」であったのなら、そもそも「俳句分類」のあの厖大な量を半生をかけて踏破する必要など、毛ほどもありはしなかったのだ。

子規の生涯に一貫する言語蒐集癖、記録癖、列挙癖などについては、しばしば「病的な」といった形容とともに諸家の指摘するところでもあるが……たとえば、古来芭蕉の「名句」とされる作も「其句の巧妙なるが為に世に知られるよりは多く「曰く付き」なるを以つて人口に膾炙せられたるなり」（「芭蕉雑談」）と一喝する当人が、そのじつ「曰く」や「由来」一般にどれほどとらわれやすい人間であったかは、「俳句分類」着手と同じ時期、明治二十三年から翌年にかけて作成された「富士のよせ書」（共編）「墨田の由縁」「えりぬき」等の稿本類が如実に証するところである。また、言葉から言葉への執拗で強靱な連想力と、これに支えられた列挙・羅列の活況は、最初期の「筆まかせ」からすでにあらわであり、この男に一語を与えればたちどころに百語二百語を得るといったその趣きは、さらに、「評語集録」（明治二三年）「かさね言葉」（二四年）「たね本」（二四〜二五年）など、一連の語彙録に強く跡をとどめてもいる。かりに、言葉そのものへのフェティッシュな関心と癒着ぶりの逐一を『子規全集』の全域から拾い取って検討を加えてゆくなら、それだけでたぶん、「眼の人」子規について上梓されつづけてきたのと等しい量の書物が書きあげられてしまうに相違ない。こうした場所から、彼の「俳句分類」法を眺め直すこと。このとき、あの無数の分類格子とはまさに、子規じしんのフェティシズムへの防止壁でもあった点をわれわれは容易に看取しうるだろう。

子規が「とらわれぬ眼で認識することの必要性」を痛感していたのは、彼が「ものに直面」していたからだ、と江藤淳は記す。だが、子規は何よりもまず、言葉そのものにとらわれすぎる自分じしんの過剰さに「直面」していたのだ。この意味では、たんに分量比からいっても『子規全集』の過半に匹敵する『分類俳句全集』の存在を見落した江藤淳や、知りつつもこの「理窟的研究」をやっきになって否定したがる桶谷秀昭よりは、たとえば次のような書翰の一節を引いて、「俳句分類」着手期に、子規の「批評性が或る自家中毒の危険をむき出しにしている」と指摘する粟津則雄（『正岡子規』昭和五七年）の方が、われわれにとってはるかに貴重な評家となるのかもしれない。

（…）小生杯も見るものに一々ほれこミて自分には定見もなく定まつた文章もかけず誠に自分ながらあきれかへり申し候　馬琴を読めハ馬琴にほれ　春水を読めハ春水にほれ　西鶴門左衛門を読めハ元禄文にうつゝをぬかし　源氏を読めハ中古の文体をしたふ　少小より余が思想の変遷を見るも龍渓居士に驚かされ春廼舎主人に驚かされ二葉亭に驚かされ篁村翁に驚かされ近頃又露伴に驚かさる　吁（ああ）五六年の間已ニ五驚を喫す　今後猶幾驚を喫せんとする

や　一驚又一驚、驚死するに至らざればバ已まざるべし　余ハ文章家となる能ハず詩人となる能ハず　むしろ批評家にして甘んぜんのミ　然れとも批評家豈我好む所ならんや実に已むを得ざるのミ

（明治二三年一一月　藤野古白宛）

自分は生涯「批評家」に甘んずるかもしれない、言葉にとらわれ、捕縛されてあるそのただなかで「一驚又一驚」しつづけるのみかもしれぬと子規は嘆くが、江藤のいう「とらわれぬ眼の必要性」とは、「もの」じたいの世界にではなく、直接にはむしろ、この嗟嘆にかかっているだろう。「とらわれぬ眼」がより強く問題になるのは、逆に、何かにとらわれすぎる眼を意識する者のうちにおいてほかならぬからだ。ちょうど、「美しい花がある。花の美しさといふ様なものはない」という小林秀雄の名高い断言が、「花の美しさ」について語られてある幾多の言葉に捕縛されつづけてきた者にしか切実な問題とならぬように、子規にあって、「もの」をありのままに視つめるという課題は、言葉への過剰な視線（こだわり）をどう処理するかの実践と不可分に結びついているのだ。このとき、言語へのフェティシズムと、「もの」への〈明視〉とはけっして別々の領域に存在していたのではない。栗津の指摘する「自己中毒の危険」とて、一方の領域から他方への移行にしたがって克服されたわけでもない。そうではなく、同じひとつの場所で、子規はむしろ毒を薬に転ずる方途をみいだしたのだ。子規の「リアリズム」とは、つまり、言葉にまといつく過剰じたいを消去することが、そのまま〈明視〉を導くような独自の力学の別称にほかならぬのである。右の子規じしんの言葉を借りるなら、「批評」的であることが過不足なく創造的でありうる

ような場。そうした場として「俳句」が発見されたのだともいえるはずだが、あまり結論を急いではなるまい。ここにはまだ、「俳句分類」のもつ第三の、より具体的な意義が残されている。それは、この新たな可視性の場の持続的な構築を通して、俳句というジャンルが、何にもまして〈名詞〉を問題化する統辞の場として、明確に捉え直された点にある。

むろん、季題の大半はそもそも〈名詞〉であり、かつ、その季題を句の第一義とすることも旧来よりの常ではあった。が、〈名詞〉への執拗きわまりない拘泥ぶりにおいて、子規は前後を圧しており、上記したふたつのポイントも、煎じつめれば一点ここに帰着するとみることさえ可能であるだろう。子規の分類法の要諦は、季題だけでなく一句中の〈名詞〉すべてについて、可能なかぎり限なく着目するところにある。同一季題に同一（同種）の〈名詞〉をもつ句を一区画に配列することにとどまらず、先に触れたように、一句中に三つの〈名詞〉（S・A・B）をもつ句を場合によっては重複もいとわず、〈S－A〉〈S－B〉の二区画におさめる点に徴するだけで、ありようは判然とするはずだが、そればかりではない。「俳句分類」には別に「乙號」と題された場が設けられていて、こちらでは主客を逆転したかたちで無季の事物を主とした分類がなされており、したがって、同じ句で「甲」「乙」両号に重複するものも少なからず認められるのだ。たとえば、沾州の「乱れては鬼ふる天の螢哉」は、「甲號」の「螢（神人）」と「乙號」の「鬼（夏）」の区域に、芭蕉の「蝸牛角ふりわけよ須磨明石」は、「甲號」の「蝸牛（地理）」と、「乙號」の「須磨（夏）」の区域にそれぞれ重複するといった按配である。

〈名詞〉へのこうした関心は、ある面で伝統的な「季題」観の否定をさえ意味しかけているといえるかもしれない。この場では季題もまた、一句の全体を包括する特権的な語としてよりは、むしろ「もの」を担った一箇の〈名詞〉とみなされ、実体へのその指示性の度合や他の〈名詞〉との配合ぶりを主に問われているかにみえるからだ。この種の問いを、必要とあらば重複をいとわず、区域を変えて二度三度と反復すること。むろん、そこでもなお、季題が時候の連想を許す尊重すべき特別な〈名詞〉である事実に変わりはない。が、それ以上の余計な連想へと導く特権はここから奪われねばならない。季題以外の〈名詞〉を問題化すべく執拗に更新された分類区画の細分化はこの点にもかかわるはずであり、ことに、中途で放棄されたものの、完成すれば「甲號の三倍に上る」（「俳句分類（乙號）」）とさえ記された「乙號」の存在じたい、雄弁にそれを証しているだろう。「俳句分類」の編者はつまり、一句を、比重をほぼ同じくする部分（＝〈名詞〉）の和[4]として捉え直そうとしたのだと換言できようか。

後年、「余は立題を重んぜず」（「質問に答ふ」）と子規が説くのも右と無縁ではあるまい。彼は、有季・無季にかかわらず、一句中の「其題が主たると主たらざるとは一向に論ぜざるなり」という。その根拠として、ある題の下にある「材料」（子規においてこの用語が〈名詞〉とほぼ同義語をなす点に注目したい）が詠みこまれてあるとき、「実際に於て何れが主たり何れが客たるを区別し難き場合あること」がひとつ。またひとつには、「題を主とせんとして題を圧すべき他の材料を用ゐざらんとせば、詠題の区域甚だ狭くして俳句はいよいよ陳腐に傾くべし」とある。「題」であろうと「材料」であろうと、〈名詞〉が第一義として担うべきは実体への指示性にほかならぬ。子規はそう説いているのだ。

江藤淳が、子規と虚子の対立として掲げた「夕顔」論争の意義もまた当然ここにかかってくる。『源氏物語』をはじめ、「夕顔の花」という〈名詞〉にまといつく幾多の「趣味ある連想」を採るか否かについて、子規は「其れは仕方が無い。写生趣味に立脚する以上は自然の結果として空想趣味を排斥せねばならぬやうになる」と断じ、冒頭にみたように、これを受けて江藤は、子規において言葉とは「無限に一種透明な記号に近づく」と「極言」することになるのだった。たしかに、結果的にはこの「極言」は誤っていないかに思われるし、実際、われわれの当面の文脈で換言するなら、子規の「リアリズム」の枢機は、俳句といぅごく短い統辞の場で――「季題」「材料」の別を問わず――「透明な記号」としての〈名詞〉を獲得することに存していた。

ならば、この場所ではどのようにして、言葉はその「透明」度を判断され、あるいは「透明な記号」たりえたのか？　他の言葉たちと比較されつづけることによってである。

3　比較すること

同一「季題」に同一(同種)「材料」を詠み込んだ十数句を格子壁に縁どられた一区画に並べるという操作は、当然、一区画内の句を相互に比較するといういまひとつの所為と連動する。江戸期の『類題句集』や、これと基本的には同型をなすものとして流布されてある今日の『歳時記』に慣れた目からすれば、何か壮大な徒労とも映りかねぬ「俳句分類」が、子規にとってはけっして徒らな迂回ではなく、逆に一義的ともいえる意味をもちえたのは、上記した事柄とともに、これがいわば比較のための近さの設定としてあった点にも深くかかわっていたからだ。厖大な量の古俳句を捌いて縦横に走る分類格子が、一句にまといつく過剰物を取りはらうこの場所で、各区域に注がれる視線はそのつど比較を更新する。すでに触れておいたように、各句の「巧拙」はこの対比の場で初めて判断され、判断の基点は〈名詞〉におかれようとするわけだが、このとき、「巧拙」とはほとんど「明暗」の謂となる。すなわち、一句を構成する〈名詞〉の輪郭が明瞭であるか、何かの紛れに患って陰暗であるか。それを繰りかえし比較＝問題化すること。「俳句分類」とはたぶん、子規が半生をかけて持続したそうした鍛練の場でもあったろう。

子規においては、何かを認識し判断することは、何かと、別の何かとを比較することの見事な同義語と化している。むろん誰にとっても比較は認識や判断の基点ではあろう。が、比較と認識をめぐる力学が子規の場合ほど鮮かな例は稀なのだ。世にいう彼の〈眼〉の健康さとは、われわれからすればこの力学のあらわさにほかならぬのだが、〈名詞〉を中心とする彼の強靭な反映論（リアリズム）をつまびらかに検討するにあたり、ここでは、子規における比較への一種絶対的な信頼の際立ちを、いくぶん幅広い文脈とも絡めながら眺めておくことにしよう。

まず注目したいのは、「俳句分類」の枢機が、時を移さず、子規じしんの句作の場の性格を規定しはじめるという事実である。

先に述べたように、明治二十四年暮れの「開眼」を境に、二十五年から二十六年にかけて子規の句作数は驚異的に増大してゆくのだが、これらの大半は句会における「競吟（せりぎん）」「運座」といった他者との競合の場で詠みだされたものである。子規が、蕪村や西洋写生画の影響下に、ひとり郊外を散歩しては「写生句」を本格的に作り出すのは明治二十七年以降で、山口誓子は後年、この間の推移を「坐つてゐる俳句」から「歩いてゐる俳句」へと要約するが、興味深いのはこの「坐つてゐる俳句」の作られようであって、「競吟」においても「運座」においても、一句はまず他句との比較の場に差しだされてくるのである。

ことはとりわけ、二十六年に採用されてより子規派の句会に定着した「運座」に著しいが、これは次のように展開されたという。まず出席者の数と同じ「状袋」が用意され、十人なら十袋のそれぞれの上に「題」が記されている。これを一袋ずつ各人に配り、各人は受け取った袋にある「題」について一句を作り、句を記した紙を袋のなかに入れる。その際、署名は紙にではなく袋の上に記す。終ればこの袋を隣りに渡し、別隣りからまわってきた新しい袋にある「題」でまた一句を作る。そのようにして十人が十句を作り終えたのち、当番の者が一題十句計百句を別紙に清書し、一座の回覧に供する。各人は一題ごとに秀句と思うものに点を入れ、この選句の後で初めて、作者は自句に名のりをあげる、といった具合である（「随問随答」参照）。

このような作句の場の性格について真先に指摘されなければならぬのは、ここに、「連俳」の場との決定的な相違が存在することである。「発句は文学なり、連俳は文学に非ず」（「芭蕉雑談」明治二八年）となすのは、子規の俳句革新の根幹にかかわる裁断のひとつだが、「運座」の要諦もこの断言と正確に呼応している。複数の作者が一堂に会するという場の性格を同じくしながらも、付けあうことではなく比べあうことを本質とする「運座」では、他者の介在によって一句の読みが複数化し、そこから自他融合の連想のゆらぎが不断に誘発されるといった「連俳」的契機はいっさい禁じられてあるからだ。一句はここで、まさにその単一性や個性を確認するためにのみ、他句と並びあっている。他のために個の輪郭が溶解するのではなく、逆に、個の凝固のために他が必要とされる場所。そこに「運座」の、比較にかんするいわば「俳句分類」的性格があったといえるはずだし、いまひとつの特徴であるその互選形式についても同断だろう。旧派の「月並句会」における「選」は、ひとりその場を主宰する宗匠の手に委ねられていた。対して、「運座」ではその「宗匠の特権を全員に分権」(内藤鳴雪「吾々の俳句会の変遷」)するわけだが、この画期的な形式の意義は必ずしも、俳句を「月並」に堕落させた「宗匠」権への対抗意識にのみ帰せられてよいものではあるまい。互選の過程で、一句はその場の人数と同じ回数、他句との比較を繰りかえされる。要はそこにあったはずなのだ。

何にも増して比較の効力を信ずること。この信念は、「俳句分類」や「運座」といった手仕事の場から一躍して、子規にたとえば次のような断章を書かせもする。

美は比較的なり、絶対的に非ず。故に一首の詩、一幅の画を取て美不美を言ふべからず。若し之を言ふ時は胸裡に記憶したる幾多の詩画を取て暗々に比較して言ふのみ。

これは、「俳諧大要」(明治二八年)の劈頭、「絵画も彫刻も音楽も演劇も詩歌小説も皆同一の標準(=「美」・引用者註)を以て論評し得べし」という宣言につづく一条である。芸術の(したがって「俳句」の)本質は「美」にあり、「美」はあくまで「相対」的だとするこの一声は、そして、

「俳諧大要」の数多くの部分で変奏され、子規派の一大マニュフェストたる同著を弛みなく活気づけているのだが、子規は、たとえば初心者をさとして、「古俳書なりとも俳諧の理窟を説きたる者は初学者の見るべき者に非ず」、「多くものし多く読むうちにはおのずと標準の確立するに至らん」と記す。俳論は捨て、まず数多くの古俳句を読み比べ、自作と他人の句を比べること。他者のたてた「美の標準」を鵜呑みにする前に、こうした比較をまず実践し、その効力を信頼せよと教えるこのくだりに、「俳句分類」や「運座」における子規じしんの体験を重ね合わせることは大いに可能であるはずだ。「全く斬新なる趣向」の句については早計にこれを月旦してはならぬとする一条も、同断だろう。歳月を待ち「之を模倣する者も多くなりて後」、つまり比較の場が熟して後はじめて「褒貶す可し」と、子規は説くのである。

比較への信頼はまた、たんに作品鑑賞の上ばかりでなく、現実の空間にさえ浸透する。

> 例へば牡丹を見る者、牡丹数輪の花を把り来ると、只ゝ一輪の牡丹を把り来るとを比較すれば、一輪牡丹の方花の大きなるやう感ず可し。是れ花の特別に大なるに非ず、一輪なれば比較すべき者なきがためなり。（同右）

むろん、子規にあって「言葉と物」はほとんど留保なしに対応しあっており、事実、物の世界における右の現象を、彼は毛ほどのためらいも示さず、言葉から例証してしまうのである。すなわち、「押し出して花一輪の牡丹かな」（春来）と、「四五輪に陰日南ある牡丹かな」（梅室）との

「二句を比較せば前者の花大にして後者の花小なるを感ずべし」と。——言葉を離れた場所で起こる現象と、言葉の形姿との「無限に一種透明な」この接合ぶり。だが、この反映論を「リアリズム」の起源として抽象的に肯定することでもなく、またその単純さを非難することでもなく、何よりも接合のこの強靱さ(5)への驚きから始めようとするわれわれにとって興味深いのは、子規の眼には限りなく実体に近い「牡丹」なる語のその「透明」度さえもが、またしても比較から生じてしまうといった、ありようの徹底した際立ちであろう。

> 歌といふといつでも言葉の論が出るには困り候。歌では「ぼたん」とは言はず「ふかみぐさ」と詠むが正当なりとか(…)。
> 牡丹と深見草との区別を申さんに生等には深見草といふよりも牡丹といふ方が牡丹の幻影早く著く現れ申候。且つ「ぼたん」といふ音の方が強くして実際の牡丹の花の大きく凛としたる所に善く副ひ申候。故に客観的に牡丹の美を現はさんとすれば牡丹と詠む場合多かるべく候。
> (「歌よみに与ふる書」)

あるいはすでに断わるにも及ぶまいが、ここにいわれる「客観的」なる価値は、「牡丹」その語に固有のものではありえない。この価値は、むしろ「牡丹」と「深見草」との二語のはざまから、つまり二語の対比可能性そのものに由来するのである。あらゆる価値は差異から生じる。ちょうど、「めくら」なる語の属性であるかにひびく「差別」的ニュアンスが、そのじつ「目の不自由な人」という換言語の介在によって生じてしまうのと全く同様に、同一の実体をめぐって、「深見草」という手垢にまみれた歌語と並ぶがゆえに、「牡丹」の方がより新鮮に「客観的」な言葉として映えることになるのだし、さらにいえば、その鮮度が逆に、子規を促してより強くこの花そのものへと近づけることにもなるだろう(6)。

いっさいを比較の場に引きだし、差異を顕在化させてみること。子規が、俳句革新の実践者であったと同時に、当代稀にみるほど斬新な理論家でもありえたのは、こうした操作とその効力について殊のほか鋭敏であったからにほかならぬのだが、実践と理論の両面にわたる（あるいは、ふたつが不可分に結びつく場における）子規の「新しさ」とはこのとき、「古さ」に精通することの別称であるといってよいかもしれない。実際、「深見草」という歌語を知らぬ者にとって、「牡丹」の語は、子規が強調するほど新鮮でも客観的でもありえぬはずだし、これを敷衍するなら、事はまた、当時の月並俳諧と子規ら新派との関係にそっくり投影されてくるだろう。「牡丹」が新しい価値をもつためには「深見草」という古びた歌語が必要だったように、子規らの俳句にとって「月並」の存在はむしろ不可欠の条件であり、少なくとも子規は、この点を知悉していたと思われるのだ。

碧梧桐の回想によれば、子規はよく、自分ほど「月並に精通している者はない」と自負し「こゝが月並だといふ其のコツを知っている者は、舵のとり方を心得ている」が、碧梧桐のように「月並」とはじめから無縁だった者にはかえって「月並に落ちる患れがある」と注意していたという（「子規の回想」）。別にまた、「俳書は如何なる書をば読むべきか」という質問に対し、子規は、「如何なる書にても読むべし。一冊でも多く読むに如かず。月並的俗俳書といへども大略其風体を心得置くべし。月並的俗俳書なりとて全く之を排斥して一句も読まざらんには月並的俳句の何者たるを知らず、大なる考へ違ひをなすことあるべし」（「或問」）と書き残してもいるが、これらをたんに「月並」への全否定とのみ受け取ってはなるまい。結果的にはたしかにそうみえるが、子規にとって重要だったのは、いわば古さのただなかから新しさを定立することであり、「月並」を別物として全否定するというより、事はむしろ、「月並」に精通することがそのまま俳句の新生に通ずるような敵対の仕方にかかっていたのだ。「月並」との比較において（極言すればその比較においてのみ）、自派の価値が成立する点を知悉していた子規にあって、革新の努力とは、ちょうど彼の「俳句開眼」が、芭蕉以前の駄句の堆積と『猿蓑』との落差に促されてあったように、「月並」との差異を際立てる一連の操作にほかならなかった。「俳句分類」という「理窟的研究」が、彼に「俳句の趣味を伝え」たのは、一面では、連歌時代から貞門・談林にいたる駄句の山が子規をまず辟易させたからでもあった点を銘記したい。同様にして、まず「月並の産湯」につかり「月並の畑へ足を踏み」こみ（碧梧桐・同右）、次いでそれに飽きたという来歴が、子規の革新の基底を浸していたといえばよいか。

ならばその差異とは具体的にどのようなものだったか。子規じしんはいたるところで〈智識／感情〉の対立に回収しながらこれを語っているが、念のため、明治初期の「月並」の集大成である『現今宗匠撰句百家集』（明治一五年・鳳井五明編）から四句ほど拾っておこう。

来る筈の年の瀬も来て除夜の鐘
耳かゆき朝やはたして花の沙汰
暑き日を束ねてあるや女帯
埋火や雪の下なる赤椿

第一句は、歳末の感慨を素直に詠むのではなく、「来る筈の年の瀬も来て」と勿体ぶる点、第二句は、耳のかゆさは吉報の前兆であるという言い伝えを踏まえている点、第三句は、「暑き日を束ねて」という擬人法、第四句は、「埋火」を「赤椿」に見立てた点において、それぞれ「月並」的特徴をよく表わしているが、とりわけ第三句第四句にみる擬人法と比喩の活用は「月並」的修辞の最たるものだろう。ここで、たとえば第三句「暑き日を」を、「暑き日に束ねてあるや女帯」とすれば嘱目の句に近づく。が、それでは何の面白味もない「ただ事」句になってしまうというのが「月並」の判断である。第四句についても同断だが、こちらは多少高度であって、迂潤な眼には、これは「ただ事」と映りかねぬ句でもある。つまり、「埋火」を掻きおこしながら雪を冠った庭先の「赤椿」を眺める、といった句意にも取れるところを、よく読むと「雪の下なる赤椿」が「埋火」の比喩だと気づく。そうした知的な驚きを演出してより効果的だという意味で、この句は、同じ撰句集に採られた「埋火やさぐれば雪の下椿」などより一段格上に目されることにもなるのだが（以上・村上古郷『明治の俳句と俳人たち』参照）、このあたりが子規のいう「ここが月並だといふ其のコツ」の一斑であろう。

この種の一連の修辞性を消去し、逆に、「月並」の否定した「ただ事」に徹すること。端的にいえば、そこに子規の主導した新派の面目が存するのだが、この転換を指してすぐさま子規における「実景尊重」を云々してしまうのは、早計であり杜撰でもあるだろう。繰りかえすように、転換はもっと近くに、読むことと書くことがいわば同じ資格で連絡しあうような地平に仕掛けられているのであり、「月並」との比較の場で子規が尊重したのは、「実景」であるよりはむしろ〈名詞〉なのだ。そう記して、われわれはこの節の冒頭に立ち戻ることになるのだが、実際、子規にとって「月並」の最も唾棄すべき表情とは、たんに賢しらな修辞や陳腐な言いまわしがそこに認められることではなく、それらの介在に患って、一句中の〈名詞〉の輪郭がどこまでも弛緩してしまうといった事態なのである。

したがって、ことは何も「月並」に限られはしない。同種の事態を示すものはすべて、たとえ「俳聖」芭蕉の「名句」といえども、子規の舌鋒の鋭さを容易に逃れえぬことになるのであり、「芭蕉の俳句は過半悪句駄句を以て埋められ、上乗と称すべき者は其何十分の一たる少数に過ぎず」とする者の眼に、たとえば「道のへの木槿は馬にくはれけり」などは、限りなく「月並」的な駄句に近づく。この名高い句は、「くはれけり」の受動態を中心に、ひとつには「槿花一朝栄といふ古語にすがりて」この花の「はかなさ」という「智識」上の因果を際立ててしまうがゆえに、同じくまたひとつには、「出る杭は打たるゝといふ俗言の意」をもあまりにやすやすと受け入れることによって、「道のへ」「木槿」「馬」という〈名詞〉を弛緩させている、と子規はいう。そこで、「若し之を普通の句なりとせんに」は、次のごとき「句法を用ゐざるべからず」といったことになる（「芭蕉雑談」）。

道のへに馬の喰ひ折る木槿かな
道のへや木槿喰ひ折る小荷駄馬

このとき、子規によるこの添削の要が一点、〈名詞〉の指示機能の回復を目指していることは誰の目にも明らかだろう。一句中の〈名詞〉が余計なものの介在から逃れえて、その指示対象物のイメージのみに過不足なく充たされてあること。ここにいう「普通の句」とはまさしくそうした場を指すはずだが、子規の酷愛した指弾語を借りて、右の例における過剰物を「理窟」といってよければ、次のような断言が排斥するのは、今度は「陳腐」である。

枯枝に烏のとまりけり秋のくれ

此句を以て幽玄の極意蕉風の神髄と為す事心得ぬ事なり。暮秋凄涼の光景写し得て真ならずといふに非ず。一句の言ひ廻しあながちに悪しとにもあらねど「枯木寒鴉」の四字は漢学者流の熟語にて耳に口に馴れたるを其まゝ訳して枯枝に烏とまるとは芭蕉ならでも能く言ひ得べく今更に珍らしからぬ心地すなり。（同右・圏点原文）

反復もまた弛緩を招く。「枯枝」に「寒鴉」を配した構図はすでに紋切型であり、その陳腐な反復性がまたしても、「枯枝」や「烏」といった言葉が保持すべき喚起力を汚してしまうのだ。子規はここでそう断じている。

何よりもまず、「理窟」や「陳腐」に侵され汚されてある場から〈名詞〉を救い出すこと。その健全な指示機能を回復し、〈名詞〉への信頼を最大限にまで高めうる圏域として、五七五というきわめて制限された統辞の場に臨むこと。自派と旧派との相違を五ヶ条に説いて子規がたとえば次のように記すとき、最後の一条を除くすべてがここに回収されるのだといって過言ではないだろう。

> 第一、我は直接に感情に訴へんと欲し彼は往々智識に訴へんと欲す。（…）
> 第二、我は意匠の陳腐なるを嫌へども彼は意匠の陳腐を嫌ふこと我よりも少し、寧ろ彼は陳腐を好み新奇を嫌ふ傾向あり。（…）
> 第三、我は言語の懈弛（たるみ）を嫌ひ彼は言語の懈弛を嫌ふ事我よりも少し、寧ろ懈弛を好み緊密を嫌ふ傾向あり。（…）
> 第四、我は音調の調和する限りに於て雅語俗語漢語洋語を嫌はず、彼れは洋語を排斥し漢語は自己が用ゐなれたる狭き範囲を出づべからずとし雅語も多くは用ゐず。（…）
> 第五、我に俳諧の系統なく又流派無し、彼は俳諧の系統と流派とを有し且つ之あるが為めに特種の光栄ありと自信せるが如し（…）。
>
> （「俳句問答」明治二九年）

要は「第三」条にある。この条を中心に、「第四」条までの「細目」の一斑が次に眺められようとするわけだが、このとき、たとえば明治二十七年を境に「句会」よりは「吟行」が重んじられたといった創作態度の変化などをわれわれはさほど過大視せぬだろう。それはむしろ二次的な事柄なのだ。なぜなら、同じ「実景尊重」にかんして「坐つてゐる」か「歩いてゐる」かを問題化するには、ごく単純にいって俳句はあまりにも短すぎるからであり、われわれにとって重要なのは、その短さが逆に、初めて可能にする事態にほかならぬからだ。「枚挙」にいとまない「細目」の一端をたどりながら、われわれは引きつづき、たとえば「懈弛（たるみ）」を消去することがそのまま「緊密」に通ずるといった、徹底して相対的な場の性格に直面することになるだろう。

4　名詞と虚字

言語の上にたるむたるまぬといふ事あり。たるまぬとは語々緊密にして一字も動かすべからざるを云ふ。（…）

句調のたるむこと一概には言ひ尽されねど、普通に分かりたる例を挙ぐれば虚字の多き者はたるみ易く、名詞の多き者はしまり易し。虚字とは第一に「てには」なり。第二に「副詞」なり。第三に「動詞」なり。

（「俳諧大要」）

古来、俳諧には一句の評価にかかって「動く」「動かぬ」といった観点があり、右もそれを踏まえたものである。だが、たとえば『去来抄』の伝える「行く春を近江の人と惜しみけり」や、「下京や雪積む上の夜の雨」などにかんする論議が〈名詞〉の置換可能性を問題とするのに対し、子規のこの一節が特徴的なのは、彼がここでむしろ〈虚字〉の方に着目している点である。「てには（助詞・助動詞）」、「副詞」、「動詞」の順に〈虚字〉は動きやすく、「故にたるみを少くせんと思はゞ成るべく「てには」を減ずるを要」し、「副詞」「動詞」も慎重に扱うべきだとした上で、面白いことに、子規はさらにこう仮定してみせるのだ。

（…）若し前の如き議論を極論すれば名詞ばかり竝べたる句が一番の名句となるわけなり。（同右）

むろん便法上の短絡ではある。が、この「極論」はふたつの点で貴重であって、第一には、断るまでもなく、子規一流の〈名詞〉への思い入れがここにも顕著であること。そもそも、〈名詞〉以外の品詞[7]を〈虚ろな文字〉と呼ぶところからして事はあらわなのだが、みずからの句歴にかんする次のような回想も、如実にこれを証してこようか。

（明治二二、三年頃――引用者註）吾人は梅とか鶯とか言へる一題を取りて其題許りを形容し一句を為さんと企てしに飄亭は早く二箇以上の材料を配合し来れり。吾人は僅かに二個の陳腐なる材料を取りて其配合の方法に多少の新意を出さんと企てしに飄亭は早く三四箇の材料を取りて之を一句の中に打込みたり。

（「文学」明治二九年）

子規が「俳句開眼」の二、三年後に芭蕉を捨て蕪村に就いたのも、同じ点と深く関連する。たしかに、「発句は取合せものなり」という許六の言を芭蕉は肯定した。「されどこゝに言へる取合とは二種の取合をいふ者にして洒堂の如く三種の取合をいふ」ものでなかった点に、子規は多大の不満を表明することになるのだ（「俳人蕪村」明治三〇年）。洒堂は蕉門のひとりだが、一句に三種以上の「材料」を詠みこむ点において「元禄の俳句中に一種の異彩を放つのみならず」、たとえば「刈株や水田の上の秋の雲」などといった句は「決して芭蕉の下にあらず」と子規はみる。この洒堂の句風を咎めて「発句は汝が如く物二三取集る物にあらずこがねを打ちのべたる如くあるべし」と教え、別人にはまた、「俳諧もさすがに和歌の一体なり一句にしをりあるやうに作すべし」と説くところこそ芭蕉の限界ではないか。これを越えたのが天明期の蕪村であると断ずる子規にしたがえば、「句々材料充実して、彼の虚字を以て斡旋する芭蕉流」とは面目を異にする洒堂の延長上に、蕪村はさらに「漢語」の刺戟を大胆に導入し、その結果、一句中により多くの「材料」を配して句柄に「複雑的美」を与えると同時に、芭蕉が「しをり」と呼んで尊重した「和歌の臭味」をそこから完全に払拭した、ということになる。

このように、「材料多き」（したがって〈虚字〉少なく「緊密」なる）ことへの信頼は、いわゆる「天明調」への転進以降、年をおってより強く子規の俳論の骨格をなすばかりでなく、短歌革新の要所にもそのまま移入され、たとえば、「武士の矢並つくろふ小手の上に霰たばしる那須の篠原」（源実朝）を子規は次のように称揚することにもなるのだ。

普通に歌はなり、けり、らん、かな、けれ杯の如き助辞を以て斡旋せらるゝにて名詞の少きが常なるに、此歌に限りては名詞極めて多く「てにをは」は「の」の字三、「に」の字一、二個の動詞も現在になり（動詞の最短き形）居候。此の如く必要なる材料を以て充実したる歌は実に少く候。（「歌よみに与ふる書」）

「名詞ばかり竝べたる句が一番の名句となるわけなり」という先の「極論」が、必ずしも便法上の誇張のみでない点は以上で明らかだろうが、ちなみに、子規流にいう材料だらけの句を挙げておこうか。

奈良七重七堂伽藍八重桜　芭蕉
藪寺や筍月夜時鳥　成美
浦山や有明霞遅桜　羽人

これらは、「只々目前の景物を取りて一列に竝べたばかりにても俳句にならぬ事はあらじ[8]」として「俳諧大要」中に掲げられたものだが、子規じしんにも、次のような作例がある。

庭清水藤原村の七番戸
芭蕉忌や其角嵐雪右左
初曾我や団十菊五左団小団

しかし、古人にとっても子規にとっても、この種の作句は一方では例外中の例外に属していた。言い換えるなら、実際には「名詞ばかり並べたる句」よりも、〈虚字〉を適当にふくんでいっそう「緊密」たりうる場合の方がはるかに多かったのである。子規の右の「極論」にかんする第二のポインドがそこにあるだろう。

すなわち、要はここでもまた、ある種徹底した相対の次元にかかわるのであって、厳密にいえば、〈名詞〉そのものがつねに「緊密」であり、〈虚字〉の介在そのものが一句をたえず虚ろに弛ませるということでは決してないのだ。そうではなく、一句中で〈名詞〉が「緊密」な要素たりうるのは、五七五のその短い統辞の場で、これがむしろ〈虚字〉と密接に並び合うからにほかならない。このとき、〈虚ろな文字〉とはまさに両刃の剣であって、多すぎれば近接する〈名詞〉の輪郭を弛緩させる反面、皆無であればやはり支障をきたすといった、どこまでも両義的な要素と化すのである（右の作例でさえ、芭蕉の句を除く五句がいずれも「や」と「の」の〈虚字〉の介在を必要としている点に注意したい）。何よりも〈名詞〉を問題化する場として俳句を捉え直した点に、子規の革新の要諦が存在する。われわれはそう書いてきたが、同じ〈名詞〉であっても、近接する

〈虚字〉の質と量によってその「緊密」の度合が左右されるとすれば、俳句の問題はここで、〈虚字〉の操作にかんして検討されねばならぬことになる。〈名詞〉のかたわらで〈虚字〉を比較し、比較に基づいて適宜これを置換すること。このとき、われわれはつまり、子規の「リアリズム」を添削＝推敲という最も即物的な操作のレヴェルで眺めようとしているのだといえばよいか。煩瑣にならぬ程度に引用しよう（文中の圏点傍点は原文の指示にしたがい、数字、英字は引用者）。

（1）世の中は三日見ぬ間に桜かな　蓼太
名高き句にて世の人大方は知れり。（…）俗には「三日見ぬ間の」と伝へたれども矢張「三日見ぬ間に」と「に」の字の方よろし。「の」とすれば全く譬喩となりて味少なく、「に」とすれば「桜」が主となり実景となる故に多少の趣を生ずべし。（「俳諧大要」）

（2）名月や裏門からも人の来る
といふ句あり。外に悪い処とて無けれど『も』の一字はたしかに理窟を含み此の一字のために全句を殺したり。（「俳句問答」）

（3）吹きとばす石は浅間の野分かな
浅間山の野分吹き荒れて焼石空に翻るすさまじさ、意匠最妙なりと雖も「石は浅間の」とつゞく処多少の窮策を取る、白璧の微疵なり。（「芭蕉雑談」）

(4)かけ橋や命をからむ蔦かつら

(…)此句雄壮の裏に悽楚を含み、悽楚の裏に幽婉を含む、亦是れ一種の霊筆。俗人時に中七字の句法を称して全体の姿致を見ず、即ち金箔を拝して仏体を見ざるの類なり。而して其実、中七字の巧を弄したるは此句の欠点なり。（同右）

(5)左の二句の差異優劣如何、

a　夏川や水茶に適すさゝ濁り
　　夏川の水茶に適すさゝ濁り

b　菊提げし女の通る時雨かな
　　菊提げて女の通る時雨かな

c　短夜や憎さもにくき鼠狩
　　短夜や憎さもにくし鼠狩

（「試問」より引用者抄出）

(1)については贅するまでもあるまい。子規の言うとおり「三日見ぬ間の」では概念に堕するし、(2)も同断である。「裏門からも」では「表門」からも人は来ることになり、子規によれば「其の事実は一目に見得べからざる」がゆえ、「智識の上」では納得しても「感情の上に趣味を感ずること無し」。したがって、「裏門を叩く人あり今日の月」とでも改めるべきか、となる。

（3）の「石は浅間の」を「白壁の微疵」とするのも、「野分が石を吹きとばす」光景の迫力を「は」の介入が詰屈させる点にかかわるだろうし、同じく、（4）の「中七字の巧」を咎めるのもやはり、「からむ」という動詞の掛詞的な性格が〈名詞〉（「蔦かつら」）の喚起力を曇らせてしまうからにほかならない。（5）の三例の優劣は、それぞれ、「夏川や」「菊提げし」「憎さもにくし」が善しとされている。理由として、aについては、「「夏川や」とは客観なり、或る一つの夏川を指していへるなり、「夏川の」といへば主観にして総ての夏川を指したるものとも聞ゆべし、是れ前者の優れる所以なり」とある。bでは、「菊提げし女」と連体形にすれば「女」が一句の中心点としてより強く映えるゆえ善しとされる。「菊提げて女」では「通る」という〈虚字〉を修飾してしまう点に留意すればよいわけだが、〈名詞〉にかかる連体修飾がつねに尊重されるかといえばそうでもなく、cの場合「にくき」の連体形が逆に傷になったりもするのだ（「「にくさもにくし」とは口にて又は腹の中にて言ふ詞なり、故に鼠狩といふ語とは接続せぬ方宜し」）。

こうした〈虚字〉へのこだわりをみるには、あるいは『子規全集』第五巻に残された漱石をふくむ他人の句への「添削例」に就くだけで足りるかもしれない。〈虚字〉を捌いて微に入り細を穿ってどこまでも執拗なそのこだわりが、一点、〈名詞〉の純度を少しでも高めようとする志向にかかわることは、そこで一目瞭然の観を呈してもいるのだが、他句への「添削」の要諦は当然、自句への「推敲」に通ずることを踏まえた上で、ここでは別の文献からもう一例、子規が「破調」に寛大であった事例を引き寄せておこう。

寛大というより、場合によってはむしろ積極的に、子規は「破調」を唱道しているのだが、たとえば、碧梧桐の「夏木立深うして見ゆる天王寺」と、虚子の「大なる鍋の底に河豚を煮つゝあり」の句にかんして、彼はこう記している。

> 夏木立の句の「深うして見ゆる」と八字に長くしたるは或は不必要なりとの評もあらん、「深く見ゆる」と短く言ひて可なりとの説もあらん。されども此句は「深うして」と長く言ひて始めて此句が現さんとする印象を明瞭ならしむるなり。言ひ換ふれば「深く」といひたると「深うして」といへると少し異なりたる光景を示すなり。开は「深く」といふよりも「深うして」といふ方、木立が一層深く見ゆることにして、此場合には一層深く見ゆる方、趣味多し。（…）
>
> 大なる鍋の句、大なる鍋は大鍋と短く言ひて可なりとの説もあらん。此説非なり。大なる鍋と長く言へば鍋殊に大きく見えて且つ鍋の大なる処が此の句の主眼と為る。鍋大ならざれば此句些の趣味なく、鍋の大なるが主眼とならざれば此句の趣味其の半を減ず。「大なる」と言ひ「底」と言ひて始めて印象明なり。
>
> （「明治二十九年の俳句界」）

「深く」ではなく「深うして」といえば「木立ちが一層深く見」え、「大鍋」ではなく「大なる鍋」と「長く言えば鍋殊に大きく」見えてくる。子規は何のためらいもなくそう断じている。これなどは、短歌革新の折に「枕詞」「序詞」「縁語」「掛詞」といった「智識」上の要素を排斥しつづける反面、「「足引の山鳥の尾の」といふ歌も前置の詞多けれどあれは前置の詞長きために夜の長き様を感じられ候」（「歌よみに与ふる書」）などと、一種擬態論（ミモロジック）的な留保を記すところに通じて、彼の「リアリズム」に特異な陰影を与えもするのだが、この点はしばらく措いてもよい。当面の要は、ここでもまた、「夏木立」「鍋」という〈名詞〉の「印象明瞭」の度合が、それぞれに隣接する〈虚字〉の比較（〈深うして／深く〉〈大なる鍋／大鍋〉）から斟酌されていることである。それが一句の印象を「明瞭」たらしむるのであれば、語彙・句法のゆがみを気にかけることもなければ、五七五の「正調」にとらわれる必要もない。十八字でも十九字でも、二十字をこえようが構いはしないと、自派の要所を説いて子規は記す。肝心なのは内容（「実質」）なのだ、と。

十七字以上を俳句と称すべきか否かは虚名の問題に属す。更らに重要なる一大疑問は実質の上より来らん。（同右）

しかし、すでに明らかだと思うが、これはそのじつ因果を転倒した主張である。「実質」の要請にしたがって、特殊な語彙・句法（「深うして」「大なる鍋」）やそれによる「破調」が導かれるのではなく、むしろその逆なのであり、〈特殊な語彙／普通の語彙〉〈破調／正調〉の対比可能性それじたいが、「実質」の原因となるのだ。そう断じて語弊があるようなら、次のように控えておいてもよい。すなわち、少なくともこの場では、それが普通でない句法であること、「正調」ではないことが掻きたてる示差性の刺戟が、一句の担うべき「実質」をより強く問題化させる契機たりうるのだ、と。ここには、先にみた〈牡丹／深見草〉と同じ力学の支配が看取されねばならぬはずだし、さらに広く、問題はたぶん「内容」と「形式」との主客一般にまでかかわってもくるだろう。「新しき酒は新しき革袋に」という古言は、こと文学にかんするかぎり、じつはかなり胡乱である。なぜなら、この場所では「革袋」しかみえぬからであり、同じ場所で明言しうるのは、「革袋」の新奇さゆえに中身の質への興味が惹起されるといった力線の存在についてのみなのだ。が、ことを性急に一般化しても始まるまい。結局は〈緊密（しまり）／解弛（たるみ）〉の同じ対比に回収できるとはいえ、ここにはまだ、先の「月並」との相違「第四条」についての検討が残されている。〈虚字〉への添削＝推敲と同時に、「漢語」や「洋語」といった肝心の〈名詞〉の選択にまつわる配慮をわれわれはまだ十分には眺めていない。

かりに「山川草木の美を感じて而して後始めて山川草木を詠ずべし」（「俳諧大要」）という断言を額面どおりに受け取るなら、作句の場における〈名詞〉の選択は、〈裸眼〉の選択に従属することになる。だが、「而して後」選択されたしかじかの〈名詞〉の純度を〈虚字〉の添削＝推敲によって高めようとする操作が介在するように、当の〈名詞〉にかんしても、選択はさほど単純であるわけではない。子規のいう「美」とは、「智識」ではなく「感情」に直接訴えるものといったほどの意味だが、〈嘱目の光景＝俳句の材料＝名詞〉というそのいっけん確固たる回路とて、必ずしも、四囲をありのままに視つめる〈裸眼〉の支配のみに委ねられているのではない。〈虚字〉の場合と同様、この肝心の回路にもやはり、リテラルな比較の効力が強く介在せずにはいないのだ。

たとえば、「手料理の大きなる皿や洗い鯉」の句をめぐる碧梧桐との応酬など一事の典型をなすはずで、作者不詳のこの句を「月並」と貶めた子規にたいし、碧梧桐は、この「句には理窟めきたる言ひ廻しもなきに何故に月並調なるか」と問う。「俗」だからだ、殊に「手料理」がいけない、と子規が応ずる。かさねて碧梧桐がいう。「手料理といひ料理屋といふは常に我々の用ゐる所、何が故に此語あれば月並調といふか」。この言葉が月並の常套語だからだ、と答えたあと、子規は念入りにこう記している。

附けていふ。手料理といふ語は非常なる月並臭気を感ずれども料理屋といふ語には臭気無し。こは月並派にて手料理の語を多く用ゐれども料理屋といふ語を用ゐぬ故なり。斯る事は実際に就いて知るべく、理を以て推すべからず。

（「墨汁一滴」明治三四年）

なるほど「理を以て推す」なら、その「手料理」が「感情」に訴えるかぎり、この〈名詞〉を一句中に用いて悪いわけはない。が、俳句という環境の「実際に就いて」みれば、この〈名詞〉はすでに月並の常套語であるといった条件によって汚されている。一方、「料理屋」は逆にその種の汚濁をまぬがれている。われわれの文脈に引き寄せれば、子規はここでそう語っているはずだが、あくまでも〈裸眼〉のみが（つまり実体が）問題であるなら、右のような観点は成立しえぬだろう。改めて断るまでもなく、各々の実体を指示＝代行する機能そのものにおいて、「手料理」と「料理屋」との間に、毛ほどの相違とてないからである。

同じことは、「漢語」への偏愛に近い執着についても指摘することが可能である。先に触れたように、芭蕉を離れた子規が、蕪村に見出した最良の特質のひとつは「漢語」の効果的な多用ぶりである。しかし、子規にとってこの発見が貴重だったのは、たんに、「漢語」が強い語調を持ち、「複雑な内容」を簡潔に表現しうるものだったからではない。それ以上に重要なのは、「漢語」のその語調の強さや表現の凝集度が、より多くの場合「和語」と比較されえた点であり、別にいえば、一句中の「漢語」は、実体を指示＝代行すると同時に、その語と対になる「和語」の存在をも指し示し、同じ実体にかかわる両語の差異に由来する価値を、たやすくその場から派生させうるがゆえにいっそう貴重なのだ。

五月雨や大河を前に家二軒
絶頂の城たのもしき若葉かな

「国語にて言ひ得ざるにはあらねど漢語を用ゐる方善く其意匠を現すべき場合」として掲げた蕪村のこれらの句について、子規は次のように書いている。

「おほかは」と言へば水勢ぬるく「たいか」(ママ)と言へば水勢急に感ぜられ、「いたゞき」と言へば山嶮しからず「ぜつちやう」と言へば山嶮しく感ぜらる。（「俳人蕪村」）

ちなみに、この〈大河（たいが）／大河（おおかわ）〉の対比をとらえて、柄谷行人は「ところが、この例こそ、蕪村が風景ではなく文字に魅かれていたことを示すのである」（『日本近代文学の起源』）として、この点で、「内面」に転倒された「風景」に憑かれ「写生」をとなえていた「子規の感受性とは異質なのである」と評している。だが、われわれの目からすれば、子規もまた「風景ではなく文字に魅かれていた」存在であり、柄谷の文脈を尊重して換言すれば、子規における「風景の発見」とは、「文字」の場所から「内面」へと執拗に転倒されつづけたものにほかならぬのだ。

これは、柄谷が「「写生」とは、それまで詩の主題となりえなかったものを主題とすることなのである」（同右）と規定するところにもかかわるのだが、子規の「リアリズム」が対（オブジェクティブ）＝物的な問題ではなく、むしろ対（メタランギステック）＝語的な操作性と不可分であった点は、たとえばまた、「新題目」にかんする彼の見解に徴することもできる。「文明開化」の実を得て当時の社会に緼れ出した目新しい文物（それを指す「新語」「洋語」）について、「和歌には新題目新言語は之を入るゝを許さず。俳句には敢て之を拒まずといへども亦之を好むものにあらず」、なぜなら「文明世界に現出する無数の」事物の大半は「俗の又俗陋の又陋なるもの」であるからだとした上で、子規はさらにこう書きつけるのだ。

> 例へは（ママ）蒸気機関なる語を見て我們（がもん）が起す所の心象は如何。唯精細にして混乱せる鉄器の一大塊を想起すると共に我頭脳に一種眩暈的の感あるを覚ゆるのみ。（「獺祭書屋俳話」明治二八年）

これは一応のところ、柄谷の規定への例外として、当時の新事物の多くが子規においてさえ「詩の主題となりえなかった」事実を示すものだろう。その根拠に人はまた、例の「人間よりも花鳥風月が好き也」をもちだすかもしれない。たしかに、ここには「感性」の限界とも呼びうるものが露呈しているし、かりに「感性」なる所与の先験性を信ずるなら、「新題目」へのこうした否定的反応の根拠はそこに求められるよりほかにない。が、われわれが繰りかえし問うているのは、言葉を離れた場所でいわば裸に横たわる「感性」ではなく、「人間よりも花鳥風月が好き」というその志向を問題化する場の性格であり、あくまでもその場との相関に培われる感受性の質であって、その意味で貴重なのは、右の一節にある「眩暈的の感」という示唆的な言葉であろう。――「蒸気機関」なる〈名詞〉を前にして、子規は何故「眩暈（めまい）」を覚えてしまうのか？理由は二つある。

ひとつは、この「新語」と比較すべき言葉がないためである。すでに贅するにも及ぶまいが、いま一度「俳諧大要」の冒頭を想起しておこうか。「美」は「比較的」であるがゆえ、事物の「美不美」を問う際には「脳裡に記憶したる」ものに就いて「暗々に比較して言ふのみ」と記す者（上述してきたとおり、あらゆる場所でその断言を実践する者）の目の前に差し出されてあるからこそ、この「蒸気機関なる語」は、「美不美」の判断＝識閾の外へ弾き出されてしまうのだ。先の「料理屋」も「新語」の一種ではある。しかし、この語のかたわらには、たとえば「居酒屋」といった手垢にまみれた同義語が控えており、そのせいで「料理屋」の耳新しいひびきが珍重される。これに反して、「蒸気機関」はいっさいの比較を拒みながら子規に迫ってくる。「眩暈」はまずここに由来するだろう。

第二の理由は、子規にとってたぶんより切実であったに相違ない。なぜなら、この種の「新語」は俳句という伝統的な統辞の場に引きよせられた一瞬、容易には癒しがたい亀裂と異和とをそこに惹起してしまうからだ。五七五の場で初めて次々と〈名詞〉を蘇生させえた点に子規の面目が存する一方、ここでは、その五七五の規矩の強さが「新語」の存在をよりスキャンダラスにしてしまうのだ。実際、「五月雨や」「古池や」といった辞句に開かれる世界に慣れ切った者の目に、たとえば「機関車や」という初五がどれほど異様に映ってしまうか。(9) その「眩暈」は〈虚字〉をどう推敲しようと解消しえぬし、推敲すればするほどかえって強まりもするだろう。「洋語」についてもむろん同断である。

しかし、一方では「進化論」の影響下、「新時代」にふさわしい「文学」として（坪内逍遥『小説神髄』が指呼した「写実」の地平で）俳句を革新せんとした子規である。「新語」「洋語」を全否定するわけにもいかぬし、これが先にみた「我は音調の調和する限りに於て雅語俗語漢語洋語を嫌はず」の主張にも通ずることになるのだが、〈虚字〉の手に負えぬとなれば、このとき残されるのは、他の〈名詞〉との配合によってこの種の「眩暈」を懐柔するという方途である。

> 新奇なる事を詠めといふと、汽車、鉄道などいふ所謂文明の器械を持ち出す人あれど大に量見が間違ひ居り候。文明の器械は多く不風流なる者にて歌に入り難く候へども若しこれを詠まんとならば他に趣味ある者を配合するの外無之候。それを何の配合物も無く「レールの

上に風が吹く」などとやられては殺風景の極に候。
（「歌よみに与ふる書」）

右は、短歌革新に際して、旧派との対抗上「新題目」をむしろ積極的に摂取する必要を説く一節だが、俳句にかんしても方途はむろん同様であって、「俳諧大要」に、配合次第では「現時の新事物は俳句に用ゐて可なり」とあるほか、実作においても次のような句があり、配合によって「殺風景を消す一手段」（同右）を示している。

汽車過ぎて烟りうずまく若葉かな
汽車道に低く雁とぶ月夜かな
馬車の上に垂るゝホテルの桜かな
瓦斯燈や柳につもる夜の雪

ところで、この「配合」という手法は、右のようないわば窮余の一策としてのみ講じられたわけではない。それどころか、「配合」は子規の句作の重大な要素であるが、厳密にいえば、これは一方の「写生」の理念と鋭く背馳しかねぬものである。子規の俳句にかんする最後の問題が、この一点にかかってもいるだろう。

子規じしんが「取り合せ」の同義語としてこの用語にこめた意味は多少とも広い範囲にわたるが、われわれの興味をひくのは、彼がたとえば芭蕉の「菊の香や奈良には古き仏たち」を配合句とみて、次のように記す際の観点である。この句において、「菊の香と仏とは場所の関係」がなく、「仏の前に菊を供へ」てあるのでも、「仏堂の側に菊の咲きたる」光景でもない。一句の中心はひとつの情趣（「さび尽したる処」）であり、それをより良く表現するために、「強いて」指摘すれば「共に奈良にある」以外にさしたる関係もない「菊」と「仏」とを「取り合せ」たのである（「俳諧大要」）。子規はそうみるのだが、松井利彦の指示[10]にしたがって、子規じしんの作から拾えば、左のごときが同種の配合句ということになろうか。

石女の青梅を探る袂哉
柿食へば鐘が鳴るなり法隆寺
藤の花長うして雨ふらんとす

同種のというのは、「石女」と「青梅」、「柿」と「鐘」、「藤の花」と「雨」とのいずれの近接も〈裸眼〉が写し取ったものではなく、あくまでも知的な（当時の評語では「理想」ないしは「空想」上の）選択によるものといった意味で、この点、これらの近接に共通する「内的必然性」を問題とする松井とわれわれとでは観点を異にする。が、いまはたんに、こうした「配合」の要が当然、「写生に往きたらばそこらにある事物、大小遠近尽く詠み込むの覚悟なかるべからず。（…）足もとに萠ゆる草、咲く花を一つ〳〵に詠まば十句や二十句は立処に出来るわけなり」（「随問随答」）と記される「写生」の心得と鋭く対立する点に注目しておけばよい。目の前の事物を写すことと、単一の視野には収まらぬ領分から「配合」して、ひとつの中心的な情趣・情感を作り出すこととの対立。たしかにそうはみえるし、この対立の前者に就いて急進すれば、その極点に、たとえば碧梧桐の「無中心論」が現われることになるだろう。

雨の花野来しが母屋に長居せり　響也

この「新たなる刺激」に富んだ句について、そこに「ゆったりした感じ」という中心を認めた井泉水の言葉を肯んぜず、碧梧桐は次のように書いて、句作の場から「配合」を完全に排除しようとするのである。

予の興味を感ずる点は、さる感じに纏まる点ではない。雨中の花野を通つて来て、離れの我家に帰るべきものが、母屋に立寄つて長居をした、という事実其物に存するのである。他の詞を以て言へば一日の出来事の或る部分を取り出して、それを偽らずに叙したといふ所に興味を感ずるのである。(…)

感じを一点に纏める、何人にも普遍的に明瞭な限定した解釈が出来るやうにする、といふことを従来句に中心点があるといふてゐた。若し中心点といふことを、明瞭な限定した詞(井泉水のいう「ゆったりした感じ」——引用者註)で現はされるものに限るとするならば、この句には中心点といふものがないといふてもよい。(…)

所謂明瞭な中心点を作らうとすれば、等しく写生から出発して往つても、其中心点の為めに自然の現象を犠牲に供せねばならぬ場合がある。即ち自然を偽らねば中心点の出来ぬ場合がある。中心点を作るといふことを主として、其習慣を助長する時、自然を偽るといふことが、寧ろ当然のことに考へられて居る。自然の現象と縁遠い空想に生み出されたことまでが、中心点の存する条件のみで首肯されるやうにもなる。即ち名義は写生であつても、中心点の束縛の為めに、写生の意義を没却する場合が絶無であるとは言へぬ。所謂中心点に拘泥しない、他の写生の意義を貫徹した興味が、この句などによつて闡明さるゝものと見ることは出来ぬであらうか。

（河東碧梧桐「続三千里」明治四三年一一月一四日）

用語の異同にそって多少整理しておくなら、右にいう「写生」とは、いくぶん広義で、むしろ（「月並」への革新としてあった）「実景尊重」の同義語に近いものである。その同じ「実景尊重」に立脚しながら、中心点を作るか否かによって句風が二極化する、と碧梧桐は指摘するのだ。われわれの文脈では、〈配合／写生〉の対立はとりあえずこの二極化に限定されているわけだが、かりに碧梧桐の論旨にしたがって非難すれば、たとえば先の「石女の青梅を探る袂哉」などは、当然「中心点の束縛の為めに」「自然を偽」った句とならざるをえない。この句において、「石女」と「青梅」の近接を支えるのは、子を産めぬ女性の身体と、果実の青酸っぱい固さとのあいだにある主観的な類似であり、句の「中心点」たるこの類似性じたいは、「事実其物」の世界に備わったものではないからだ。それは、〈裸眼〉が忠実に写しとったものではなく、あくまでも

「空想」上に作り出されたものだ、ということになるだろう。「柿食へば」の句も同断であって、こちらについては、子規の膝下から離れはじめた時期の碧梧桐による具体的な批判が「病牀六尺」（百十）に書き留められており、碧梧桐は一句を「柿食ふて居れば鐘鳴る法隆寺」にすべきだと主張したという。

柿食へば鐘が鳴るなり法隆寺
柿食ふて居れば鐘鳴る法隆寺

碧梧桐による添削の要は、初五「柿食へば」の漠然とした「偶然接続」と、「鳴るなり」の「なり」が「詠嘆」と「推量」とのあいだに保つやはり曖昧なゆらぎを消す点にかかっている。別にいえば、その漠然とした距離感が逆に「古寺と柿、その二者に内面的必然を与えた作」（松井利彦）にたいし、「居れば鐘鳴る」と中七を改めながら、碧梧桐はそこに、〈裸眼〉の環境を文配する、いわば明確に外面的な偶然を担わせようとした、とみることができようか。実際、このようにどこまでも狭隘に厳しく考えつめてゆけば、碧梧桐のいうとおり、「中心点」を人為的に作りだす「配合」と、「事実其物」を「写生」することとは最後まで両立しえない。繰りかえせば、たしかにそう思われるのだ。

だが、子規にとって事情はおおいに異っていた。晩年の子規が狭義の「写生」句へ強く傾いていったことは事実だが、かりに「写生」の極に就こうとしたところで、子規はけっして、右の響也のような句や、碧梧桐の「相撲乗せし便船など時化となり」「絹蚊帳のこと記して旅費を疑はる」といった句は作りえなかったろう。万一作ったとしても、それを佳句とは断じて認めなかったはずなのだ。なぜなら、五七五の場で子規が最も恐れたのは、「自然の現象を犠牲」にすることでも、それを「偽る」ことでもなく、まさに、〈名詞〉の緊張を犠牲にしその確固たる指示＝代行機能を偽ることであったからだ。「柿食へば」の句に対する碧梧桐の添削例にかんして、「尤の説である。併しかうなると稍句法が弱くなるかと思ふ」と子規は記す。的確な答えだろう。それが一句中の〈名詞〉の緊張を高め、「印象を明瞭」にするのでありさえすれば、「写生」と「配合」の優劣はない。理詰めに迫れば際立った二律背反とみえる〈写生／配合〉が、子規においては何ら本質的な破綻もなく共存しつづけたゆえんである。

　またこの場合、共存は必ずしも、「この両者を繋ぐのは、凝視によって心象として把握しておいた写生的な事象をとりあわせ、情緒・情感に照応させる」（松井利彦）といった多分に折衷的な回路を要求してもいまい。ことはもっと直截ではるかに単純なのだ。「写生」といい「配合」といっても、それはたんに動機の相違にすぎず、他方われわれ読者にはその結果しか与えられていない。結果として一句に実現された複数の〈名詞〉の近接が、果たして「凝視」の反映なのか、〈裸眼〉を離れた場でなされた「とりあわせ」なのか、われわれには厳密に区別しえぬし、またそうする必要もない。明らかなのはむしろ、碧梧桐による右の添削が如実に証すように、この場での操作ひとつで、〈写生／配合〉の距離が逆にいかようにも伸縮するという事実であり、その距離の遠近に応じて、「内面的必然」とか「事実其物」といった印象が（いわば事後的に）この場に搔きたてられるといった点にほかならぬのだ。さらに端的にいえば、どれほど忠実な「写生」であれ、五七五という規矩を受けいれた一瞬、ありのままの自然を「犠牲」にし、必然的にそれを「偽らねば」ならない。「写生句」とはひっきょう、外界を写した句ではなく、写したかのように作りだされる句であって、その人為性には原則として「配合句」の場合と毛ほどの相違もない。そうである以上、俳句の要は一点、いずれにせよ人為的でしかありえぬ「材料（ことば）」の近接が、「実景」への連想に資して効果的であるか否かを問うことにあり、それ以外の斟酌はあくまでも二次的なものにすぎまい。少なくとも俳句の場にかんするかぎり、子規はこのことを知悉していたのだ。

　だが、碧梧桐の狭隘な「写生」論と子規の作句観のこうした対比において、より示唆的であるのは、同質の反映論を共有しながらも、前者にあっては、「言葉と物」をめぐる実践的な葛藤が見事に風化されてしまっている点である。なるほど、「中心点を捨て想化を無視する」と碧梧桐が記すとき、彼はある面で、「夕顔の花」から「歴史的連想」を奪いつつ、この言葉を「無限に一種透明な記号」（江藤淳）とみなそうとした子規の、最も尖鋭な後継者の位置にたっている。両者にとって、「見たままに写す」という主張は、等しく、「見たままに写る」という言語への信頼と相即にあるだろう。ここから一進するかたちで、碧梧桐は、「中心点の束縛」を捨て「見たまま」を最大限に尊重せよと説くわけだが、この一歩はしかし、ある種決定的な堕落の端緒をなしてしまうのだ。なぜなら、それは「信頼」から「盲信」への一歩であるからだ。「見たまま」をどこまでも拡張せよと語ることは、この「信頼」に、それが事実ではなく「信頼」にすぎぬことを失念しうるまで強く甘えよと主張することにほかならぬからである。これにたいして、子規にあっては、「見たままに写る」ことへの「信頼」は、上述してきたとおり、不断の実践を介して勝ちとられねばならぬものであった。言葉が「一種透明な記号」に近づくことが、碧梧桐にとっては無批判に享受しうる「事実」であったとすれば、子規にとって、それはあくまで「課題」であり、彼の俳句とはつまり、言葉をいかにして「透明な記号」に近づけるかという執拗な操作の連続であったのだ、と要約すればよい。

言葉を物に近づけるための即物的な葛藤と緊張。――子規の俳句そのものより、その俳論や添削の実際の方がわれわれにとってより興味深いのはまさにこれゆえであったし、他方、子規以降の俳論が――桑原武夫の「第二芸術」論などをわずかな例外として、碧梧桐の「無中心論」のみならず、山本健吉の「純粋俳句」も、石田波郷の「境涯俳句」論も、平畑静塔の「俳人格」および秋元不死男の「俳句「もの」論」も、富沢赤黄男、高柳重信らの「前衛俳句」論もやはり――一様に決定的な刺戟に乏しいのも、それらがこの初発の葛藤と緊張とはもはや無縁な場所でなされてきたからだが（たとえば、これまで誰ひとりまともに「俳句分類」を問題にしてこなかった！）、べつだん子規没後の俳壇にまで目をやる必要もない。〈名詞〉＝〈明視〉をめぐるはるかに刺戟的な後日譚は、短歌革新からさらに「写生文」へと差し向けられた子規じしんの歩みのうちに、如実に語られているからだ。われわれはそこで、俳句において勝ちとられた〈明視〉への信頼が、言葉そのものの長さを受け入れる一瞬に奇妙な失調をきたすさまを目の当たりにすることになるだろう。

5　長さの導入＝〈明視〉の失調

復誦しよう。

子規の俳句革新の要諦は、五七五という統辞の場を、何よりも〈名詞〉を問題化するジャンルとして把握し直すことにかかっていた。そのようなものとして俳句を読み直し、かつ書き直すこと。われわれはこれを、古俳句に対する新たな可視性の場たる「俳句分類」の実際に徴し、また、五七五の内部における〈名詞〉と〈虚字〉の取りなしについて眺めてきた。このふたつの実践とさまざまな次元で連繫して子規のほぼ全幅に浸透する比較への信頼にかんしても多くの言葉を費してきたわけだが、あえてことの主客にこだわるなら、この信頼こそ子規の「リアリズム」の中心であって、彼の革新の根幹に見出されるのは、いわば相対の効力をある種絶対的な重さで信奉し獲得することにほかならなかった。ことあるごとに、差異を発見し確認し、進んでそれを作りだすこと。「俳句分類」にせよ、〈名詞／虚字〉をめぐる執拗な拘泥ぶりにせよ、このことの端的なあらわれとみなしうるものだが、五七五の場で〈名詞〉を〈明視〉たらしめたこの相対の効力に、実際、子規がどれほど絶大な自信をもっていたか。それは、彼がやがて俳論の延長線上にそのまま「短歌」と「散文」の革新の枢機を据えた点を思うだけで明らかだろう。しかし、子規の俳句のいっさいは、そもそも五七五という絶対的な短さに支えられてはいなかったか？　われわれはいま、これを問う場所にいる。

すでにみたように、〈写生／配合〉の峻別が子規にとって二次的な問題でしかなかったのは、それを厳密に問題にするには、俳句じたいがあまりにも短い統辞の場であったからだし、その短さのなかで、ほかの「趣味ある」〈名詞〉と密接に並べられるがゆえ、「新題目」の「殺風景」もたやすく消去されえたのだ。「破調」についても同様であったはずだ。「破調」はそれがまさに「破調」であるために独特の価値をそこに惹起する。虚子・碧梧桐の新調を擁護して、「印象を明瞭ならしめんとすれば其客観の光景中に在る者は成るべく多く之を現さゞるべからず、又た其事物の位置と形状と運動との模様は成るべく細かに之れを言はざるべからず。さてこそ自ら文字多くなれるものなれ。さてこそ助辞少なくして名詞形容詞多くなれるものなれ」（「明治二十九年の俳句界」）と子規は書く。繰りかえせばしかし、彼らの句の「明瞭」度とて、それが字余りであること、字余りも恐れず「名詞形容詞」が多いことそれじたいを強く問題化してしまう場の特性と不可分であったのだ。

　他方、この場で否定される要素も同じ点にかかわるのだ。比喩にせよ擬人法にせよ、掛詞・縁語といった「和歌臭」にせよ、これらが咎められてしまうのは、この種の修辞がもたらす余計な関係性をひとたび許してしまうや、これを消し去るには五七五がやはり、あまりに短すぎるためなのだ。たとえば、比喩とは類似性を蝶番にしてふたつのものを結びつける文彩で、「炎のような瞳」といった場合、「炎」は〈他所(よそ)〉に在り、「瞳」は〈ここ〉にある。散文であれば、〈他所〉ものたるこの「炎」のイメージは、比喩が実現された次の一瞬には即座に消去されうるだろう。これにたいして、俳句の短さにはその「次の一瞬」が禁じられてあるのだ。この短さは時にまた、そこに用いられた言葉の多義性や縁語的連絡を使用者の意図に反してまで際立てかねぬものだろう。これを知悉するからこそ、子規はあれほど執拗にこの場から「修辞」を排したのだし、また、その一連の消去がそのまま、この場に新生をもたらしもしたのである。――ならば、俳句の短さとこのように不可分の事態として成就した〈名詞＝明視〉の結びつきは果たして、無傷のまま異領域へと延長されえたか否か？

短歌については割愛してもよいだろう。たしかに、短歌革新の実を担って当初この場にもちこまれた「俳」的性格は、その後かなりの変容を示してはくる。[11] だが、この変容にありようへの十全な検証を委ねるわけにはいかない。ひとつには、この場にはなお五七五七七の定型の保護が厳として存在するし、またひとつには、〈主観／客観〉の対立や「しらべ」の優位がもたらすその変容の実際について、子規じしんが十分自覚的であったからだ。一方、われわれにとってより興味深いのは、定型の制約をもたぬ長さに開かれながら、知らぬ間に書き手の意図さえ凌駕するかたちで際立ってしまう動勢であって、この意味で、「写生文」の実践の方がことを証してはるかに貴重なものとなるのである。

> 或る景色又は人事を見て面白しと思ひし時に、そを文章に直して読者をして己と同様に面白く感ぜしめんとするには、言葉を飾るべからず、誇張を加ふべからず只ありのまゝ見たるまゝに其事物を模写するを可とす。
>
> （「叙事文」明治三三年）

この主張が「写生」句の要諦をそのまま引き継いでいる点は誰の目にも明らかだが、この「叙事文」（『写生文』）作法にはさらに、「目的が其事物を写すにある以上は仮令（たとひ）うるさい迄も精密にかゝねば、読者には合点が行き難い」（『病牀六尺』四十七・傍点原文）という一項が必須の条件として付加されることになる。だが、子規が傍点を施してまで強調するこの新たな一項の存在そのものが、じつはすべてを台無しにしてしまうのであり、事態はすでに、一般に「写生文」の嚆矢と目される「小園の記」（明治三一年）においてあらわになりかけてもいるのだ。試みに、「リアリズムの源流」の著者が引用した箇所をそっくり転写しておこうか。

> つぐの年、春暖漸く催うして鳥の声いとうらゝかに聞えしある日病の窓を開きて端近くにじり出で読書に労れたる目を遊ばすに、いき〳〵たる草木の生気は手のひら程の中にも動きて、まだ薄寒き風のひや〳〵と病衣の隙を侵すもいと心地よく覚ゆ。これも隣の嫗よりもらひしといふ萩の刈株寸ばかりの緑をふいてたくましき勢は秋の色も思はる。真昼過より夕影椎の樹に落つる迄何を見るともなく酔ふたるが如く労れたるが如くうつとりとして日を暮らすことさへ多かり。
>
> 今迄病と寒気とに悩まされて弱り尽したる余は此時新たに生命を与へられたる小児の如く此より萩の芽と共に健全に育つべしと思へり。折ふし黄なる蝶の飛び来りて垣根に花をあさるを見てはそゞろ我が魂の自ら動き出でゝ共に花を尋ね香を探り物の芽にとまりてしばし羽を休むるかと思へば低き杉垣を越えて隣りの庭をうちめぐり再び舞ひもどりて松の梢にひら

〳〵水鉢の上にひら〳〵一吹き風に吹きつれて高く吹かれながら向ふの屋根に隠れたる時我にもあらず惘然として自失す。忽ち心づけば身に熱気を感じて心地なやましく内に入り障子たつると共に蒲団引きかぶれば夢にもあらず幻にもあらず身は広く限り無き原野の中に在りて今飛び去りし蝶と共に狂ひまはる。狂ふにつけて何処ともなく数百の蝶は群れ来りて遊ぶをつら〳〵見れば蝶と見しは皆小さき神の子なり。空に響く楽の音につれて彼等は躍りつゝ舞ひ上り飛び行くに我もおくれじと茨葎のきらひなく踏みしだき躍り越え思はず野川に落ちしよと見て夢さむれば寝汗したゝかに襦袢を濡して熱は三十九度にや上りけん。

この一節にかんして、江藤淳は、「一羽の黄色い蝶が垣根に舞うさまを外側から描いているだけでなく、この対象が喚起する幻想を内在的に写生しているという点で、この文章は、期せずしてリアリズムの二面性をよく包括し得ているといえるかも知れない」と記すことになる。なるほど、同じ場所で「リアリズム」を「ものを認識し、かつ表現すること」（傍点原文）と規定する江藤である。右のような文章にその「二面性」が「包括」されているとみなすことは可能だし、妥当でもあるだろう。「蝶」にせよ「幻想」にせよ等しく「認識」しうるものであるからだ。が、果たしてそれほど単純かどうか。第一、言葉を離れた場所で何かを「認識」することと、それを「表現」することとのあいだには、ある種決定的な異和が介在するのであって、かりに、江藤のいうとおり「この文章がまず「活きている」としても、その活気は必ずしも「ものを認識」する視線の強さから直截に由来するものではあるまい。そうではなく、活気はむしろ「表現」の、しかも形式上の独自の連絡から執拗に掻き立てられてくるものにほかならぬのだ。

たとえば、それじたいが「蝶」に似てしまう「いき〳〵」「ひや〳〵」「ひら〳〵」「つら〳〵」といったひと群れの言葉のすがた。蝶の羽の形姿と動きを思わせるその〈1・1〉の擬態的律格を際立て、みずからもこれに馴染もうとするかのように、幾度となく重ねられる対句的語法（〈酔ふたるが如く・労れたるが如く〉〈花を尋ね・香を探り〉〈松の稍にひら〳〵水鉢の上にひら〳〵〉〈夢にもあらず・幻にもあらず〉）——言葉たちはこのとき、「透明な記号」として対象を指呼するというほんらいの役割をこえて、それじしんのむしろ「不透明な」形姿において、対象に酷似しようとするのだといえばよいか。江藤は省略しているが、右の一節につづく一文は「げん〳〵の花盛り過ぎて時鳥の空におとづるゝ頃は」と始められている。「蝶」の一節に近づけられるのが、なぜほかの花ではなく「げん〳〵」なのか。そう問うだけで事はかなり判然とするはずだが、〈1・1〉に集約される言葉そのものの独自の連絡が——読点を省いた長文の揺らぎをたずさえて——「写生」を凌駕するさまは、ここにとどまりはしない。

たとえば、語り手である「余」は、「現実」の場所で「萩の芽と共に」本復すると感じ、江藤のいう「幻想」の場では「蝶と共に」舞い狂う。言葉を離れた場所で、そのように感じ、そのような夢を見ることもままありうるだろう。そして、それを「写生」した言葉がここにあると江藤はいうだろう。だが、主客はここで見事に転倒しているのであって、まず〈萩の芽・余〉〈蝶・余〉の近接（「と共に」）は、二つで一対という〈1・1〉の基本的条件を満たそうとしているのだ。さらに、それらの近接は、比喩の刺戟を絡めとって、〈1・1〉のもうひとつの条件である類似化をわずかにではあれ果たそうとする。前者〈萩の芽・余〉のうちには「いき〳〵たる草木の生気は手のひら程中にも動きて」のくだりが揺曳する。生気を帯びた庭草（ことに「萩」）と、熱を帯びた「余」の身体とが「手のひら（＝庭）」の一語によって重なり、そこから『萩の芽と共に（＝のように）健全に育つべし」といった感慨が導き出されてくるかにみえるのだ。後者における「蝶」と「余」の類似化への傾きも、数行前に「現実」の「余」を喩えて招喚された「新たに生命を与へられたる小児」のイメージと、「幻想」のなかで「蝶」に化身する「小さき神の子」のイメージの近さ（〈余＝小児〉・〈蝶＝小さき子〉）にかけられてくるだろう。子供を文字通り蝶番にして、「余」と「蝶」は重なりあい類似しあい、その動きが「現実」から「幻想」へのいわば紙の上での推移をなめらかに担おうとするだろう。

なるほど、些末の誇りを受けかねぬ指摘に就きすぎるのはあまり賢明ではあるまいし、ここはまだ、先の「げん〳〵」の場合と同様、なぜ「萩の芽」が問題となり、「蝶」はなぜ「小さき神の子」に化身するのか、その成りゆきに右のような比喩の介在は無縁であるのかと、控え目に問うべきなのかもしれない。だが、どれほど控え目に読みたどろうとしても、ひとたび〈1・1〉の際立ちに躓いてしまった者の目に、言葉たちはここでなかなか「透明」なすがたを示してはくれぬし、江藤の措定する峻別（自己の「内」と「外」、「現実」と「幻想」）にも容易になじもうとはしない。ここにはたぶん「内」も「外」もないのだ。「目的が其事を写すにある以上は仮令(たとひ)うるさい迄も精密にかゝねば」ならぬと主張する当人の筆致に映(なが)えて、精密さはしかし「内」でも「外」でもなく、まさに言葉たちの表面を刺戟しては、『写生』を担う「透明な記号」にあるまじき不意の混濁をそこに惹起するのである。

むろん、これだけで十分だというつもりはないし、公平に見積るなら、右の一節において事態はまだ、いくぶんか軽微のたぐいに属すると書いてもよい。ならば次のような例はどうか。これは、先に引いた「言葉を飾るべからず、誇張を加ふべからず、只ありのまゝ見たるまゝに模写するを可とす」と説く同じ場所で、しかも当の「写生文」(=「叙事文」)の手本として差し出された文章である。「例へば須磨の景趣を言はんとする」には、以下の如く「作者を土台に立て作者の見た事だけを見たとして記」すべきだと繰りかえし注記しつつ、子規はこの手本を示している。少し長いが、全文を引用したい。

夕飯が終ると例の通りぶらりと宿を出た。焼くが如き日の影は後の山に隠れて夕栄のなごりを塩屋の空に留て居る。街道の砂も最早ほとぼりがさめて涼しい風が松の間から吹いて来る。狭い土地で別に珍しい処も無いから又敦盛の墓へでも行かうと思ふて左へ往た。敦盛の墓迄一町位しかないので直様行きついたが固より拝む気でも無い。只大きな五輪の塔に対してしばらく睨みくらして居る許りだ。前にある線香立の屋台見たやうな者を手で敲いて見たり撫でゝ見たりして居たがそれも興が尽きて再びもとの道を引きかへして「わくらはに問ふ人あらば」と口の内で吟じながら、ぶら〳〵と帰つて来た。宿屋の門迄来た頃は日が全く暮れて灯が二つ三つ見えるやうになつた。けれどもまだ帰りたくは無いので門の前を行き過ぎた。街道の右側に汽車道に沿ふて深い窪い溝があつて、そこには小さな花が沢山咲いて居る。それが宵闇の中に花ばかり白く見えるので丁度沢山の蝶々がとまつて居るやうに見える。溝には水は無いやうであるから探り〳〵下りて往て四五本折り取つた。それから浜に出て波打ち際をざく〳〵と歩行いた。ひや〳〵とした風はどこからともなく吹いて来るが、風といふべき風は無いので海は非常に静かだ。足がくたびれたままにチヨロ〳〵チヨロ〳〵と僅に打つて居る波にわざと足を濡らしながら暫く佇んで真暗な沖を見て居る。見て居ると点のやうな赤いものが遙かの沖に見えた。いさり火でも無いがと思ひながら見つめて居ると赤い点は次第に大きく円くなつて往く。盆のやうな月は終に海の上に現れた。眠るが如き海の面はぼんやりと明るくなつて来た。それに少し先の浜辺に海が搔き乱されて不規則に波立つて居る処が見えたので若し舟を漕いで来るのかと思ふて見てもさうで無い。何であらうと不審に堪へんので少し歩を進めてつく〴〵と見ると真白な人が海にはいつて居るのであつた。併し余り白い皮膚だと思ふてよく見ると、白い着物を着た二人の少女であつた。少女は乳房のあたり迄を波に沈めて、ふは〳〵と浮きながら手の先で水をかきまぜて居る。かきまぜられた水は小さい波を起してチラ〳〵と月の光を受けて居る。如何にも余念なくそんな事をやつて居る様は丸で女神が水いたづらをして遊んで居るやうであつたので、我は惘然として絵の内に這入つて居る心持がした。

（「叙事文」明治三三年）

この文章についてはすでに、「泉鏡花」論の序に当たる箇所（小著『幻影の杼機』所収「幻想文学論序説」）で、いわば書くことそのものの幻想性を証する一例としてかなり詳細に言及した。ゆえに、ここでは当面の文脈にそって必要な点にのみ触れておくことにするが、最大のポイントは、一文の「山」[12]となる「二人の少女」の出現である。俳句・短歌と同様に「写生文」の要もまた、嘱目の〈ここ〉に在るものを言葉で写しとること、そのような印象を読む者に与えることだと、繰りかえし子規は明言する。だが、この「二人の少女」はここでまぎれもなく、言葉のただなかから作りだされてくるのだ。

ここにもやはり、〈1・1〉と要約しうる類似＝反復のテーマが認められ、その際立ちは文辞のすみずみまで浸透し、虚構（書かれてあるもの）と叙述（書き方）の両面を等しく刺戟している。まずこの点を妥当な範囲で整理しておく。

1　虚構のレヴェル

(a)　「例の通り」宿を出て「又敦盛の墓へでも行かう」と思い、墓から「再びもとの道を引きかへし」たが、宿を通り過ぎさらに海辺へ向う。

(b)　〈敦盛の墓まで行って止まる〉〈溝に下りて止まる〉〈浜辺まで行って止まる〉〈波立つ方へ行って止まる〉

(c)　〈宵闇の溝に浮かぶ白い花〉・〈暗い海辺に遊ぶ白い少女〉

(d)　敦盛の墓と行平の歌（両者は等しく技芸に長けた貴種であり、この地で哀れを演じ、何より共に夢幻能の主人公である）

2　叙述のレヴェル

(a)〈ぶら・ぶら〉〈ざく・ざく〉〈ひや・ひや〉〈チョロ・チョロ〉〈つく・づく〉〈ふは・ふは〉〈チラ・チラ〉

(b)〈敲いて見たり・撫でて見たり〉〈蝶・蝶〉〈探り・探り〉〈…沖を見ている・見ているとい…〉〈…水をかきまぜて居る・かきまぜられた水は…〉

(c)「……では無く、よく見れば……だ」という類似した構文法の近づけられた反復（〈いさり火→月〉・〈舟の櫓→少女の手〉・〈肌→着物〉）

このように、類似＝反復のテーマに開かれてあることは、ただちに、これが模倣（類似の反復）の場であることをも意味するだろう。そうした場の中核に、「わくらはに問ふ人あらば（須磨の浦に藻塩垂れつつ侘ぶと答へよ）」という在原行平の歌を据えてみればどうなるか。ただでさえ「須磨」と「行平」との配合は謡曲「松風」の悲話を想起させるが、「夕顔の花」については拒否されたはずの同じ「歴史的連想」を、テクストはここで、消去するどころか模倣するのだ、と記すことが可能となる。その証拠に、無聊をかこちつつ漫歩するこの「我」は、まるで、流謫のつれづれに土地の娘を手折ったその貴人のように、「深い窪い溝」で名も知らぬ花を「折り取」るのだ。そして、この花と同じ「白い着物」を肌につけた「二人の少女」は、その配所の貴人を慕って地霊と化した二人の海女、〈松風・村雨〉なる名の違いのほかには見分けもつかぬ反射的一対のイメージを正確に模倣しつつ、最後に姿を現わすではないか。

このとき、「二人の少女」を喩えて「女神」という他界のイメージが寄り添うところなど、形勢のいかんを如実に証してもいよう。実際、テクストがいわば彼岸との呼応になじもうとする点は、早くから顕著でもあって、この場をつかさどる〈1・1〉の組織が「行平」の歌から「二人の少女」（＝〈松風・村雨〉）を導く連絡を一場の主系とみなしてよければ、ここにはさらに、主系にまといついて、行間に〈死〉の彭を滲ませる補助的な系が認められるのだ。それは、「敦盛」を核としてやはり容易に消去されえぬ言葉たちの執拗な連関である。すなわち、「焼くが如き日」の名残の色と「敦盛の墓」との近接が掻き立てずにはいない惨事の記憶を、漆黒の沖に点ずる血の色（「点のような赤いもの」）から炎のゆらめき（「いさり火」）へ、さらに不吉な「赤い月」へと受け継いで、「眠るが如き海」。その海に浸かる少女たちが身に着ける死衣の「白」。――「行平」と「敦盛」とを核となすふたつの系の絡みあいはつまり、〈いま・ここ〉を写すはずの文章を〈いま・ここ〉には在りえぬ者たちへの招魂の場へと一変させてしまうかにみえる。

いずれにせよ、改めて確認しておきたいのは、この「写生文」（「叙事文」）が俳論の延長ではなく、逆にあらわな否定として形づくられてしまう点である。ここでは、俳句および短歌の場で〈名詞＝明視〉を得るために荒々しく排除された要素が温存されるだけでなく、それらの積極的な連絡が、書き手の意図を裏切るかたちで、一篇にある種過剰な緊張を強いているのだ。

〈名詞〉の輪郭を損うものとして唾棄された、たとえば言葉たちの「縁語」的呼応。「敦盛」と「行平」との近接がここでどれほど有縁のものかについてはもはや断わるにも及ぶまい。「白い花」と「二人の少女」についても同様だが、花と少女をめぐる言葉たちは、これらの対象を際立てるよりはむしろ、互いの類似にむけてみずからの輪郭を溶解し、〈1・1〉の少女がさらに〈蝶・蝶〉の化身でもあるかのような縁を結ぼうとしているだろう。むろん、狭義の「縁語」に近い連絡にも事欠きはしない。冒頭近くの「焼くが如き日の影は後の山に隠れて夕栄のなごりを塩屋の空に留て居る。街道の砂も最早ほとぼりがさめて涼しい風が松の間から吹いて来る」に徴するだけで足りよう。ここで〈やく・かげ・かくれる・(夕)栄のなごり・ほとぼり〉と連なる有情をふんだんに湛えた語彙の刺戟が、読む者に王朝風の情趣を嗅ぎあてさせるのはむしろ自然の成りゆきだし、これに近づいて、さらに「塩屋」があり「松を吹く風」がある。とすれば、この「縁語」的なくだりにはすでに、「松風」の悲話が孕まれかけていたとみることもできるはずだ。

「縁語」以上に嫌われた「掛詞」についてはどうか。ひとつの言葉がふたつ以上のイメージに分裂するこの修辞法こそ、〈名詞＝明視〉のリアリズムに最も鋭く抵触する点は断るまでもないし、さすがにこの場でも「掛詞」は厳しく排除されているかにみえる。繰りかえすならしかし、描写（ことば）は長びけば長びくほど事前の規制を無化しかねぬのであって、たとえば、「盆のやうな月」の出に「眠るが如き海の面はぼんやりと明るくなって来た」というくだりで、二度も書き込まれる「盆（ぼん）」は、「掛詞」の多義的なゆらぎとまったく無縁であるかどうか。この「盆」が「月」の形状（「盆のやうな月」）のみを、また海面の光の加減（「ぼんやり」）のみを指呼するには、これに近接する「いさり火」「舟」といった言葉の誘惑が強すぎるし、上記したように、このくだりの背後には〈死〉や〈地霊〉の影が色濃く忍び寄ってもいるのだ。このとき、「盆のやうな月」とはまさに「盆の月」でもあり、「ぼんやり」は「盆遣り」と読まれてもよく、同時に、よくみれば「いさり火」でも無い「舟」でも無いと反復される否定辞によって、この場に一瞬現われ消えるその「いさり火」や「舟」もまた、霊迎へ＝霊送りの火や舟に変じつつ、白衣の少女の出現にまとう彼岸の雰囲気をいっそう強く導いてくるだろう。

右のほか、俳論・歌論で同様に否定されたはずの「比喩」や「擬人法」にいたっては、ここではむしろ積極的に使用されている。これについてはもはや逐一の指摘にも及ばぬとすれば、この「叙事文」に先だって「言葉を飾るべからず、誇張を加ふべからず」と宣言された反修辞の美徳のことごとくが、その実例によって裏切られてあることになるだろう。むろん、散文革新にあたって子規が意識しているのは、同じ「須磨」に題を取ったたとえば次のような文章における「修辞」のすがたではある。

> (…)足にまかせて浜辺を歩めば、蟹船虫などの、人の跫音を我事と駭きて遁げ行くも可愛らしきに、蘆花雪を吹く辺に、白鷺の小首傾けて捨小舟の番する顔なるを、こよなき酒の相手と石に腰掛けて眺めけるに、近く笛の声す。敦盛の亡魂の青葉吹くにもあらざるべきになど、独りごちつゝ、声するかたを顧れば、年老いたる一人の虚無僧の余念もなく月をふみて尺八を吹きすますなりけり。
>
> (大町桂月「須磨の一夜」・『美文韻文花紅葉』明治二九年所収)

これは、子規の「叙事文」初出期に「すでに十版を重ねていた」詩文集の一節であり(猪野謙二）、江藤淳のいう「形骸化」した「文語体の余脈」の最たる例のひとつに数えられるべきものだろう。それはたしかだし、われわれの中心的観点を復誦して、こうした文章と比較されたがゆえに子規らの「写生文」が価値をもちえたのだ、と記すこともここでおおいに可能であるはずだ。しかし、俳句の場合と異なり、その比較はいま、両者の相違ではなく類似を際立ててしまうのである。すなわち、この「虚無僧」はやがて、鳥羽伏見の戦乱で無常を悟り出家した自分の来歴、いわば当代の「熊谷直実」であるその過去を物語ることになるのだが、この〈「敦盛」→「虚無僧」〉と子規の〈「行平」→「二人の少女」〉との間には、まったく同型の推移が存在するのだ。それは書く（読む）ことそれじたいの素地に不可避的な推移だといってよく、このとき、両者の相違はたんに、「敦盛」「行平」と書いた（読んだ）一瞬、〈他所〉から招喚されるものが実地に〈ここ〉に書かれ（読まれ）るまでの時間の差にすぎない。〈他所〉の憑依を〈ここ〉に許す点において、換言すれば、文辞の流れをつかさどる原理として比喩的な性格をもつ点において、両者は軌を一にしているし、この意味で、子規の「叙事文」はその骨格からしても、右の「美文」に劣らず修辞的なのだ。一種しらみ潰しの用心深さでそれを峻拒しつづけぬかぎり、長さと比例して、書かれてゆく〈ここ〉は〈他所〉を生み許し、〈他所〉はたえず〈ここ〉を刺戟する。およそ「写生」にあるまじきそうした官能的な緊張を孕んでしまったからこそ、子規のテクストは、「我は惘然として絵の内に這入つて居る心地がした」と終らねばならぬのだ。〈ここ／他所〉の葛藤を鎮静するには、葛藤の全体を別な〈他所〉（＝「絵」）に差しむけるよりほかにない。しらみ潰しの峻拒に就きつづけるには言葉たちの誘惑に過敏でありすぎる一方、逍遥『小説神髄』の切り拓いた明治新文学の柱として「ありのまゝ見たるまゝ」の意図をも堅持せねばならぬ者の筆にとって、この最後の比喩〈〈テクスト＝絵〉〉はまさに、書く（読む）ことそれじたいの性格にたいする、諾否両面を兼ね備えた（多分に直観的な）選択だったといえばよいか。

このとき、子規のこの文章はあくまで机上の産物で、現場をスケッチしたものではないといった事情は、毛ほどの意義ももちえまい。直接「須磨の浜辺」を見ながら書こうと、それを思いだしながら書こうと、結局は同じことなのだ。たとえ「もの」を目の前にしていたところで、筆を執り紙の上にかがみ込んだ刹那から、すべてはまったく別様の（無）秩序を甘受すべきものと変ずるのだし、これと同じ理由で、「脳中に記憶せる」光景もまた〈ここ〉から遠ざかってしまうだろう。「もの」それじたいではありえぬように、言葉は、想像的なものともついに同化しえぬからだ。それは、ほんらい写すものではなく生みだすものであり、その上、ひとつの言葉に生み出されるものが必ずしもたったひとつとはかぎらない。とすれば、「写生」の願望はここで二重に裏切られつづけることになるはずだが、繰りかえすなら、動勢に加担して長さはたぶん「写生」の最大の敵と化すのである。なぜか？

ごく単純なことだろう。ひとたび長さを肯定するや、誰ひとりとして、すでに書きつけた言葉を読み返すことなしに、また、やがて書かれるべき言葉を予見することなしには、その一語その一行をここに記しえぬからだ。一瞬ごとに更新されつづけるこの再見＝予見のただなかで、書く者がかりに視る者であるとすれば、この場で彼が視つめるのは、事物ではなく言葉であり、言葉の連なりが不断に惹起しうる過剰な関係性にほかならない。言葉とはそして、ほんらいこの種の過剰さにこそなじみやすい素地なのだといってよければ、散文における「透明性」とはまさに、原理的には一語一語がその機縁となりうる過剰さへの、執拗で厖大な消去の別名か、あるいは同じ点にかんする徹底した不感症の別名なのだと継ぐことができよう。不感症でありえなかったがゆえに、子規の〈名詞＝明視〉は、短さを特権化する場において絶大な成功を示し、長さに委ねられた場で見事に失調する。

そう復誦することが許されるのなら、この上さらに、「車上所見」「車上の春光」「ランプの影」といった子規の他の「写生文」を引き合いに出すことはすでに無用だろう。また、一般には「被差別部落」の「蛇使い」を扱った点よりほかに注目されることもない彼の小説「曼珠沙華」(明治三〇年)が、そのじつ、言葉たちの過剰な関係性のただなかから怪異を紡ぎ出した泉鏡花の数篇をさえ思わせて、どれほどテクスチュエルな葛藤に富んだ作品であるかについても、別の機会に譲るべきだろう。いまはただ、「写生文」における子規の本質的な失敗が、たとえば江藤淳の称揚する虚子の同じ場での成功に比べ、われわれにとってはるかに魅力的であった点を確認しておけばことは足りるはずだ。

6　結語あるいは緒言——「批評」と「作品」

われわれはここまで、子規の俳句作品ではなく、俳句をめぐる操作を問題にしつづけてきた。さらに、その操作によって獲得された〈名詞＝明視〉が、散文の領域で失調するさまを眺めてもきた。しかし、そもそもなぜ、俳句ではなくそれへの操作が問題だったのか？　それは、子規が実践したその一連の操作が、現在にいたるまで、「批評」と呼ばれる作業の骨格を形づくっているからにほかならない。

　言葉を分類し、比較し、置換すること。――試みに、「批評」と名指される任意の書物の任意のページを開いてみればよい。より多くの場合、そこに看取されるのは、対象「作品」を構成する言葉たちの群れに適宜境界線を引き渡しては、ここまでは主人公の見た「夢」ここからは「現実」、ここからは「都市」の情景、こちらは「自然」といった具合に分類する仕草であり、この一節とあの一節、この小説とあの小説とを比較する仕草であり、または、引用文を要約したりその意味を問うたりしながら、つまりは「作品」の言葉と「批評」の言葉とを置換してみせる仕草ではないか。このとき、ことの当初における同じ「批評」的な操作が、俳句の場ではそのまま「作品」たりえた反面、「写生文」においては何ら積極的な意義をもちえなかったという事実は、この上もなく重大であるはずだ。長さに直面する一瞬、「批評」と「作品」は避けがたく乖離することを、この事実が何より雄弁に教えてくれるからだ。その一瞬から、「リアリズム」の一語は「批評」の専有物に化すのだといってもよい。同じその一瞬から、「作品」はむしろ盲いることにかかわり、「批評」のみが視ることに執着しはじめる。長さを懐柔してはより少なく視ることに。

　当然、「作品」そのものを尊重しようとすればするほど、「批評」の後めたさは抜きがたくそこに鬱屈する。みずからの専有する「リアリズム」が「主義」の名にふさわしく、節約に資する排除と選別を事とする一方、目の前にある「作品」はどの一瞬においても、読みの場を刺戟してたんにリアルであり、したがってどのようにでも自在に浪費的たりうるからだ。それじしんがいかに「リアリズム」を標榜しようとも、ひとたび長さを受け入れるや、一語一語を逐ってその長さが開拓する「作品」＝可視の領野において、そこに際立つのは排除ではなく、言葉たちが不意に浸り合う親密さであり、選別ではなく過剰な輻湊なのだ。なまじいに「作品」を尊重するかぎり、「批評（リアリズム）」はこの乖離にいつまでも苦しむだろう。

　ならば、その乖離を肯定し、つまりは「作品」そのものを初めから無視してかかればどうか。たとえば、小林秀雄の企てた「批評」の自立とはそうした決断の別名にほかなるまい。彼は他の誰よりも強く巧みに、目の前にある長さを無視することによって、「批評」につきまとう後めたさを払拭し、代わって「作品」の背後に不可視の中心を据え、その中心を演出する方向に、分類し比較し置換するという操作を改めて差し向けたのだといってよい。たぶんこのときから、かつてないあらわさで、「批評」は楽天的な転倒を享受しはじめたのだ。ことの当初においてはまぎれもなく〈明視〉への実践としてあった同じ操作が、「天才の宿命」やら「大衆の原像（マス・イメージ）」やら「人倫の大本」やその他さまざまに〈不可視〉の中心を演出する方途に一変させたこの転倒はそして、「批評（リアリズム）」に常勝をもたらすのである。なぜなら、何かがこの「作品」に反映されていると「批評」が語るとき、その何かが目に見えぬものであるかぎり、われわれはそれを否定しようがないからだ。それはたえず実証の次元を越え、したがってむしろ信仰の領域からなされるものである以上、「批評（リアリズム）」のあらゆる断言はたえず正しいのだ。他方、「作品」がわれわれを動かすのは、それが正しいからではなく、つねに過剰(リアル)だからである。とすれば、正岡子規というこの「原風景」のさまざまな表情を通じて、われわれはそのじつ、たったひとつの事柄だけを語りつづけてきたことになるのかもしれない。
「リアル」の反意語とは、「幻想」でも「人工」でもなく、まさに「リアリズム」なのだ、と。

註

（1）『分類俳句全集』には、四季の季題別分類たる「甲號」（一巻〜十一巻）、無季の事物による分類「乙號」（十一巻〜十二巻）、字数や句切れなどの形式的な分類による「丙號」（十二巻）が収められるが、この後、「句調類集」の別名をもつ分類「丁號」が発見され、講談社版『子規全集』の二十一巻に収録されている。なお、「俳句分類」着手期を年譜類などが時に「明治二十四年、冬」とするのは、「丙號」稿本に残された記載に依るものである。

（2）ちなみに、フランス語で「格子」claire-voie とはまた「明瞭な-道筋」の意味でもある。子規にとっては、過剰を捌く「格子」への信頼そのものが、文字通り、「明瞭さ」「透明さ」への「道筋」だったといえよう。

（3）『分類俳句全集』「秋」の部「天文」の「天川（地理と器物）」の区画に並べられてあるのは次の十六句である（各句の出典についての記載は省略）。

あら海や佐渡によこたふ天の川　はせを
加賀笠の渡らぬ嶋や天の川　李青
なれて世をやすの渡りや天の川　宗春
天の川かみは荒川すみだ川　呉竹
天の川橈の雫も水祝ひ　乙巾
舟に寐て故郷百里天の川　白砧
吾人よ夢のよし原天の川　沾峨
飛鳥川とあすは見るらん天の川　吟江
更行や水田の上の天の川　惟然
相照す夜の野川や天の川　保吉
江にそふて流る影やゝ天の川　暁臺
天の川須磨も明石も波かけて　斗入
天の川紅の涼み過にけり　士朗
おくひ形に浅草川や天の川　吏登
阿部川の引水早し天の川　介我
嶋山や消るけもなく天の川　全阿

（4）ここにスペンサーの「文体論」の影響を窺うのは容易だろう。そもそも、子規と俳句との結びつきが、「最簡単の文章は最良の文章なり」と彼が理解した「文体論」の要諦に存することは諸家の指摘するところだが、部分としての〈名詞〉へのこだわりにも、たとえば次のようなスペンサーの一節との呼応を看取することが可能である。

言語を思考を伝達するための記号組織とみなすなら、機械装置の場合と同様、各々の部分がより単純に、そしてより巧妙に配置されていればいるほど、より大きな効果が得られるのだといってよいだろう。

（日本近代文学大系16『正岡子規集』の「解説」中より転訳）

（5）子規の「反映論」の強靱さは、たとえば次のような一節に端的に示されている。

○西洋の審美学者が実感仮感といふ言葉をこしらへて区別を立てゝ居るさうな。実感といふのは実際の物を見た時の感じで、仮感といふのは画に書いたものを見た時の感じであるといふ事である。こんな区別を言葉の上でこしらえるのは勝手であるが、実際実感と仮感と感じの有様がどういふ風に違ふか吾にはわからぬ。

（「病牀六尺」七八・圏点原文）

子規において、「印象明瞭」がつねに「絵画的」の同義語に差しむけられていたのもここにかかわるのであって、「印象明瞭」なる俳句の美徳とはまさに、右にいう〈実感／仮感〉の「区別」を無化しうる点に求められようとしたのである。

子規はまた、小さな物に「大」の字を付けると大きく感じられ（「大牡丹、大幟、大船、大家の如し」）、大きな物に「大」を付けるとかえって小さく感じられる（「大空、大海、大山、大川、廣野等の如し」）とさえ記す（「俳諧大要」）。ここなどには、「言葉と物」をめぐる同じ癒着の、もはや官能的と称するよりない際立ちが示されていよう。

（6）全く同様の記述が夏目漱石の『文学論』にもみえることの意義については、本書前掲「《現実》という名の回路」参照。

（7）前掲『正岡子規集』における松井利彦の註によれば、「子規が東京大学に学んだ時期は、日本の新文典の形成が試みられている時期で」、諸家の手で日本語の文法構造が「整理され、解明されつつあった」。この風潮のなかで、子規は文法に強い関心を寄せるわけだが、子規のいう〈虚字〉のなかに「形容詞」「形容動詞」が含まれるか否かは不明である。ただし、子規の文脈の要は、実体を指呼するに虚ろであるか否かにかかっており、この意味で、同じ「形容詞」でありながら、たとえば「赤い」はその具体性ゆえに〈虚字〉に遠く、「賢い」などといった概念的で抽象度の高い語は〈虚字〉とみなされてあったかと思われる。〈名詞／虚字〉をめぐる本文の観点も右にしたがっている。

(8) この三句のうち、子規は「成美の句最佳なりとす」と記しているが、芭蕉の句が評価されなかったのは、句中の〈名詞〉が嘱目とは別の機縁にしたがって並べたてられているためだろう。すなわち、「奈良七重」における「な」音の押韻、「七堂伽藍八重桜」の「七－八」の連絡（「七重・八重」も同様）。言葉たちのこうした余計な関係性こそ、子規の忌むところであった。

(9) たとえば、マネの「草上の食事」や「オランピア」が一八六三年のパリに惹き起こしたスキャンダルを想起してもよい。「草上」でくつろぐ二人の着衣の紳士のあいだに横たわる裸婦。ルネサンス期の画布に描かれた高名なヴィーナスと寸分違わぬポーズでこちらを視つめる娼婦の裸体。それらを目の当たりにした一瞬、見る者を襲った衝撃。子規のいう「眩暈」とはまさに、その衝撃にみちた異和感と等質のものであったと思われる。

(10) 前掲『正岡子規集』参照。なお、松井利彦編集のこの一本は、編者による適切な頭註・補註をふくんで子規の全貌への入り口としては恰好の書物である。この小文も同書に負うところが少なくなかったことを記しておきたい。

(11) 「歌は俳句の長き者、俳句は歌の短き者なりと謂ふて何の故障も見ず、歌と俳句とは只詩形を異にするのみ」（「歌よみに与ふる書」）と明言された「歌俳」同一観は、たとえば、明治三十三年に諸友に請い、彼じしんもしきりと試みた〈俳句⇅短歌〉の詠み換えの実践を引きだしてもいる。一例をあげれば、蕪村の「白露や家こぼちたる萱の上」を、子規は「きのふ迄ありし家はこぼたれて萱の上なる露の白玉」と詠み換えてみせたりするのだ。ところが、同一「材料」を十七文字から三十一文字に引き延ばせば、必然的に「虚字の斡旋」を受け入れやすく、したがって「たるみ」が生じる。この「たるみ」を懐柔するには、そこに「主観」を滲ませ、同時に、それを「しらべ」に資する一素因として肯定するよりない。その後、「歌俳一致」観をゆるめてゆく子規の短歌の変容をごく乱暴に要約すれば、そういったことになろうか。

(12)「ありのまゝ見たるまゝ」の「写生」を主張する一方、子規はまた、文章には「山」がなければならぬ点を強調し、彼の主宰した散文革新の会合を「山会」と名づけていた。ある意味では、「山」を肯定することじたいにおいて、子規の「写生文」はすでに修辞的な場であったともいえよう。

＊本文中に引用した子規の文章はすべて、講談社版『子規全集』に依った。論文の性格を考慮し、あえて元号を使用した。子規の文章は原則として雑誌初出年を記したが、その記載は（煩にいたらぬよう）主要文献の範囲にとどめた。

＊エピグラフはそれぞれ、ヴィクトル・シクロフスキー『散文の理論』（水野忠夫訳／せりか書房）ミシェル・フーコー『言葉と物』（渡辺一民・佐々木明訳／新潮社）に依った。

（『リアリズムの構造』論創社一九八八年より再録）

人はいかにして「テクスト」になるのか?
——『「ボヴァリー夫人」論』の一側面

作者→話者→読者

単行本となる直前、分厚いゲラの束として『「ボヴァリー夫人」論』(二〇一四年)を読み終えたときの、賛嘆と不審のいりまじった驚きを良く覚えている。こんな蓮實重彥に接したことがなかったからだ。同じ一つの場面や断章に幾度も立ち戻るさまといい、それまでなら涼しい顔で無視してきたはずの他人の文章(欧米の各種フィクション論やナラトロジー)にまつわる、執拗でほとんど殺気だった論難の網羅的な連打といい、その連打をふくんだ浩瀚精緻な一般理論と、ときに凄腕の香具師をおわせもする具体的な細部分析との、いくぶん均衡を欠いた配合ぶりといい、この先なおいくらでも続けずにはいないといった途方もない熱量が八百ページもの大著の余白にたちこめる気配といい、何より、その熱量がフローベールの総体ではなく、挙げてたった一冊の作品に差しむけられるさまといい……にわかには腑に落ちかねる様相が、大著の、しかし圧倒的としかいいようのない無類の読後感と訝しく結びついている。「散文は昨日生まれた」。『ボヴァリー夫人』執筆中の作家がルイーズ・コレに宛てた書簡中の有名な一行に寄せるなら、ここにいるのは、ともかく生まれたての蓮實重彥ではないかというほとんど未知の感慨は、三年後、こうして筆を執るいまに新しい。一体、何がどうなっているのか？

その未知の著者をめぐり、以下に多少の（ある向きには、文字通りマニアックな？）言葉をつらねてみるつもりだが、ここにはむろん、十分に既知の蓮實重彥もまた確かに存在している。

いっけん離散的な「細部」に手をかざし、その意想外な連携がつくりあげる意味作用の様態を、「いわば眠っている記号に覚醒をうながすように視界に浮きあがらせる」（『「ボヴァリー夫人」論』283P／以下、注記なきページ指示は同書）といったスタンスがそれである。批評のベルクソン的な創造性。すなわち、潜在的なものの現勢化という姿勢が、蓮實重彥ならでは特徴として一場に貫かれ、これがたとえば、「足」、「手」、「手紙」、「ほこり」、「頭髪」といった事物、あるいは、「移動する」、「よろけ、かがみこみ」といった動作、または「三」という数字など、各種の反復的細部にむけ——著者に独自のテマティスムとして——発揮されるさまは、一読誰の目にも明らかだろう。かつての『夏目漱石論』（一九七八年）が、きまって「横臥」の姿勢を取る作中人物たちのもとに、「言葉」や「他人」が呼び寄せられるさまを視野に収めながら、漱石の作品風土の見事な解明にむかっていたように、ここでもやはり、「誰かが「足」を痛めれば、そのかたわらにたちまち異性が姿を見せるという」関連（281P）が指摘されている。あるいは、大江健三郎の諸作品に氾濫する「数の祝祭」のなかから、やがて、人と世界に停滞を強いる「不吉な数字」としての「三」が特化されてきたように（『大江健三郎論』一九八〇年）、自死にいたるエンマの末路にきわだつ「数字」の蝟集のなかから、本書でも同様にして、「「三」という数字にこめられた不吉さ」（605P）が強調されることになるだろう。

だが、過去の文章において、諸細部のテマティックな連携や共鳴関係を受け止める〈批評＝創作〉的な基体として鮮やかに提示されていた「漱石的存在」や「大江的存在」のごときものは、この場には構成されず、したがって、あの独特な回付性も影をひそめている。

横臥・遭遇・依頼・代行・報告といった主題の連関を描きあげた文章の末尾で、いわゆる「修善寺の大患」に見舞われた者の姿がみずからの「作品風土」を模倣しているとまで断言する漱石論が、あくまでも仮構的（フィクショナル）なものとはいえ——あるいは、仮構的であるゆえに却っていっそう生々しく——その「漱石的存在」を作家当人に送り返していた事実を想起すればよい。多様な「数」たちが自在に増殖しつつ交差しあうその場のデモクラティックなざわめきにたいする最大の脅威として、一方に、いわば固定しきった数としての「万世一系」があり、同時に他方、「複数」への抑圧としての「一」＝「核」が存在すると読むことの出来る「大江的作品風土」なるものもまた、現実の作家の政治的スタンスを彷彿させていた。「模倣から発した身振りを不意に宙吊りにするという『挟み撃ち』的仕草の基本構造」を見出す別の卓論（『小説論＝批評論』一九八二年所収）もやはり、陸軍将校の父親のような軍人たらんとするその模倣の仕草を、敗戦の歴史そのものによって「とつぜん」植民地の虚空に吊られた後藤明生当人の少年期に回付されてよいものであった。たとえばまた、「物語を可能にする唯一の契機として「不動」の姿勢を受け入れる古井的存在たち」なるものも(同前)、パイプ片手にマンションの仄暗いベランダから身を乗り出し何かをじっと見つめる作家当人の肖像に似てくるのだが、こうした意味での「フローベール的存在」は、この『「ボヴァリー夫人」論』には創出されない。そこにひとつ、考慮すべきポイントが存するだろう。「フローベール的存在」ばかりではない。著者自身も書中に一、二度明言しているとおり、作者フローベールの存在自体が、ここからはむしろ積極的に遠ざけられているのだ(「あえて「書く」と書かないのは、作者としてのフローベールをいったん視界から遠ざけるためである」128P)。

代わって、何処の誰とも知れぬ「話者」の存在が、かつてなく色濃く一場に浮上する。しかも、作品冒頭、一人称で姿をみせながら(「僕らは自習室にいた」)、いつのまにか、当初の「僕」を消し去ったまま平然と語りを担いつづけるような「話者」は、そのいかにも「融通無碍な」幅のうちに、ひときわ奇妙な受動性を強いられるものとして描出されてくる。この「話者」はときに、みずからの統御をもこえたかたちで形成される諸細部の関係性に戸惑い、その不意の力に翻弄されるというのだ。

一事はとりわけエンマの死後、「不意にその感覚の全的な開示に向けてみずからの存在を組織し始める」(373P)かのようなシャルルの、獰猛なまでの変貌ぶりを前にした「話者」の応接に顕著だという。「第二の生誕」とまで呼ばれるこの変貌性への分析において、本書の視界はじつは、もっとも華麗な艶をおびてくるのだが、たとえば、シャルルはなぜ、妻の棺は「柏と、マホガニーと、鉛」で「三重」に作ってほしいと言い出し、周囲を唖然とさせるのか?　教会での葬儀が喜捨の行事に移って「二スー銅貨」が引きもきらず銀皿に音を立てつづけるや、「早くしてくれ、おれは苦しいんだ！」（山田𣝣訳『ボヴァリー夫人』・以下同）と荒々しく叫ぶシャルルが、「五フラン金貨を投げ出す」のは、なぜか？　葬儀より半年ほど後、真夏の路上で出くわしたロドルフにむかい、相手と亡妻との関係をすでに承知しながら、すべては「運命のいたずらです！」などという「名台詞（せりふ）」を口するシャルルは、その「翌日」、どうしてあのようにあっけなく、しかし無類の印象をとどめながら「みごとに」死んでみせるのか？

このとき、その「三重」の棺は、自死の寸前、あたりに氾濫する数字「三」に翻弄された妻への鎮魂的な「オマージュ」（604P）ではないのか、というのが、『「ボヴァリー夫人」論』の著者の（断言は控えながらもそのじつ断固たる）答えとなる。同様に、死の寸前の妻が、「めくら」の乞食に投げ与えてやったなけなしの金の同額として、この「五フラン金貨」があらわれるのだというのが、エンマとシャルルの「相互模倣」という斬新きわまりない観点に立つ論者による解釈である。「夢と現実」を混同しがちな若妻と、鈍感で凡庸な年嵩の夫。そうした通説を遠く斥けるこの観点は、就学環境、伴侶への不満、浮気心、寒さ凌ぎの仕草、手形への署名といったいくつかの虚構要素にかんして、エンマがまずシャルルを模倣し、ある時点（エンマがレオンとの情事に明け暮れるあたり）から、ふとした言葉や大仰な身振りなどを介して今度はシャルルがエンマを模倣するといった関係にかかわるのだが、このように模倣的な類似が浮上する場であれば、逆にとうぜん、二人のあいだの齟齬もまた、きわだてられずにはいない。それが「物語」の形成にかかわる「テクストの論理」だとみる論者は、至当にもさらに、その最たる齟齬として、「兄妹のように似ていたはずのシャルルとエンマの空間体験の対照的なありさま」（445P）に眼を留め、これを〈拡散／収縮〉の対立と呼ぶ。閉ざされた低く狭い場所へむけ好んで身を窄め、やがて心身の究極の「収縮」たる死へと赴くエンマと、彼女の死のもたらした「第二の生誕」として、長らく見失っていたおのれの「拡散」的な空間感覚を目覚めさせ、作品に残された数章を通して「エンマにも劣らぬ中心的な作中人物へと自分自身をおし拡げてゆく」シャルル（452P）。そうした対立が、最終的な相互模倣（＝「死」）の「運命」として、澄み渡った香しい「気化」そのもののようなシャルルの最後を導く。

（…）収縮が徹底化されたからには、拡散もまたそうあらねばならない。それには、シャルルが改めてエンマを模倣することが求められる。妻のように、夫もまた、彼にふさわしい空間と触れあうことで死なねばならないからだ。（452P）

それこそが、エンマの死を契機に、一個の作中人物の輪郭までをも不意に喰いやぶってみせるシャルルが、みずから引き寄せる「運命」である。そう断言する論者は、知るはずもない数字を知り、見たわけでもないエンマの施しをなぞり、同様の「テクスト的な現実」として、いままた、こうして妻との模倣的な一対化を果たそうとするようなシャルルを語ることに、「話者」自身が「難儀」し、時としてまるで「途方に暮れているかのようだ」（376P）とつづけることになるわけだ。

途方に暮れる「話者」!? では、誰がそんな「話者」の姿をあやまたず見定めるのか。このとき、はじめの〈作者→話者〉につづいて、『「ボヴァリー夫人」論』の講ずるいまひとつの交代劇が用意されることになる。そうした「話者」に成り代わって、一連の「テクスト的な現実」をしかと受け止めこれを支える「読者」という構図が、それにあたる。乞食になけなしの「五フラン金貨」を投げ与えるエンマの姿を、たとえシャルルが目にしていなくとも、「読者」はこれを読み知っており、あたかもその知覚を媒介にしたかのように、それと同額の金貨が——「話者」自身の思惑をも凌ぎこえるかたちで——葬儀の場のシャルルの喜捨へと転ずる。そのようにして、「あくまで読むものにゆだねられた「テクスト的な現実」」(337P)、すなわち、作品のもっとも「意義深い」生動の担い手としての〈作者→話者→読者〉。

ちなみに、みずから編纂した『論集 蓮實重彥』(二〇一六年)に収めた一文で、右にいう交代的な凌駕劇に近い動きを簡潔にスケッチする工藤庸子は、先の「三」の連鎖を指呼しつつ、「言葉を操る主体である「話者」より「テクスト」に内在する論理が優位に立つことがあるらしい」と記したうえで、『聖アントワーヌの誘惑』の名高い結語を引き寄せて、ひとつの推測を『「ボヴァリー夫人」論』の著者に差し出している。同じフローベールの主人公、世界そのものの生成に同化せんと欲したあの聖者が「物質になりたい!」と願っていたように、この蓮實重彥もじつは、「話者」をも凌ぐ「読者」として、「テクストになりたい!」と念じているのではないか、と。

卓言だとおもう。現に、この工藤への応答として同書に寄せた蓮實自身の一文も、これを「断固として肯定」しながら、『「ボヴァリー夫人」論』では確かに、「「テクストになりたい!」という贅沢を自分に許したのだ」と書いているが、蓮實重彥の大著のたたえる未知の感触のひとつは、確かにこの点に発していよう。ただ、その「贅沢」な欲望は、テクストに内在する「論理」のみにかかわるものか？　このとき、ありようを自前に占うには、さらにひとつ、大著に初めて導入された「テクスト的な現実」なるキーワードとともに頻出する、十二分に既知の二語にかんする復習的な確認が必要となる。――「主題論」と「説話論」がそれにあたる。

並んで二つのもの――「主題論」と「説話論」

たとえば「破棄される偶数」と題された『暗夜行路』論（『「私小説」を読む』一九七九年所収）が、吉原引手茶屋の座敷で向かいあう一組の男女と、卓袱台に「二つで一組といった案配に並べ」られた舶来の函煙草（「サモア」と「アルマ」）とを指さしながら始まっていたように（傍点原文）、あるいは、この大著の（序章と終章をのぞく）すべての章題（「I　散文と歴史」「II　懇願と報酬」……「IX　言葉と数字」「X　運動と物質」）がそうであるように、蓮實重彥の批評は、ごく初期の段階から一貫して、「主題論」と「説話論」という（さながら小津フィルムの人物たちのように）並んだ二つのキーワードによって活気づけられてある。彼の読者には断るまでもない並列の前者は、上述中に注記なしに用いてきた「テマティスム」に相当し、「主題論的体系」なる成句であれば、蓮實自身も加わった『監督 小津安二郎』の仏語訳では «le système thématique» とされるといった案配である。ただし、これを日本に移入するに当たり、蓮實重彥は二つの画期的な変更を加えている。

ひとつは、選びとる「細部」の相違。バシュラールの「物質の想像力」を淵源となし、リシャールの『フローベールにおけるフォルムの創造』(一九五四年)などに代表される彼の地の「テマティスム」においては、反復的な「細部」への視線は、主に「水」や「炎」といった物質のイメージ(乾いたもの、粘ついたもの、滲み出すもの、浸透するもの、等々)に傾注されがちであった。対して、これを拒みはせぬ一方、蓮實重彦は、加えてむしろ、人物や事物の運動性としてその姿勢や動作や行為や出来事(「落下すること」「並ぶこと」「横たわること」「依頼」「代行」等)などに重きをおき、その運動を受け止める表層的(テクスチュアル)=仮構的な輪郭を——作家当人の実存的・精神分析的な最深部を目指すフランスモデルに反し——例の「○○的存在」として創出する。さらに、より重要な第二点として、その創出にむけ、反復的な「細部」を、作家当人の資質にではなく、「物語」の変化に結びつけること。先に、独自のテマティスムと書いたゆえんだが、『「ボヴァリー夫人」論』は、当の一語を次のように定義している。

> テクストのある細部が物語をにわかに活気づけ、しかるべく「反復」されることで物語に否定しがたい変化を導入するとき、そうした細部の意義深い配置を「主題論」的な体系と呼ぶことにする。(136P)

のみならず、ひとつの「主題」が他の「主題」と連携することがこの「活気」に不可分の様態となる。それが、フランス「新批評(ヌーヴェル・クリティック)」由来の「主題論」だが、これに対して、後者「説話論」（同じ小津論仏訳中の「説話論的な構造」は、《la structure narrrative》）は蓮實重彦による造語に近い。だが、愛読者たちもさして気にとめぬようだが、かつて柳父章の強調した「カセット効果」（『翻訳とはなにか』一九七六年）やいまにいう「マジック・ワード」のごとき誘因力を発揮しつづけるその含意は、じつは、右の「主題論」の定義になかば重なっている。ある何かがやはり「物語」の「変化」に作用する場合、その働きがしばしば「説話論的機能」とも呼ばれるからだ。あえて単純（かつ乱暴）にいえば、このとき、その何かが単独で、つまり一度きりしかじかの「変化」の契機になる場合、その働きが「説話論的機能」とみなされる。これゆえ、その同じ何かがすでに幾度か「反復」されていた場合、定義上、「主題論」と「説話論」が出会いうることになる（この出会いが、時により、両者の「相関」や「相殺」と呼ばれる）。先に引いた「誰かが「足」を痛めれば、そのかたわらにたちまち異性が姿を見せるという」関連が「主題論的かつ説話論的な必然」と記されることなどが、その一例である。「足」と「異性」の連関は、作中に二度あらわれているからである。「それぞれの単語の配置が物語の推移にもたらす効果において、頭髪と塵埃とはきわめて似かよった機能を演じている。その機能は、主題論的なものでもあれば説話論的なものでもあり」（327P）といったくだりも同断。十ページと離れぬ間隔で、「「手紙」の主題が「移動」を誘発しているという「主題論」的な一貫性」（169P）と、「「手紙」の主題が「移動」をうながすというこれまでの「説話論」的な構造」（176P）といった文言が並ぶのも、これゆえである。

この次元ではつまり、「説話論的な」という形容は「物語上の」と置き換えてほぼ遺漏はないのだが、その「説話論」的な機能を果たす何かが、「主題論」と同次元の物語内容的な要素（語られたもの）だけではなく、純然たる語りの形式（語り方）にかかわる別次元もある。

たとえば、自殺当日、徴税吏ビネーの部屋で色仕掛けの金策に出るエンマの姿を、向かいの家の屋根裏部屋から遠望する端役たちを介して語る話者につき、その限定された視界から消えることがヒロインの破滅を導くのだから、「ここで「話者」が引き受けている距離が「説話論」的な機能を演じているのは否定すべくもない」（271P）と記されるケースがこれにあたる。農業共進会の場面に登場する老農婦の「手」にまつわる詳細な描写をさして「説話論的には過度の精密さ」（307P）と記されるくだりも然り。「説話論的な「焦点」は明らかにエンマと重なりあっているかにみえながら」（340P）と書かれるところも同様である。右記の「主題論」定義に先だつ箇所にみる次の行文は、ここにいう二つの次元をあわせた「説話論」定義と考えることができる。

つまり、題材となった物語（…）にとどまらず、それを語る形式そのものにかかわるものが、これから問われることになるのだが、それをとりあえず「説話論」的な構造と呼ぶことにする。（90P）

もっとも、語りの形式にあたる「説話論」用法は書物中むしろ稀である。この意味では、本書の註で、強いて『物語のディスクール』におけるジュネットの三分法〈語り（narration）／物語言説（récit）／物語内容（histoire）〉に寄せるなら、自分の「説話論」は、「もっぱら「語り」にかかわるものであると理解されたい」(738P)と記される点にはいくぶんか不審を禁じえぬのだが、その点をあげつらうことが、ここでの本意ではない。これまで数々の批評文に踏襲されてきた蓮實語「説話論」の用法やその揺れ幅[1]などを——英語文脈で別言すれば、一語における<story>と<story-telling>との混在比率の変動などもふくめて——検分してみようというのでもない。

そうではなく、『「ボヴァリー夫人」論』の一側面として興味深いのは、上記のようなごく基本的な復習が、そのじつここで、きわめて異数な事態として、意想外なほど近々と大著そのものの「テクスト的な現実」に通ずることにある。

「贅沢」な相互模倣

そのおもいがけぬ事態は、右記もふくみ互いに連動する以下の三点にかかってくる。

まず、並んで二つのキーワードにもたらされる不均衡。すなわち、八百ページもの言葉が一作品に集中する書物の過半を占める具体的なテクスト分析部分に、対句的な囃子ことばのごとく頻出しながらも、ここには、「主題論」的要素の稀少さにたいする「説話論」的要素の肥大化というアンバランスが生ずること。対象がその作家の全作品ではなく、こうして一作品に絞られる場合、その「反復」が「物語」に変化を導く「細部」は、分析の中心的ポイントとしては、とうぜん相対的な狭小化を余儀なくされる。その「細部」と他の「細部」とのテマティックな運動性の幅も狭められずにはいない。反して、たとえ一作品であれ、「説話論」的なポイントは、それじたい大小となく豊かな屈折をもつ「物語」の推移の逐一にしかと目を凝らしさえすれば、何処にでもいくつでも見つかるといった関係が——たとえば、『監督 小津安二郎』（一九八三年）が、いわゆる「後期」小津の数々のフィルムを通して両者のあいだに見出す「修正しがたい偏差」（同書109P）とは、ほぼ正反対の事態として——この場に露頭してくるわけだ。「食べること」「並ぶこと」「着替えること」「動きをとめること」「見ること」「晴れること」といった諸細部がまさしく、その意義深い「連帯の環」を「豊かに張りめぐらせている」小津の作品風土とは対照的に、こちらでは、有力たりうるはずの「主題論」的要素はしばしば、相対的な限定のみならず、たとえば、その「頻度」の乏しさをも甘受せざるをえない。先述に寄せるなら、〈足の怪我→異性の登場〉は作中にたった二度しかあらわれぬのだし、シャルルの「気化」に繋がる最重要「主題」たる「頭髪と塵埃」も、著者自身の認めるとおり「あからさまな頻度で」あらわれぬためか（329P）、その重要度の強いるきわめて例外的な（対象をあくまで一作品に限定するという本書の大原則からすれば、反則的な）措置として、『ボヴァリー夫人』以外の（初期習作類をふくむ）いくつものテクストから補強的に呼び寄せられることになる。[2] シャルルの「移動」「接触」との対立項として、エンマから「よろける」「かがみこむ」というテマティックな特徴を読み取るくだりに、「エンマが人前で身を「かがめる」と書かれているのはこの長編小説でたったの四回だけなのだから、その形態的な類似が「主題論」的な意味作用をおびていることを、その「頻度」によって正当化することもできない。／とはいえ（…）」（633-634P／改行略）とあるところも、一事とむろん無縁ではなく、「手紙」と「移動」の「主題論」的な連携（作中やはり四回）にかんしても、「手」や「署名」の「主題」に就いても同断である。対して、「説話論」的な要素は（実際に『「ボヴァリー夫人」論』のページを繰る誰の目にも明らかなとおり）いかにも自在に次々と見出され、こういってよければ、土くれのシャルル的様態として本書が特化する「ほこり」のように、措辞のいたるところに舞い降りてくるかにもみえる。ゆえに、ここには、「物語」の変化に応じたその自在に偏心的な「説話論」的要素と、「反復」という明示的な条件の強いる狭小化とともにある「主題論」的な中心とのあいだの「修正しがたい偏差」が、対象を一作に絞るという選択において不可避的に――繰り返すなら、一種歴々たる「テクスト的な現実」として――立ちあらわれてくるわけだ。これが、第一。

第二として、右記のごとく「説話論」は、その自在な幅を同時に二つの次元（「物語」と、それを「語る形式」）にまで拡張しうるものとしてあった。……とすれば、第三として、この「説話論」と「主題論」との関係は、ほとんどそれじたいとして、『「ボヴァリー夫人」論』がシャルルとエンマのあいだに見出す主要関係たる〈拡散／収縮〉の対立を彷彿させずにはいまいというのが、この場にとりもっとも肝要なポイントとなる。実際、大著が幾度も指呼していたのは、シャルルの偏心性と、作中人物であると同時に「読者」でもあるその二次元性ではなかったか？

医学生時代、シャルルは、川沿いの下宿の窓辺から「家並み」の彼方に拡がる澄み渡った香しい一帯に遠く目をやりながら、「あの辺りまで行けばどんなにいいきもちだろう！」と「鼻腔をふくらませて」いた。エンマを知りそめた頃、ルオーの農場を訪れるたびに、「聴覚に視覚と同じ資格を与え」るがごとく、あたりに散在する諸物の表情のうちにエンマの「気配」をまさぐりながら、彼は「ひたすら拡散するものに敏感な文字通り「偏心」する存在」（313P）としての資質をきわだてていた。同じ人物が、妻の死を機に、長く見失っていたこの揮発的な「偏心」性を蘇らせたその末に、先にふれた相互模倣の「運命」として「どこまでも希薄な主体として大気中に気化してゆく」（385P）かのように死んでゆくわけだ。この点を強調するために、蓮實重彦はG・ジュネットの「焦点化」概念を斥け、さらには、「フローベール的存在」の最たる特性として「対象への浸透」を見出したリシャールに、なかば従いなかば逆らうかたちで、同じ資質を、エンマの「液状化」ではなく、シャルルの「気化」のうちに読み取ることになる。

一般的には、その読解が『「ボヴァリー夫人」論』の急所となることも前言のとおりだが、この場ではむしろ、同時にこのとき、ほかならぬこの過程で、シャルルがまた、そうした一個の作中人物の輪郭までをも喰いやぶるかたちで、亡妻にまつわる知るはずもない数字（「三」）を知り、見たわけでもない施しの額（「五フラン金貨」）をなぞっていたことを、改めてより強く想起せねばならない。本書の酷愛する副詞を添えて別言すれば、すなわち、「読者」の次元へ向けてまで思いきり「おし拡げ」られたその「拡散」的な資質にかけて、シャルルはそうしていたのだった。この人物はまた、ロドルフとのあいだに、その二人だけがエンマに向かい（一方は別れの手紙のなかで、他方は、臨終や葬儀の場面で）間投詞《Adieu!》を口にし、彼女の「頭髪」を所有するという「読者」だけが気づいている類似点をもつのだが、たとえば、そうした類似のもたらす近接化といった動きこそが、「フィクションにおける「作中人物」がたえねばならぬ「運命」」（383P）の一つとみなされるとき、その「運命」を体現しうるのは、ロドルフではなく、やはりシャルルの二次元性なのだ。そう言い添えるところに、すでにさしたる違和感を覚えぬ向きには、数々の書物に並記されてきた二語の、この『「ボヴァリー夫人」論』にのみ許された含意についても、これ以上の多言は要すまい。

すなわち、「説話論」の一語がそうであったごとく、偏心的であると同時にくだんの二つの次元にかかわりながら、エンマの死後、「不意にその感覚の全的な開示に向けてみずからの存在を組織し始める」（373P）シャルルと、「主題論」の対象のごとく歴然たる一場の中心としてありながら、「収縮」を余儀なくされるエンマ。――このとき、『「ボヴァリー夫人」論』を読む者は、〈「説話論」／「主題論」〉の二語に鼓舞されつづける語り方じたいが、そこに語られてある男女のすがたと深い親和性を示していることに、未聞の感触を噛みしめることになる。先に引いた著者当人の言葉を再記するなら、この場で相互に模倣しあっているのは、いかにも「贅沢」なことに、シャルルとエンマだけではなかったのだ。……確かにそうみえる。

確かにそうみえはするが……もとより、上記を以て、「テクスト」の生成過程といわば筆移しに同化せんとする「贅沢」な欲望の全容となすわけにもゆくまい。この点を語り尽くすには、事にあたって、この著者が別途さらに、いかに繊細に（たとえば、「「塵埃」体験」の起点に、老ルオーの「記憶」にみなぎる「鮮烈な抒情」を据えること）、どれほど慎重に（たとえば、「II　懇願と報酬」の初稿を本書に組み込むにあたり、作者の現在時たる第二帝政期の介入を最小限に留め直すこと・348P）筆を進めているかを、しかと検分する必要があろう。同じ著者が、ある場合はほとんど陶然と場景描写の数々に接し（たとえば、エンマの「縫い物」、彼女の葬式の日の村の情景、シャルルの死の場面）、ある場合は、わずかな細部をなかば強引に大きな理路に引き込む（たとえば、「分け髪をなでつける」エンマの仕草と、窓の掛けがねに掛かっている彼女の「麦藁帽子」とのさりげない併記から「「頭髪」の禁忌」をなまなまと導かずにはおかない、あられもなく過剰（マゾヒスティック）な読み込み・362P）といった起伏なども、十分考慮せねばならぬはずだが……これらの詳述については、改めて機会を待ちたいとおもう。

註

（1）もっとも興味深い事例の一つとして、『監督 小津安二郎』が「クローズ・アップ」を「いかにもある感情の高まりを無言のうちに口にしているかにみえる表情を拡大してみせるという説話論的な技法」と名指すくだりがある（107P）。この行文は、後年の増補決定版（二〇〇三年）にもそのまま踏襲されるが、その間にフランスで出版された仏訳本では、この箇所に当たる文章において、「説話論な」という形容は削られている（*Yasujiro Ozu*, Éditions de l'Étoile/Chahiers du cinéma,1998. p.123）

（2）「Ⅳ　塵埃と頭髪」の章の「反則」性にかんしては、別途、芳川泰久がテマティスムと「テクスト的な現実」とのいわば原理的な「矛盾」を指摘していて（『「ボヴァリー夫人」をごく私的に読む　自由間接話法とテクスト契約』せりか書房二〇一五年）、一考に価する。

（『ユリイカ』臨時増刊号二〇一七年一〇月 総特集 蓮實重彥）

あとがき

中江兆民『一年有半』と正岡子規『病牀六尺』に寄せた「まえがき」に記したように、本書『子規的病牀批評序説』の書き下ろし部分（Ⅰ、Ⅱ章）において、わたしは異例の書き方を選んでいる。こんなやり方をするのは、はじめてのことだ。

これまでの主だった文章の場合、わたしは、あらかじめ主題を定め、構想を練り、必要な文献を読み重ねたうえで着手してきた。この準備段階の少なからぬ時間の重みが筆先や指先にかかって、いつも起句に難渋したのだが……ともかく、そのようにしてわたしはたえず、何かについてゆっくり筆を執ってきた。この意味で、「書く」ことはいわば「他動詞」的な経験でありつづけたわけだが、今回は、それが端的に「自動詞」と化した。執筆そのものが、『一年有半』の兆民のいう「療治」的な目的となってしまったからだ。しかも、現実の化学治療効果と同じく、それは比較的短い間隔でそのつど更新されなければならない。これゆえ、従来のように媒体や読者層の性格などを予料する余裕もなければ、自分の文章が周囲にもたらすかもしれぬ作用を見積もることもなく、また、その必要も感じなかった。わたしは、手当たり次第、書きたいように書いた。

一面からいえば、かつてなく贅沢な書き方だったとおもう。読まれるごとく、本書の著者は、ここではたとえば、いくつかの理由から久しく封印してきた批評的一人称「わたし」をほとんど無防備に解禁している。同じく、その「わたし」の私的な領分にまつわる事柄や、それにともなうノスタルジックな色調を拒んでいない。どころか、これを時にみずから歓迎してさえいる。論旨の展開と統一性といった鉄則も、しばしば見失っているだろう。書けさえすればよい。そうした自動詞的な贅沢を本書の著者は思うさま自分に許している。子規流にいえば、そうせずには、とつぜん嘘のようなあっけなさで縛りつけられたきわどい「病牀」の「鬱さ晴らし」にならなかったからだ。

　とはいえ、「手を抜いた」わけでは断じてない。というか、抜こうが抜くまいが、わたしにはもうこの「手」しか残っていないのだ。いつも以上に、かつ、文字どおり必死懸命に書いた。フローベールが生きてあれば、すぐさま『紋切型辞典』の一項に登録されてしまうだろうが、それを承知で率直にいえば、わたしは今回はじめて、文学に救われたとおもっている。人並みに、わたしもまた時期時期に各種の「生甲斐」を生きてきた。書くことは、とうぜんその最たるものでありはしたが……それがここまで剝きだしの生甲斐になるとは、かつて思い寄りもしなかった。これも文字どおり、有り難いことだった。

　ただし、この救いの有り難みが甘えに通ずる路だけは、可能なかぎり遮断したつもりである。かつて中江兆民や正岡子規がそうだったように、病気の批評家という者はいる。現にわたしもその一人だ。しかし、批評が病気になっては話にならず、この場合、甘えは、知的怠慢と同様に、批評にとって最悪の「病」である。現下の「病牀」から、せめてこの「病」だけは斥けること。

実際にそうなっているか否か？　判断はもちろん、読者の斟酌にゆだねるべきものとして……以下には、本書にむけて、現実にわたし一個を救ってくださった方々への感謝を記すことを、お許しいただきたい。

　まず、事情を知って暖かい言葉をかけて下さった方々へ。それだけで十分励まされたのに、うち何人かの方には、I章に収めた文章の一部を読んでいただきもした。ひどい動揺のなかで執った筆である。わたし一個にとっては「療治」でも、それが果たして他人が読むに値するものかどうか、さすがに、一抹の不安をおぼえたからだ。会話中の寸言なり長めのメールなり、長短をとわず、日ごろ信頼を置くその人たちの反応を折々の目処にして、なんとか稿を継ぐことができた。この場を借りて、心より謝意を捧げたい。

　前著『日本小説批評の起源』（二〇二〇年）の前後をふくむこの四年間というもの、ベケットの一書名を借りるなら、わたしは「いざ最悪の方へ」としかいいようのない日々を年ごとに余儀なくされてきたが……本書に到るまでのその間をなんとか凌げたのは、家族と、右のような友人の方々のおかげである。米国の学術書よろしく、そうした人々のお名前で一頁の過半ほどを埋め尽くし、せめてもの謝意にかえてみたくもあったが、それがかえってご負担やご迷惑をおかけする場合もあるやもしれぬ。よっていまは控えさせていただくが……本書の表紙帯にエールを寄せていただいた蓮實重彦、柄谷行人ご両人については、そうはゆかない。特記してお礼を申し上げたい。もう四十年以上、お二人の背中を追って批評を書きつづけてきた者の身に、これ以上に贅沢な賜はないとおもう。しかも本書第Ⅲ章は、他ならぬお二人の批評を扱ったものだ。ご当人にとっては、とうぜん不本意な行文も多々そこに混じっていようし、柄谷さんについては、胸を借りるつもりで生意気に背伸びした若書きまで収録しているというのに、なんといってよいか……冥利に尽きて言葉もない。この本が、お二人の望外のご厚意を裏切らぬものであらんことを!

最後になってしまったが、きわめて不安定な(そもそも、仕上がるかどうかすら定かでない)企画を、ごく早い時期から引き受けて下さった月曜社の神林豊氏に感謝申し上げる。そしてまたしても、阿部晴政氏に。

最初の書物『幻影の杼機——泉鏡花論』(一九八三年)の最初の頁(「幻想文学論序説」)にその名を書き込んで以来、わたしはなんども正岡子規の文章を論じ、あるいは援用して、本書に到った。同様にして、阿部氏は、わたしの文筆歴において最初に出会った編集者の一人である。媒体はいまはなき『日本読書新聞』で、駆け出しの批評家はそこで、いくつかの書評やインタビューに臨み、はじめて「文芸時評」というものを担当させてもらった。その後、河出書房新社に移った氏のもとで何冊も作らせてもらい、わけても六十代の書物の大半は彼の賜であり、さらにいま、ほかならぬ子規の名を冠した本書のお世話になった。世話というより、月曜社への仲介もふくめ、端的に、本書を産んでもらったと記す方が実情にふさわしい。

昨年八月に発病を伝えたおり、言下にひとこと。ならば、このさい書きたいだけ書いて下さい、あとは何とかしますという彼のその言葉を、いまなお信じがたい前方に開かれた唯一の道とおもい、個々の文章を即座に読んで伝えてくれた大小の感想を杖のように感じて、ともかくここまで歩くことができた。それぞれの文末に付記した擱筆日は、中途で途絶えるかもしれない歩みのせめての足跡がわりだったが、全体に子規の名を冠するという発案も、その足跡がある程度まで伸びた時点で、阿部氏からもたらされたのものである。おかげで、方位はともあれ、歩みを繰り出す腰はぴたりと定まった気がする。二人三脚とはまさにこのことだ。深くお礼申し上げたい。この本は、一年ほど前に会社を離れフリーランスの編集者となった阿部氏との最初の仕事である。本書名に刻んだ「序説」の一語には、とうぜんまた、その新たな一歩の意がこめられていることも、この場に付記しておきたい。

二〇二二年二月

渡部直己

著作一覧

単著

『幻影の杼機――泉鏡花論』（一九八三年、国文社／増補・改題『泉鏡花論――幻影の杼機』一九九六年、河出書房新社）
『現代口語狂室――発情するポップ・ヒーローたち　ロラン・バルト風味』（一九八四年、河出書房新社）
『HELLO GOOD-BYE 筒井康隆』（一九八四年、弥生書房）
『レトリックス――大衆文芸技術論』（一九八五年、五月書房）
『半解釈――誤読ノススメ』（一九八五年、白夜書房）
『プロ野球観戦學講座』（一九八七年、論創社）
『リアリズムの構造――批評の風景』（一九八八年、論創社）
『紙オムツ・シンドローム――「平成」元年への罵詈雑言（クリティック）』（一九八九年、河出書房新社）
『読者生成論――汎フロイディスム批評序説』（一九八九年、思潮社）
『谷崎潤一郎　擬態の誘惑』（一九九二年、新潮社）
『〈電通〉文学にまみれて――チャート式小説技術時評』（一九九二年、太田出版）
『日本近代文学と〈差別〉』（一九九四年、太田出版）
『中上健次論　愛しさについて』（一九九六年、河出書房新社）
『本気で作家になりたければ漱石に学べ！――小説テクニック特訓講座中級者編』（一九九六年、太田出版／増補決定版、二〇一五年、河出書房新社）

『現代文学の読み方・書かれ方――まともに小説を読みたい/書きたいあなたに』(一九九八年、河出書房新社)
『不敬文学論序説』(一九九九年、太田出版/増補版二〇〇六年、ちくま学芸文庫)
『かくも繊細なる横暴――日本「六八年」小説論』(二〇〇三年、講談社)
『メルトダウンする文学への九通の手紙』(二〇〇五年、早美出版社)
『私学的、あまりに私学的な――陽気で利発な若者へおくる小説・批評・思想ガイド』(二〇一〇年、ひつじ書房)
『日本小説技術史』(二〇一二年、新潮社)
『言葉と奇蹟　泉鏡花・谷崎潤一郎・中上健次』(二〇一三年、作品社)
『小説技術論』(二〇一五年、河出書房新社)
『日本批評大全』(二〇一七年、河出書房新社)
『日本小説批評の起源』(二〇二〇年、河出書房新社)

共編著

『〈批評〉のトリアーデ』(一九八五年、トレヴィル)
『読売巨人軍再建のための建白書』(一九八九年、角川文庫)
『66の名言による世界史教程』(一九九〇年、朝日新聞社)

『それでも作家になりたい人のためのブックガイド』（一九九三年、太田出版）
『日本プロ野球革命宣言――読売ジャイアンツ再建のための建白書』（一九九七年、メタローグ）
『中上健次と熊野』（二〇〇〇年、太田出版）
『必読書１５０』（二〇〇二年、太田出版）
『綿矢りさのしくみ』（二〇〇四年、太田出版）
『新・それでも作家になりたい人のためのブックガイド』（二〇〇四年、太田出版）
『文芸漫談――笑うブンガク入門』（二〇〇五年、集英社）
その他

渡部直己（わたなべ・なおみ）
一九五二年東京生まれ。早稲田大学大学院修士課程修了。日本ジャーナリスト専門学校講師、近畿大学文芸学部教授を経て、早稲田大学文化構想学部教授となり、二〇一八年に退職。

子規的病牀批評序説

著者　渡部直己

二〇二二年三月三一日　第一刷発行

発行者　神林豊
発行所　有限会社月曜社
〒一八二－〇〇〇六　東京都調布市西つつじヶ丘四－四七－三
電話〇三－三九三五－〇五一五（営業）〇四二－四八一－二五五七（編集）
ファクス〇四二－四八一－二五六一
http://getsuyosha.jp/

編集　阿部晴政
装幀　中島浩
印刷・製本　モリモト印刷株式会社

ISBN978-4-86503-133-1